Marie von Amstett

KNIEFÄLLIG

Roman

Marie von Amstett

KNIE
FÄLLIG

Roman

Impressum

»Kniefällig« © Marie von Amstett

1. Auflage 2024

Lektorat und Buchgestaltung: Jörg Fred Nowack

Covergestaltung und Illustrationen: © Ricarda Schwarzel

www.ricarda.photography

Autorinnenportrait: privat

Verlag: BoD · Books on Demand GmbH, In de Tarpen 42, 22848 Norderstedt

Druck: Libri Plureos GmbH, Friedensallee 273, 22763 Hamburg

ISBN: 978-3-7693-0654-5

Dark Romance und Dark Erotic – Ab 18 Jahren empfohlen

Die Handlung dieses Romans ist frei erfunden. Ähnlichkeiten mit lebenden oder bereits verstorbenen Personen sowie real existierenden Orten sind rein zufällig und keineswegs beabsichtigt.

Die Deutsche Nationalbibliothek verzeichnet diese Publikation in der Deutschen Nationalbibliografie; detaillierte bibliografische Daten sind im Internet über https://www.dnb.de abrufbar.

Diese Geschichte habe ich für mich geschrieben.
Ich hatte es mir versprochen.

Liebe Leserin, lieber Leser,

zuerst einmal möchte ich DIR danken, dass DU mein Buch ausgewählt hast und mir somit einen Teil deiner wertvollen Zeit schenkst. Du kannst mir glauben, ich bin mehr als gespannt und nervös, was du zu meinem Erstlingswerk sagen wirst. Wenn es dir gefallen hat, dann lass es mich bitte wissen. Wenn nicht, dann sei bitte gnädig und sag es mir schonend. Ich schreibe bereits an meinem nächsten Buch und Motivation ist ja sooo zerbrechlich.

Selbst bei dieser Danksagung könnte ich stundenlang drauflosschreiben, aber ich übe bereits für meinen Klappentext und ich weiß, es ist wichtig, die Dinge auf den Punkt zu bringen. Wie gesagt, ich übe. So, aber jetzt!

Mein Schatz, ich danke dir für dein offenes Ohr – du musstest dir meine Träumereien vom eigenen Buch jahrelang anhören und warst bestimmt erleichtert, als ich endlich den Mut und den Antrieb hatte, es zu schreiben. Danke für alles! Ich liebe dich!

Mein Lektor und Buchgestalter – du bist mir auf Facebook rein zufällig über den Weg gelaufen und aus Gründen, die sich mir nicht ganz erschließen, hast du mein Potenzial gesehen und mich mit deinen Worten derart überwältigt, dass ich nicht mehr anders konnte, als MEIN BUCH zu schreiben.
Dein Glaube an mich, deine Motivation und dein Wissen, welches du mir mit viel Geduld vermittelt

hast, haben es mich durchziehen lassen. Ein riesengroßes Danke! Und du weißt, das nächste Buch ist bereits in Arbeit.

Ricarda, du hast mir geholfen, mein Print-Kind sichtbar zu machen und was soll ich sagen, das Buchcover ist ästhetisch und stilvoll geworden. Ein absolut wundervoller Eyecatcher, der mich schon beim allererersten Entwurf umgehauen hat. Dafür danke ich auch dir von ganzem Herzen.

Regina, Susanne, Sonja, ihr könntet nicht unterschiedlicher sein, aber ihr bereichert mein Leben auf eine wundervolle Art und Weise. Danke fürs Zuhören, Mitfiebern, Mutmachen und die gemeinsame Vorfreude auf meinen Debütroman!

Und jetzt kommt ein ganz, ganz besonders wichtiger Punkt:
Liebe Familienmitglieder, bitte lest mein Buch auf gar keinen Fall! Das meine ich absolut ernst. Das nächste Kaffeetrinken oder das nächste Familientreffen wären mit großer Wahrscheinlichkeit nicht mehr dieselben. Ich würde nämlich die vielen Fragezeichen in euren Gesichtern sehen und ihr würdet euch gewiss fragen ...
Ach, lassen wir das. Bitte einfach nicht lesen und alles ist gut! Auch dafür danke ich euch.

Marie v. Anstett

Prolog

Gewisse Dinge in meinem Leben konnte ich vorher einfach nicht benennen, weil ich es einfach nicht besser wusste. Ich war jung, gerade mal dreißig, und hatte das Talent, einen Raum für mich einnehmen zu können, wenn ich ihn betrat. Meistens lag das an meiner eigenwilligen, langen, rotblonden Lockenmähne. Als Mauerblümchen hätte ich mich nie bezeichnet. Schließlich war ich Assistentin der Geschäftsleitung in einer der renommiertesten Werbeagenturen in Linz und trug die Verantwortung für Projekte im sechsstelligen Bereich. Privat war ich jedoch sehr solide.

Meine letzte Beziehung dauerte sieben Jahre. Wie es sich jedoch oft ganz still und heimlich einschlich, war nach ein paar Jahren einfach die Luft raus. Sex zwischen uns gab es nur noch auf Absprache, entweder Samstag oder Sonntag. Erfüllung sah für mich anders aus. Leidenschaft – kannte ich die überhaupt? Ich suchte nach Erfüllung, auch wenn ich definitiv keine Ahnung hatte, in welche Richtung sich diese »Erfüllung« entwickeln würde. Trennung war für mich die einzige Option für Veränderung.

Überraschenderweise verlief sie komplikationslos und ohne viel Gezeter. Wir waren uns schnell einig, dass wir beide mehr von einer Beziehung erwartet hatten. Manchmal beschlich mich das Gefühl, er hatte längst gefunden, wovon wir sprachen, besaß jedoch schlichtweg einfach nicht den Mumm, mir davon zu erzählen und die Beziehung zu beenden. Aber was? Was war es, das mir so sehnsüchtig fehlte und eine solche Leere in mir hinterließ? Mir war klar, dass ich einen Mann wollte, der wusste, wo der Hammer hing. Einen Mann, der auch seinen Mann stehen und Entscheidungen treffen konnte. Einen Mann, der Maskulinität und Dominanz ausstrahlte, ohne jedoch ein Macho zu sein. Und einen Mann mit Leidenschaft, bei dem es mir möglich war, auch mal meine Verantwortung abzugeben. Schließlich war ich erst dreißig, experimentierfreudig und gerade ausgehungert. In jüngeren Jahren, von der Pubertät bis Mitte zwanzig, war ich mit meinem Körper unzufrieden. Immerzu bemängelte ich etwas an meinem Aussehen. Wie viele Komplexe konnte man als Frau eigentlich haben? Siebenundvierzigbillionen? Sogar während ich mit einem »One-Night-Stand« Sex hatte, hielt ich nach Möglichkeit die Luft an und zog meinen Bauch ein, um ja jederzeit schlank und sexy zu wirken. Heute bin ich mir sicher, das war alles andere als sexy, wohl eher verkrampft und peinlich. Dessen ungeachtet war das Schlimmste daran, dass ich selbst dabei völlig auf der Strecke blieb. Mit den Jahren, die vergingen, lernte ich jedoch, meine Weiblichkeit zu schätzen und meinen Körper anzunehmen. Dabei bemerkte ich, dass diese neugewonnene Selbstakzeptanz der reinste Männermagnet zu sein schien. Doch der Richtige ließ irgendwo auf sich warten. Bei den meisten Dates verlor ich schon nach ein paar Sätzen das Interesse an meinem Gegenüber.

Doch eines Tages stieß ich in einem Onlineportal auf eine Seite namens »Masters and Subs«.

Von diesem Augenblick an begann meine spannende Entdeckungsreise in eine Welt, die mich vom ersten Moment an komplett in ihren Bann zog. Selbstverständlich gab es auch ein paar Enten, die ich mir gerne erspart hätte.

Bis ich IHN kennenlernte. Ich geriet in einen wahren Strudel der Leidenschaft und blickte in tiefe Abgründe meiner Seele.

Peer

Wir hatten bereits viel miteinander geschrieben, hatten unsere tiefsten Sehnsüchte und Fantasien ausgetauscht. Für mich sollte unsere Begegnung zwar nicht die erste Erfahrung mit einem Dom sein, aber definitiv die erste mit einem so erfahrenen und wahren Dom. Seine Art zu schreiben war für mich so faszinierend und mir schien es, als hätte ich endlich jemanden gefunden, der mich einzuschätzen wusste. Wozu würde ein dominanter Mann wie Peer mich antreiben können? Würde er es schaffen, dass ich meine Scheu und meine Ängste überwand? Könnte er mich dazu bringen, meine angelernte Kontrolle gänzlich abzugeben? Würde er der Mann sein, der mich auffing, wenn ich schwach sein würde?

Diese und ähnliche Gedanken gingen mir auf dem Weg zu ihm durch den Kopf. Ich würde lügen, wenn ich sagte, dass ich keine Zweifel gehabt hätte, mich einem mir im Prinzip fremden Mann auszuliefern. Aber ich glaube, genau darin lag für mich ein noch größerer Reiz.

Er hatte mir seine Adresse gegeben und so nahm ich vom Bahnhof aus ein Taxi zu seinem Haus. Auf dem gesamten Weg dorthin hatte ich die ganze Zeit das Gefühl, jeder würde mir ansehen, was ich in den nächsten zwei Tagen vorhatte, nämlich mich einem Mann zu unterwerfen, ihm zu dienen, mich züchtigen zu lassen und durch Schmerz die Lust meines Lebens zu erfahren. Je näher ich ihm kam, desto heftiger reagierte mein Körper und zugleich wurde ich immer nervöser. Die ganze Zeit lief mir eine Gänsehaut nach der anderen rauf und runter.

Vor unserem Treffen hatte ich von ihm ein paar Anweisungen bekommen, unter anderem, unter meinem Kleid nur eine Strumpfhose zu tragen. Da ein Höschen nicht erlaubt war, spürte ich schon jetzt die Nässe zwischen meinen Nylonschenkeln. Angeturnt von diesem Gefühl und dem zarten Duft meiner weiblichen Leidenschaft presste ich die Oberschenkel für einen Moment fest zusammen. Nur so konnte ich dieses aufsteigende Verlangen, berührt werden zu wollen, eine Zeitlang unterdrücken. Würde er von meinem erregenden Duft genauso angetan sein? Was würde er davon halten, wenn ich schon auslief, bevor ich ihm überhaupt gegenübertrat?

Meine Anspannung stieg fast ins Unerträgliche, als ich mitbekam, dass der Taxifahrer mich über den Rückspiegel beobachtete. Fritz – so hieß er vermutlich, da er ein Metallschild mit diesem Namen in der Windschutzscheibe liegen hatte – war von mir wohl etwas angetan. Wahrscheinlich war er Kettenraucher, denn in dem alten, aber gepflegten Mercedes roch es stark nach kaltem Rauch. Auch seine gelblich verfärbten Finger und sein blonder Schnauzbart, der gelbliche Spitzen hatte, waren mir nicht entgangen. Er drehte sich zu mir um und mit einem schelmischen Lächeln im Gesicht und dem typischen Wiener Slang sagte er: »Gnä' Frau, glei sama im Nobelviertel wo's hin woitn.«

Ich bedankte mich mit einem Nicken für diese Information. Mein gleichzeitiges Augenzwinkern gab

ihm zu verstehen, dass mir seine Blicke nicht entgangen waren. Für einen kleinen Moment spürte
ich seine Verunsicherung. Er fühlte sich ertappt.
So kleine Spielereien fand ich schon immer spannend, da sie alltägliche Begegnungen gleich viel in-
teressanter werden ließen. Manchmal entstanden
aus solchen Situationen sogar nette Gespräche.
Doch jetzt war nicht die Zeit zum Plaudern. Mir
stieg die Hitze ins Gesicht und auf meiner Stirn bildeten sich Schweißperlen, genau wie auf meinem
Rücken. Mein Körper verriet mich.
Wie ein kleines, aufgeregtes Mädchen sah ich aus
dem Seitenfenster, während die Gegend immer ruhiger wurde. Gerade flog in monotoner Zeitlupe
eine alte Baumallee am Fenster vorbei. Jede Minute
konnte es so weit sein, gleich würde ich meinem
Herrn in die Augen sehen und seine Stimme hören.
Ohhh ... seine Stimme war schon am Telefon ein
Trigger für mich. In seiner Art zu sprechen lag etwas Souveränes und zugleich tief Geheimnisvolles.
»Wir san jetzt do, junges Fräulein«, hörte ich Fritz in
seinen struppigen Bart murmeln.
Mein Herz schlug nun bis zum Hals und ich hatte
wahrhaftig Mühe, das Geld zu zählen, denn meine
Hände zitterten vor Erregung.
Beim Aussteigen wehte mir ein kühler Frühlings-
wind entgegen, der mich die Nässe zwischen mei-
nen Beinen noch deutlicher empfinden ließ.
Die Taxitüre warf ich mit Schwung und vermutlich
etwas zu heftig zu. Der Chauffeur tippte mit drei
Fingern an seine imaginäre Mütze und fuhr davon.

Da stand ich nun in einer eher gediegenen Gegend auf dem Gehweg und dachte so bei mir: ›*Hier wird es also hinter verschlossenen Türen stattfinden. Dabei ahnt niemand, was in diesem Haus passieren wird. Ob seine Nachbarn ihn gut kennen? Was würden sie denken, wenn sie wüssten, aus welchem Grund ich hier zu Besuch war? Oder wussten sie es vielleicht sogar?*‹

Um mich zu beruhigen, atmete ich ein paar Mal tief ein und aus. Diese Jahreszeit komponierte immer einen ganz eigenen, lieblichen, blumigen Duft. Von eifrigen Hummeln und zwitschernden Amseln wurde das Frühlingserwachen bereits eingeläutet. Unter Anspannung blickte ich ein weiteres Mal auf mein Handy, um mich der richtigen Adresse zu vergewissern.

»Mhhh, jaaaa, das stimmt«, murmelte ich leise und ließ meinen Blick nochmals über das Nobelviertel schweifen. Die Autos, die in dieser scheinbar endlosen Allee vor wahrlich prachtvollen Anwesen parkten, ließen an dieser Bezeichnung keinen Zweifel. Als ich mich nun wieder dem Haus mit der Nummer zwölf zuwandte, staunte ich bei näherer Betrachtung nicht schlecht. Obwohl ich mit Sicherheit keine Architektur-Expertin war, erkannte ich eine stilechte Jugendstilvilla, die bestimmt schon ein paar Jahre am Buckel hatte. Vor nicht allzu langer Zeit war sie liebevoll renoviert worden und strahlte einen ganz besonderen Charme aus. Vielleicht war mein Eindruck aber auch nur durch das Wissen geprägt, dass hier dieser zum Niederknien gutaussehende Mann wohnte.

Dieses schöne Gebäude hatte rechts einen runden Erker, der sich über beide Stockwerke erstreckte, wodurch es wie ein kleines, romantisches Schlösschen wirkte. Überall unter und über den Fenstern gab es an der weißen Fassade zauberhafte Stuckornamente, auch unter dem Dachvorsprung fanden sich florale Ornamente, die herrlich ineinander verschlungen fast ein bisschen verspielt wirkten. Das untere Stockwerk war von großen Fensterfronten gezeichnet, die im Inneren lichtdurchflutete Räume vermuten ließen. Im oberen Stockwerk gab es kleinere Fenster mit Holzsprossen, welche durch die stilvollen Holzläden an den Seiten aber nicht weniger beeindruckend waren. Rechts und links von imposanten weißen Säulen begleitet schritt ich etwas zögerlich die Treppen hinauf.

Jetzt gab es kein Zurück mehr. Weshalb auch, war ich doch genau deswegen hier, um meine Unsicherheiten abzulegen. Ich war überzeugt, meine Sehnsucht war hier an der richtigen Adresse, denn ich wusste, mein Bauchgefühl irrte sich nie.

Zittrig und aufgeregt kramte ich in der Handtasche nach TicTacs, von denen ich mir schnell ein paar in den Mund schob. Mit der Zunge leckte ich nochmal über die Zähne und meine Lippen, als ob ich jetzt noch irgendetwas ausrichten könnte. Zu guter Letzt schüttelte ich meinen Kopf, um meine Löwenmähne so gut als möglich in Szene zu setzen. Meine Aufmerksamkeit richtete sich nochmals zwischen meine Beine, denn auf irgendeine Art und Weise war mir die nasse Strumpfhose unangenehm. Doch jetzt war es ohnehin zu spät, um etwas daran zu ändern. Ein letzter tiefer Seufzer und schon war es geschehen.

Ich hatte den Knopf der verschnörkelten goldfarbenen Klingel gedrückt. Schon im nächsten Moment bewegte sich der Vorhang links am Fenster und ebenso flugs war es mir etwas peinlich, was ich vor dem Klingeln an mir veranstaltet hatte. Womöglich hatte er mich schon länger beobachtet?
Doch bereits im nächsten Augenblick wurden meine Gedankengänge unterbrochen. Die Türe öffnete sich und in diesem Moment hätte ich gewiss keinen Tropfen Blut gegeben, denn Peer stand in seiner vollen Pracht vor mir! Seine strahlenden Augen zogen mich sofort in ihren Bann. Schon auf den Fotos, die wir ausgetauscht hatten, waren mir seine stahlblauen Augen aufgefallen, aber jetzt hatte ich das Gefühl, in einem Ozean aus Blau zu versinken. Überhaupt war er ein großer, stattlicher Mann und hätte ich keine Heels angehabt, wäre ich mir gewiss wie ein Mäuschen vorgekommen.
»Komm herein, meine Kleine! Schön, dass du da bist. Hattest du eine gute Anreise?« Er griff mit der linken Hand nach meinem Trolley und mit der rechten fasste er sanft an meine Taille. So ließ er mich wissen, dass ich eintreten solle. Aus dem Augenwinkel konnte ich ihm ansehen, dass er schmunzeln musste, vermutlich weil ich noch immer keinen Ton von mir gegeben hatte. Wie sollte ich auch etwas sagen? Ich fühlte mich, als würde ich

als Kind staunend vor dem Weihnachtsbaum stehen. Aber ein »Wooow« oder »Ohhhh, wie schön« wäre hier wohl unpassend gewesen. Während ich also verlegen lächelte und überlegte, was ich sagen könnte, kam er mir zuvor und war dabei ganz Gentlemen.

»Komm erstmal in Ruhe hier an und mach dich mit meiner Höhle vertraut. Hier soll es dir gut gehen, du kannst dich wie zu Hause fühlen.«

Mehr als ein Nicken und »Danke« kam auch diesmal nicht aus meinem Mund. Was war bloß los mit mir?

›Alles ist gut, Maria‹, beruhigte ich mich in Gedanken.

»Bevor ich es vergesse, meine Kleine«, bemerkte er mit fester Stimme, aber mit einem spitzbübischen Lächeln im Gesicht. Er kam näher, bis er dicht vor mir stand. Peer fasste mit beiden Händen an meine Hüfte und drehte mich um. Als ich seinen warmen Atem in meinem Nacken spürte, lief es mir heiß und kalt über den Rücken. Wie konnte ein Mann nur so ergötzlich riechen? Er drückte mich fest an sich und legte seine rechte Hand behutsam, aber mit festem Griff an meinen Hals. Jetzt spürte ich sein Bein zwischen meinen Oberschenkeln und mit einem leichten Ruck schob er mit seinem Knie meine Beine ein Stück auseinander. Sein Griff um meinen Hals wurde bestimmter und ich spürte, wie mich die Kraft in meinen Beinen verließ. Meine Knie wurden ganz weich und mir entwich ein leises Stöhnen.

»Dein Herr muss ja noch testen, ob du seine Anweisungen erfüllt hast, meine geile Kleine«, flüsterte er mir ins Ohr und gleichzeitig glitt seine linke Hand zwischen meine Oberschenkel, wobei er mein Kleid hochschob.

Mir fiel das Atmen schwer und ich schloss die Augen, während ich ihn ganz selbstverständlich gewähren ließ. Ja, mehr noch, ich fand Gefallen daran. Nun erspürte ich, wie seine Finger zwischen den Hauch von Nylon und meine Scham glitten und jeden Zentimeter abtasteten, als würden sie etwas suchen.

»Mmhhhh, mein artiges Mädchen ist schon voller Vorfreude und hat ihre Sache gut gemacht. Brav ist sie meinen Anweisungen gefolgt.« Während er das sagte, zog er seine Hand langsam, fast wie in Zeitlupe, aus meiner Mitte zurück. Sein fester Griff um meinen Hals lockerte sich und als würden wir tanzen, drehte er mich wieder zu sich um. Er roch genüsslich an seinen Fingern und kostete mit der Zungenspitze wie ein Gourmet seine Nachspeise. Anschließend ließ er mich probieren, indem er seinen Zeigefinger über meine Lippen streifte. Sein Blick verriet mir, dass er mich und meine Reaktionen in jeder Sekunde genau beobachtete. Nie zuvor hatte ich meine Anspannung so ausgekostet. Mein Kopfkino lief auf Hochtouren und mein Körper reagierte auf jede Kleinigkeit. Dazu seine feste, tiefe Stimme, seine Duschfrische, die nach Meeresbrise und Pinienwald duftete, seine Berührungen aus Sanftheit, gemischt mit Bestimmtheit, all das ließ mich nach nur fünf Minuten total willenlos werden. Am liebsten hätte ich ihn angefleht, mich auf der Stelle hier im Vorzimmer zu nehmen, aber ich hatte

ja noch immer nichts gesprochen. Ich war so überwältigt, dass es mir regelrecht die Sprache verschla-
gen hatte.

Jetzt nahm er mich bei der Hand, neigte seinen
Kopf zur Seite und sagte:

»Komm, ich zeig dir das Wohnzimmer und die Küche, bereite uns einen Tee und wir können ein bisschen plaudern. Sei ganz entspannt, du gefällst und
schmeckst mir sehr gut. Wir werden eine wundervolle Zeit zusammen haben.«

Ich hatte mein Zeitgefühl total verloren. Mir war,
als wäre ich in eine mir völlig neue Zeitdimension
gereist. Alles fühlte sich anders an. Auch ich fühlte
mich anders.

Meine Scheu und Wortkargheit hatte ich schnell abgelegt, während er für uns Tee zubereitete. Alles
fühlte sich so vertraut an, als hätte ich hier bei ihm
schon öfter meine Zeit verbracht.

Der Grund dafür war allein er. Peer strahlte etwas
Beruhigendes aus, allerdings war ich mir seiner anderen Seite genauso bewusst. Während er mir dies
und jenes erzählte, führte ich die ganze Zeit innere
Dialoge. Ich fragte mich, wie viele Frauen womöglich schon vor mir hier waren? Warum lebte ein so
faszinierender Mann nicht in einer Beziehung?
Hatte er vielleicht eine Partnerin und ich wusste
nur nicht davon? Ich hatte viele Fragen, doch ich
traute mich nicht, eine einzige davon zu stellen. Für
nichts auf dieser Welt hätte ich die Stimmung ge-
fährdet oder wäre ohne Erlebnis nach Hause gefahren. Mein sehnlichster Wunsch war es, allein für
ihn etwas Besonderes zu sein. Schließlich gab er

mir das Gefühl, eine begehrenswerte Frau zu sein. Das musste mir fürs Erste genügen. Letztendlich war ich hier, um mit ihm etwas einzigartig Unartiges zu erleben. Meine romantischen Anflüge waren hier fehl am Platz. Verdammt, er war ein Mann zum Verlieben!

Peer sagte überraschend: »Wo bist du gerade mit deinen Gedanken, meine kleine Maria?« Ertappt schreckte ich hoch und stammelte irgendwas.

»Ich finde es echt schön bei dir und ich bin froh, hier zu sein.« Dafür erntete ich einen ungläubigen, aber warmen Blick.

»Meine Kleine scheint wohl schon etwas ungeduldig zu sein. Dein Kopfkino läuft bereits.« Er zwinkerte mir zu.

Ertappt! Schon ging mein Puls wieder steil nach oben. Das Pochen meiner Klitoris ließ meine Hüften nervös auf dem Sessel kreisen. Als ich mich schnell auf meine Hände setzte, wollte ich verbergen, dass ich schon wieder ganz kribbelig und nass wurde. Aber mein Versuch, das zu vertuschen, war zum Scheitern verurteilt. Mein Zustand war Peer natürlich nicht entgangen. Er streckte seine rechte Hand über den Tisch und fasste seitlich an meinen Nacken.

»Du kannst mir nichts verheimlichen, auch wenn du mir nicht alles sagst. Dein Körper verrät dich jedes Mal. Also kannst du gleich aufhören, etwas unterdrücken zu wollen. Vielmehr kannst du beginnen, zu genießen. Lass es geschehen! Damit es leichter für dich wird, habe ich hier ein Geschenk für dich.« Peers Finger glitten sanft durch meine

Haare, während er aufstand und zu einer Kommode ging, die gleich neben einem schönen Kamin mit einer Holzbank stand. Insgeheim sah ich mich in einem Hemd von Peer, einem guten Buch und einer Tasse Tee dort am Kamin sitzen. Alles war vortrefflich aufeinander abgestimmt, moderne Möbel waren mit Antiquitäten gemischt. Von solcher Kunst hatte ich zwar keinen Schimmer, aber die Bilder an seinen Wänden mussten ausgesuchte Raritäten sein. Auf jeden Fall fand ich sie sehr schön.

Verträumt sah ich ihm hinterher und himmelte ihn an, während er die oberste Schublade öffnete, aus der er ein kleines, mit Ornamenten verziertes Holzkästchen heraushob. Seine Augen funkelten mich von der Seite an. Er schnappte sich ein großes Kissen von seiner Couch, das er vor sich auf den Boden warf, als er sich wieder hinsetzte.

»Komm her, meine Kleine, knie dich hier auf das weiche Kissen«, hörte ich seine immer tiefer werdende Stimme. Ohne zu zögern befolgte ich seine Anweisung, kniete wie befohlen vor ihm nieder und senkte meinen Blick. So hatte ich es auf einschlägigen Seiten im Internet oder in Romanen immer wieder gelesen. Eine Sub blickte demütig zu Boden. Das wollte ich richtig machen, doch scheinbar hatte ich mich geirrt und offensichtlich gab es viele Vorlieben. Peer ließ mich seine gleich wissen.

»Wieso siehst du deinem Herrn nicht in die Augen? Hast du etwas angestellt, dass du mich nicht ansehen kannst?«

»Nein, mein Herr«, kam es wie aus der Pistole geschossen. »Ich dachte, ähm … naja, mein Blick soll doch demütig sein und deshalb ...«, versuchte ich mich zu erklären. Er aber unterbrach mich.

»Deine Augen sind es, die mich besonders faszinieren. Deine Augen verraten mir mehr über dich, als du dir vorstellen kannst. Du wirst mich daher immer ansehen, wenn du kniend auf mich wartest. Ausnahmen sind, wenn ich deine Augen verbunden habe oder wenn meine kleine Sub unartig war und sich deshalb schämt, ihrem Herrn nicht gehorcht zu haben. Dann und nur dann wirst du mich nicht ansehen, sondern deinen Blick senken.« Diese Ansage sorgte bei mir durch und durch für Haarsträuben. »Hast du mich verstanden, meine Kleine?«, insistierte er.

»Ja, ich habe verstanden, mein Herr!«, erwiderte ich etwas unsicher.

»Wobei wir gleich beim nächsten Thema sind.« Er zog eine Augenbraue hoch, dazu merkte ich, wie sehr es ihn amüsierte, eine unerfahrene Sub in seine Finger bekommen zu haben. Erst in diesem Moment wurde mir das ganze Ausmaß dieser Erfahrung bewusst. Er würde mich fordern, ja mehr noch, er würde mich an meine Grenzen bringen und mich alles darüber Gelesene vergessen lassen.

»Nun, meine Kleine, ich habe hier ein Geschenk für dich, welches dir deinen Aufenthalt bei mir etwas erleichtern soll.« Während Peer dieses schöne Holzkästchen vor mir auf Augenhöhe hielt, stieg meine Nervosität ins Unermessliche. Der Verschluss der Schatulle war klein und kunstvoll schnörkelig, sehr filigran. Er drehte daran und öffnete langsam den Deckel. Als ich staunend in das Kästchen sah, erblickte ich einen Halsreif, der auf feinem, lilafarbenen Samt gebettet war. Der Ring der O. wurde er genannt. Ich hatte selbst Halsbänder zu Hause, aber dieser Ring war so wunderschön, dass ich mich auf Anhieb wie seine Auserwählte fühlte. Der Edelstahlreif hatte eine gerade Form, einen glänzenden Schliff und war breit mit weichem Leder hinterlegt. Den Verschluss in Form von drei ausgestanzten Löchern, durch die ein Edelstahldorn passte, fand ich faszinierend. Dieser Dorn konnte mit einem kleinen Vorhängeschloss fixiert werden. Der Schlüssel für das Schloss lag in der Mitte des Kästchens auf dem lilafarbenen Samt. Noch während ich dieses wundervolle Schmuckstück bestaunte, stellte ich mir die Frage, warum und vor allem wie es mir meinen Aufenthalt bei ihm erleichtern sollte. Meine Augen wurden ganz glasig. Wir bemerkten beide, wie sehr mich diese seine Geste ergriff.

»Wunderschön, er gefällt mir sehr, mein Herr, danke«, hauchte ich. Ich war tatsächlich spürbar bewegt von diesem märchenhaften Moment. Ich fühlte mich fast so, als wäre Peer mein Ritter in glänzender Rüstung. Nicht einer, der mich befreite, sondern einer, der mich bei sich gefangen hielt und mich lehrte, ihm eine gute Dienerin zu sein. Für manche Menschen mögen diese Gedanken eigenartig sein, doch für mich schien ein Traum in Erfüllung zu gehen.

»Ich werde dir jetzt erklären, was es mit diesem Schmuckstück auf sich hat«, fuhr Peer fort. »Dein Herr möchte all deine Facetten kennenlernen. Dich, wie DU einfach bist und natürlich auch meine geile Kleine. Daher habe ich mir für dieses Wochenende mit dir folgendes überlegt. Trägst du den Halsreif, verlange ich von dir absoluten Gehorsam und will, dass du meinen Anweisungen Folge leistest. Du weißt dann, dass dein Platz zu meinen Füßen ist und du sprichst mich mit ›Herr‹ an. Erlaube ich dir allerdings, dein Halsband abzunehmen, kannst du dich hier ganz frei bewegen und sagen, wonach dir ist. Aber übertreib es nicht mit deinen Freiheiten, sie sind sonst schneller wieder weg, als dir lieb ist«, bemerkte er mit einem Augenzwinkern.

»Ich habe verstanden, mein Herr«, strahlte ich ihn an. Meine Hände und Knie zitterten vor Erregung und ich konnte kaum erwarten, diesen Halsreif zu tragen.

»Na, na, meine Kleine kann es wohl kaum abwarten, bis ich ihr dieses Schmuckstück anlege?«, fragte er lachend und ging um mich herum. Da der Edelstahlreif mit Leder hinterlegt war, fühlte er sich nicht kalt oder unangenehm an, als er ihn mir anlegte. Er streifte meine langen Haare sanft zur Seite und legte sie mir über die linke Schulter. Als Peer mit seinen Fingerspitzen über meinen Nacken glitt, musste ich mich schütteln, weil es mir kalt über den Rücken lief.

»Ich werde ihn dir locker anlegen, damit du erstmal ein Gefühl dafür bekommst. Aber auch das kann sich schnell ändern.« Er brauchte eine Weile, um das Schloss zu befestigen. Im nächsten Augenblick war es jedoch mit einem klickenden Geräusch verschlossen. Mein Herr legte seine Hände nun auf meine Schultern und beugte sich zu meinem rechten Ohr vor.

»Dieser Halsreif steht dir ausgezeichnet, meine Kleine!«

»Danke, mein Herr, ich fühle mich geehrt, ihn tragen zu dürfen«, erwiderte ich stolz. Nun kam er wieder vor mich. Für mich fühlte es sich etwas befremdlich an, ihm ständig in die Augen zu sehen.

»Eines noch, bevor wir es vergessen. Etwas sehr Wichtiges für uns beide. Um niemals eine Grenze zu überschreiten, egal ob körperlich oder psychisch, bedarf es eines Safe-Words. Hat meine Kleine eine Idee?«

»Sachertorte«, sprudelte es sofort aus mir heraus, als wäre es das Normalste auf der Welt. Während meiner ganzen Anreise nach Wien hatte ich immer wieder das Verlangen nach Sachertorte verspürt. Jetzt mussten wir beide aus vollem Hals lachen.

»Nun gut, nehmen wir Sachertorte als Safe-Word, du süßes kleines Ding.« Während er das sagte, streckte er mir seine Hände entgegen, um mir aufzuhelfen.

»Nach deiner Anreise möchtest du dich bestimmt frischmachen, habe ich recht?«

Die Entfernung zwischen unseren Wohnorten war zwar nicht sonderlich groß, aber nach Reisen mit den öffentlichen Verkehrsmitteln hatte ich meistens das Bedürfnis, mich zu waschen oder zu duschen. Auch nach Shopping-Touren in Einkaufscentern oder Kinobesuchen, also immer, wenn ich dort war, wo sich viele Menschen tummelten, bekam ich dieses Bedürfnis.

»Ja, mein Herr, das wäre wirklich wohltuend!«, bestätigte ich noch völlig ahnungslos. »Gut, also lass uns ins Badezimmer gehen!« Mit skeptischen Augen sah ich ihn an. Er schaffte es immer wieder, mich verlegen zu machen. Ganz leise beschlich mich der Verdacht, es könnte mir noch öfter so ergehen. Er konnte in mir lesen wie in einem Buch. Ein Buch, welches er scheinbar schon sehr gut kannte. Ich hingegen fühlte mich, als säße ich mit einem chinesischen Roman in einer Achterbahn und sähe die Loopings nicht kommen. Unsicher und getrieben von dem Gefühl, alles richtig machen zu wollen, war ich wohl zu sehr mit mir selbst beschäftigt. Deshalb fiel es ihm nicht schwer, mich immer wieder aus der Reserve zu locken und mich zu überraschen. Peer jedoch fokussierte sich ausschließlich auf mich. Aus diesem Grund konnte er mich jedes Mal aufs Neue durchschauen.

Peer nahm mich an der Hand und ging voran. Eine dunkle alte Holztreppe führte in das Obergeschoss und auch hier zierten wunderschöne Bilder die Wände. Aber im Gegensatz zu den unteren Räumen wurden hier hauptsächlich sinnlich-erotische Aktbilder in Szene gesetzt. Eine Mischung aus gemalten Bildern und Fotografien. Er bemerkte meine Bewunderung für diese ästhetischen Fotografien und Gemälde, daher wurde er etwas langsamer und gab mir Zeit, die Bilder zu bestaunen. Sie gefielen mir allesamt. Keine Ahnung, aus welchem Grund, aber sie passten zu ihm. Alles war stimmig. Im ganzen Haus lag der dezente Duft von Zitrusfrüchten und frischen Tannenzweigen in der Luft. Dazu seine Erscheinung in schwarzer Anzugshose mit weißem Hemd, dessen oberen zwei Knöpfe geöffnet waren. An jedem Ringfinger trug er schöne, schlichte Edelstahlringe und an seinem linken Handgelenk eine schwarze, extravagante Breitling. Dass seine Uhr eine Breitling war, konnte ich erkennen, als wir bei Tisch saßen und plauderten. Solche Details zu beobachten und mir einzuprägen, war eine Angewohnheit von mir.

Peers ganzer Stil, seine Art zu kommunizieren, sein Haus, dessen Einrichtung und die Kunstwerke, die hier überall zu sehen waren, alles passte. Geschmackvoll. Trotzdem wohnlich und gemütlich. Fast zu schön, um wahr zu sein.

Oben angekommen bemerkte ich, dass es nur zwei Türen gab. Deshalb mussten sich sehr große Räume hinter ihnen verbergen. Schließlich waren wir in einem großen Haus. Er hielt mich noch immer wie ein kleines Mädchen an meiner Hand und ich folgte ihm bei jedem Schritt. Er öffnete zuerst die Tür zum Schlafzimmer.

Wow! Ich staunte nicht schlecht. Vor mir offenbarte sich ein offener, lichtdurchfluteter Raum. Schon auf den ersten Blick waren mir auch die vielen Haken an den Wänden und der Decke nicht entgangen. Der Anblick dieses Raumes ließ mich schlagartig nervös und unsicher werden. Doch dieser Raum beherbergte nicht nur das Schlafzimmer, sondern in ihm war auch das Badezimmer integriert. Solche Räume kannte ich sonst nur aus vornehmen Hotels. Man konnte vom Badezimmer aus ins Schlafzimmer blicken und umgekehrt. Lediglich die Toilette war durch eine schwarze Glasscheibe abgetrennt. Hier konnte ich ihm nichts verbergen. Er mir allerdings auch nicht.

Ich stand etwas hilflos mitten im Raum und wusste nicht so recht, was ich jetzt tun sollte. An einem der Fenster stand ein großer, schwerer, brauner Ohrensessel aus Leder. In den setzte Peer sich. Seinen Blick konnte ich nicht wirklich deuten. Mein Herr war ein Dom mit Pokerface. Vielleicht war ich auch zu sehr mit meinem Gefühlschaos beschäftigt und deshalb nicht in der Lage, ihn einzuschätzen. Ob mir alles viel zu schnell oder sogar zu langsam ging, konnte ich auch nicht einordnen. Endlich klopfte er mit einer Hand auf die gepolsterte Armlehne des Ohrensessels. So gab er mir zu verstehen, darauf Platz zu nehmen. Langsamen Schrittes ging ich zu ihm. Dabei versuchte ich, ihm in die Augen zu sehen. Doch ich konnte seinen Blicken nicht standhalten. Immer wieder blickte ich wie eine räudige Hündin beschämt zur Seite, bevor ich wieder versuchte, in seinem tiefen Blau Halt zu finden. Als ich mich auf die Armlehne setzte, zog er mich mit einem Ruck zu sich, sodass ich auf seinen Schoß rutschte. Sein Blick blieb an meinen Lippen hängen. Was hätte ich dafür gegeben, jetzt seine Gedanken zu lesen. Sein Gesichtsausdruck verhärtete sich. Ich bemerkte sein Verlangen, seinen Durst und dass er Mühe hatte, sich zu beherrschen. Er streifte mit seiner Nase über meine Wange und seine Lippen berührten mich sanft, während ich mich ganz fest an seine Brust drückte. Immer wenn ich an diesen Moment zurückdenke, dann überkommt mich jedes Mal ein Gefühl von Geborgenheit, ein Gefühl von Angekommensein. Der Kuss, in den wir nun versanken, war unbeschreiblich heftig. Es war, als würde er mich gleich verschlingen, aber auf eine sehr erotisierende Art. Mein Herr nahm mir den Atem und raubte mir damit den Verstand. Mir entging dabei nicht, dass sein mittlerweile hartgewordenes Glied gegen meinen Oberschenkel pochte. Langsam ließ ich meine Hand über seine Brust, seinen Bauch und weiter in seinen Schritt gleiten. Doch kurz bevor ich seine Härte ertasten konnte, ergriff er plötzlich voller Kraft mein Handgelenk und führte meinen Arm hinter meinen Rücken. Seine Reaktion war so schnell, dass ich richtig erschrak und mein Herz kurz aus dem Rhythmus kam. Er hielt meinen Arm fest und küsste mich begierig überall an meinem Hals. Durch die Fixierung meines Armes auf meinem Rücken hatte ich keine Chance, mich aus der Situation zu winden. Die Küsse, seine Zunge, dieses kitzelige Gefühl, alles machte mich wahnsinnig, wahnsinnig vor Verlangen. Dieser Mann war so voller Leidenschaft. Eigentlich konnte ich mein Glück, hier zu sein, kaum fassen.

Plötzlich ließ er von mir ab. Mit Daumen und Zeigefinger erfasste er mein Kinn, gab mir noch einen Kuss, bevor er mir zu verstehen gab, ich solle aufstehen. Nur mit Mühe konnte ich auf die Beine kommen. Während seine Augen mich von den Haarspitzen bis zu meinen Zehen musterten, biss er sich auf die Unterlippe.

»So, meine Kleine, du darfst dich jetzt langsam entkleiden. Lass dir dabei Zeit und hab nur keine Scham«, sagte er mit zärtlicher Stimme. Als ob er ahnte, welche Gedanken oder Bedenken ich gerade hatte, fügte er noch hinzu: »Ich will dich von Kopf bis Fuß, mit Haut und Haaren! Lass mich dich bewundern, meine Kleine!«

In meinem Leben hatte ich mich ja schon öfter vor einem Mann ausgezogen, aber noch nie auf diese Art und Weise. Dabei akribisch genau beobachtet zu werden und mich zur Schau zu stellen, war noch einmal etwas ganz anderes. Sollte ich etwa einen Striptease machen und dabei tanzen? Dieser Gedanke überforderte mich, also beschloss ich, mich einfach ganz langsam zu enthüllen. Da mein Kleid den Reißverschluss am Rücken hatte, stolzierte ich zu Peer. Ich wandte ihm meine Rückseite zu, ging auf die Knie, legte meine langen Haare über die Schulter nach vorn und wartete darauf, dass er meinen Reißverschluss öffnete. Das alles war so unwirklich wie ein romantischer Zusammenschnitt eines Liebesfilms. Ganz langsam und andächtig zog er den Verschluss Zentimeter für Zentimeter nach unten. Dabei berührte er mit den Fingerspitzen immer wieder meine Haut und mit einem definitiv gekonnten Griff öffnete er auch gleich meinen BH. Langsam stand ich wieder auf und entfernte mich mit drei Schritten von ihm.

Ohne mich umzudrehen, ließ ich mein Kleid zu Boden gleiten. Seinem gutturalen Brummen entnahm ich, dass ihm gefiel, was er sah. Während meine BH-Träger langsam über meine Schultern glitten, ließ ich mit einem leichten Kopfschütteln meine Löwenmähne wieder nach hinten gleiten. Als meine Haarspitzen meinen Nylon-Po kitzelten, bekam ich am ganzen Körper wieder Gänsehaut. Nur noch meine Hände hielten das Stück Stoff, welches meine Brüste bedeckte. Mit einem schüchternen, unsicheren Lächeln wandte ich mich nun wieder Peer zu und ließ auch dieses letzte Kleidungsstück zu Boden purzeln. Da ich ja kein Höschen tragen durfte, stand ich nun nur mit einem Hauch aus feinstem Nylon vor meinem Herrn.

Der strahlte mich an. Seine Augen verrieten seine Begierde, sein Begehren. Als ich damit beginnen wollte, meine Strumpfhose auszuziehen, deutete er mit einer Handbewegung an, ich solle stoppen.

»Dieser Hauch von Nichts steht meiner Kleinen, ich liebe es. Du darfst sie anbehalten.« Zu meiner Überraschung fühlte ich mich in dieser mir völlig neuen Situation ausgesprochen wohl. Mein Herr gab mir das Gefühl, attraktiv zu sein. Seine sanften wie auch lüsternen Blicke waren mir in keiner Sekunde unangenehm.

Peer stand auf und ging um mich herum. Er betrachtete mich, dabei berührte er mich immer wieder mit seinen Fingerspitzen. Zart strichen seine Finger über meine Brust und meine Brustwarzen. Meine bereits harten Nippel streckten sich ihm sehnsuchtsvoll entgegen. Mit einem vor Erregung tiefen Atemzug schloss ich kurzzeitig die Augen. Wie vom Blitz getroffen fuhr mir ein schneidender, durchdringender Schmerz durch meine Brüste. Peer hatte mit Daumen und Zeigefinger an meinen Brustwarzen gezogen. Um dem Schmerz etwas zu entgehen, machte ich einen Schritt nach vorne. Dieser Schritt war unbewusst, er war mehr eine Reaktion auf das, was passiert war. Zack! Hatte ich einen Klaps bekommen. Irritiert blickte ich ihn an.

»Habe ich dir erlaubt, dem Schmerz nachzugeben und dich zu bewegen?«, zischte er mit strengem Blick.

»Tut mir leid, mein Herr. Ich ...«

»Schhhh..., sag nichts meine Kleine. Ich werde dich Gehorsam lehren und auch, dass jede Missachtung Konsequenzen nach sich zieht. Knie dich vor den Sessel!«

Bis zu diesem Moment hatte ich mir so etwas immer nur in meiner Fantasie ausgemalt. Während ich vor Erregung zitterte, ahnte ich, welche Strafe mich nun erwarten würde. Während ich vor dem Herrensessel kniete, griff er mit einer Hand in meinen Nacken und drückte meinen Oberkörper fest auf die Sitzfläche. Die andere Hand strich über meinen Po und nach jedem sanften Streicheln folgte ein fester Schlag auf meinen Hintern. Mein Körper erbebte unter jedem Klaps und vor lauter Lust lief mein Saft an meinen Schenkeln herab.

Wahrscheinlich hatte jeder seine Vorlieben. Meine Vorliebe war es jedenfalls, den Allerwertesten versohlt zu bekommen. Das wusste er, denn wir hatten oft darüber geschrieben, als wir uns online kennengelernt hatten. Seine Schläge kamen immer schneller und ich spürte die zunehmende Hitze auf meinen Pobacken. Wie von Sinnen fühlte ich mich mit jedem Schlag immer freier. Mir war, als würde ein Teil von mir Befreiung erlangen. Jener Teil von mir, den ich so lange unterdrücken musste und den ich bislang nicht ausleben konnte. Warum das so war, konnte ich noch nie erklären.

Mein Herr schenkte mir Freiheit. Die Freiheit, so sein zu dürfen, wie ich nun einmal war. Devot mit jeder Faser meines Seins. Mein Verstand war stummgeschaltet. Während ich seine Aufmerksamkeit genoss und völlig in diesem berauschenden Gefühl gefangen war, entging mir, dass er sich bereits mehrere Seile zurechtgelegt hatte. Peer griff nun zuerst nach meiner rechten Hand, die er mit dem Seil umwickelte. Sodann führte er das Seil hinter der Rückenlehne des Sessels zu meiner linken Hand, die er nun auch fesselte. Er hatte mir in einem unserer Chats von einem Bondagekurs erzählt, welchen er vor zwei Jahren absolviert hatte. Jeder Handgriff, jeder Knoten, jedes Festschnüren war geprägt von Perfektion und Hingabe. Ich fühlte mich wie ein Geschenk, welches liebevoll verpackt wurde, auch wenn mir bewusst war, dass das raue Seil Spuren auf meiner Haut hinterlassen würde.

Anschließend nahm er den nächsten Strick. Kunstvoll schlang er ihn zuerst um einen meiner Oberschenkel, den er mit dem kurzen, stabilen Holzfuß des Herrensessels verband. In diesem Augenblick wurde mir eines klar: Gleich wäre ich ihm völlig ausgeliefert. Während immer wieder ein paar Zweifel oder Ängste mit meinem Verstand spielten, war auch schon mein zweites Bein fixiert. Bewegungsunfähig und mit gespreizten Armen und Beinen war ich an dieses Monstrum von Möbelstück gefesselt. Das alles geschah ohne ein Wort. Da waren nur noch er und ich. Die Welt außerhalb dieser vier Wände spielte für uns keine Rolle mehr. Sie hatte aufgehört zu existieren.

Immer wieder packte er mich an den Haaren, begleitet von Küssen und sanften Bissen in meinem Nacken.

Irgendwann ließ er abrupt von mir ab. An seinen Schritten hörte ich, dass er sich von mir entfernte. Nach einigen Momenten vernahm ich dieses metallische Geräusch, ein Klicken. Etwas nervös versuchte ich, über meine Schulter zu spähen, um zu sehen, was er vorhatte. Und wieder hörte ich dieses Klicken. Das Knarren des Parkettbodens verriet mir, dass er sich mir wieder näherte.

»Mein Herr, was hast du da?«, fragte ich unsicher. Klick, Klick. Keine Antwort. Dann dämmerte mir, was es sein konnte, das er in der Hand hatte: Ein Klappmesser!

Nun spielte mein Verstand total verrückt. Ich wollte ja vertrauen, aber eigentlich kannte ich diesen Mann gar nicht. War ich zu naiv, als ich mich auf dieses Erlebnis eingelassen hatte? Alles in mir schrie in Panik. Er würde doch nicht ...? Oder doch? Ich jedenfalls fand es keinesfalls vertrauenserweckend, als er mir nun auch noch einen Knebel in den

Mund steckte. Er kniete sich neben mich und sah mir in die Augen. Das Gefühlschaos in mir hatte meine Augen mit Tränen gefüllt. Als er zärtlich über meine Wange strich, hatte sein Blick etwas Tröstliches.

»Vertrauen ist die wichtigste Sache zwischen dir und mir, meine Kleine. Vertraust du mir?« Ich nickte, obwohl ich mir dessen gar nicht so sicher war. Doch ich wollte in dieser Situation in keiner Weise etwas provozieren, also was blieb mir anderes übrig, als zu vertrauen?! Trotz der Angst, die ich empfand, merkte ich auch, wie sehr mich dieses Spiel ankickte. Mein Wunsch, von ihm benutzt und geliebt zu werden, wuchs ins Unermessliche. Jetzt zeigte er mir, was er in seiner Hand hielt. Wie ich es mir gedacht hatte, war es ein Klappmesser mit einer polierten Klinge, in der ich mich spiegeln konnte. Zu meiner großen Überraschung sah ich in meinem Spiegelbild jedoch keine Angst. In meinen Augen lag dieser unersättliche Appetit, den Peer längst durchschaut hatte. Er war ein Dom, der gezielt mit meinen Zweifeln spielte und damit meine Grenzen verschob. Grenzen, die ich mir selbst auferlegt hatte. Grenzen, mit denen die Gesellschaft, meine Eltern, meine Familie und meine Freunde mich gebrandmarkt hatten. Deswegen war ich hier. Ich war hier, um mir zu erlauben, was tief in mir schlummerte.

Alles war erlaubt, was beiden gefällt. Ja, verdammt, es gefiel mir!

»Du bist mein wertvollster Besitz, meine Kleine. Du gehörst mir und ich werde dir niemals schaden. Ich werde dich auf Händen tragen, wenn du es zulässt.« Die kalte Klinge seines Messers glitt vorsichtig über meinen Oberarm, über die Schulter, über meine Wirbelsäule langsam bis hinunter über meine rechte Pobacke. Mit dem Gefühl der scharfen Klinge auf meiner Haut wagte ich es nicht, mich zu bewegen. Dann nahm ich wahr, wie die Messerklinge die Strumpfhose in meiner Pofalte bis hinunter zu meiner Scham aufschnitt. Ein elektrisierendes Gefühl durchflutete meinen Körper, das in meiner Mitte verebbte. Ich schloss die Augen und war nun bereit, mich meinen tiefsten Sehnsüchten hinzugeben. Seine Finger fingen an, mich zu streicheln, immer wieder glitten sie über meine Schamlippen. Zwei seiner Finger tauchten in meine Nässe ein, um dann zu meiner Lustperle zu gleiten. Und ich streckte ihm mein Becken entgegen, soweit ich konnte, denn ich genoss seine sanften Berührungen. Doch diese sanften Berührungen wurden immer bestimmter, seine Finger gruben sich in mein Fleisch und ich spürte seinen Hunger. Seine Gelüste, mich zu fordern und ihm ausgeliefert zu sein. Endlich! Meine Passion, an meine Grenzen gebracht zu werden, ging endlich in Erfüllung! Mir war, als befände ich mich in einer Art Rausch, als sei ich gänzlich von Sinnen.

Daher war mir auch entgangen, dass er sich ein zusätzliches Spielzeug zurechtgelegt hatte. Plötzlich glitt etwas Spitzes, Stacheliges auf meiner Haut entlang. Zuerst glitt es nur ganz leicht über meinen

Rücken. Gleichzeitig gab er mir einen Klaps, welcher mir zu verstehen gab, dass ich meine Komfortzone langsam aber sicher verlassen würde. Blümchensex hatte ich oft genug gehabt. Dieses Spiel, dieses Triggern und dieses Verlangen, gepaart mit der Geduld, die mein Herr an den Tag legte, entflammten mich zu einem Feuerwerk der Sinne. Er hätte ohne Probleme sofort über mich herfallen können, um mich zu nehmen. Meine Löcher befanden sich durch meine Position für ihn quasi auf dem Präsentierteller. Doch mein Herr nahm sich unendlich viel Zeit und manchmal, wenn er sich über mich beugte oder beabsichtigt gegen mich drückte, spürte ich seine harte Beule, die er noch in der Hose versteckte.

»Na, meine geile Kleine. Weißt du, welches Spielzeug gerade auf deinem Rücken zeichnet?« Nie zuvor hatte ich es gespürt, aber mir war klar, das musste ein Wartenberg-Rad sein. Damit ich antworten konnte, entfernte er mir den Knebel aus meinem Mund. Zuerst musste ich schlucken und wieder etwas Speichel sammeln, erst dann konnte ich sprechen.
»Ja, mein Herr, das ist ein Wartenberg-Rad.«
»Schau an, meine Kleine weiß also Bescheid. Gefällt es dir?« Während er das sagte, spreizte er mit einer Hand meine Pobacken und fuhr mit diesem spitzen Rad vom Steißbein langsam durch meine Pofalte, über das Poloch, meine äußeren Schamlippen und schließlich über meine bereits hervorgetretene Perle.

»Huch!«, entfleuchte es mir und ich stöhnte laut auf. »Ja, mein Herr, es gefällt mir, alles gefällt mir!« »So, so, es gefällt dir also.« Während dieser Worte ging das Wartenberg-Rad auf meinem Körper weiter auf Exkursion. Mein Stöhnen wurde lauter und ich nutzte jeden Zentimeter Bewegungsspielraum, der mir geblieben war. Ich musste mich winden, musste auf diesen süßen Schmerz reagieren. Und immer dann, wenn ich mich fallen ließ, wenn ich mich diesem einen Schmerz und der Berührung hingab, immer dann holte er mich durch eine andere Stimulation wieder zurück. Seine Handfläche klatschte abwechselnd auf meine rechte und meine linke Pobacke. Nach ein paar Schlägen begann meine Haut, empfindlicher zu werden, vermutlich leuchtete mein Hintern ihm schon entgegen. Aber das war ein so aufregendes Gefühl! Eine neue Leidenschaftlichkeit wurde in mir geweckt. Mein Herr versohlte mir den Hintern und ich liebte es. Ich liebte es wie ein ungehorsames kleines Mädchen, welches seine Strafe gern entgegennahm. Das kickte mich so sehr, Kältegefühle wechselten sich mit sengender Hitze ab. Meine Mitte sendete wellenförmige Impulse der Lust in jede Zelle meines Körpers. Mir kam es vor, als würden die vielen abwechselnden Stimuli, die auf meinen Körper einwirkten, mich in eine Art Trace versetzen.

Das entging Peer natürlich nicht und ihm gefiel, wie ich auf seine Reize reagierte und mich dabei zu winden versuchte.

»Meine Kleine, wenn du es nur sehen könntest, wie schön dein praller Po jetzt aussieht. So schön, dass ich ihm jetzt mit Edelstahl den letzten Schliff verpassen werde.« Mir war es derweil unmöglich, auch nur einen klaren Gedanken zu fassen. Akustisch hatte ich seine Worte vernommen, doch ich hatte nichts davon realisiert. Während ich noch meine prickelnden, brennenden Pobacken genoss, erfühlte ich plötzlich etwas Kaltes, mit Gleitgel Versehenes an meinem Poloch.

»Ohhh, ein Plug!«, rutschte es mir überrascht über die Lippen. Eigentlich sollte mich das nicht verwundern. Doms verwenden solche Utensilien meistens, um die Lust und Eindrücke noch zu steigern. Peer war sehr vorsichtig und nahm sich dafür viel Zeit. Er war bestimmend, aber ich glaubte ihm, als er sagte, er würde mir niemals Schaden zufügen. Was hatte ich doch für ein Glück, so einen tollen Mann für meine erste wirkliche Erfahrung als Sub gefunden zu haben!

Bevor ich Peer begegnete, war ich in einigen einschlägigen Foren unterwegs. Die Geschichten, von denen ich dort erfuhr, waren zum Teil sehr bedenklich und angsteinflößend. Natürlich gab es unzählige Vorlieben, unterschiedlichste Faibles, doch manches erschien mir zu brutal. Meine Vorstellung war wohl eher die von romantischer Härte. Genau so, wie ich es bis jetzt mit Peer erleben durfte.

Als der Plug nun an der richtigen Stelle saß, begann mein Herr, mich loszubinden. Doch zuvor griff er zu seinem Handy, mit dem er ein Foto von meinem glühenden Hintern machte, um es mir zu zeigen.

»Damit du auch siehst, wie schön deine Kehrseite geschmückt ist. Sie leuchtet heller als eine rote Ampel«, hauchte Peer mir mit einem Grinsen ins Ohr, als er mir das Handy vor die Nase hielt. Wie ich mir gedacht hatte, war mein Hintern jetzt mit einem schönen, geschliffenen smaragdfarbenen Stein ausgestattet. Das helle Rot meines Hinterns und der grüne Stein harmonierten perfekt. Darüber mussten wir beide lachen. Da ich ziemlich helle Haut hatte, sah man auf ihr jede Strieme sowie jeden Hand- und Fingerabdruck ganz deutlich. Meinen Dom schien das zu beflügeln. Während er meine Fesseln weiter löste, erklärte er mir genau, was er als Nächstes mit mir vorhatte.

»Deine weiße Haut hat deinen Herrn inspiriert. Du wirst jetzt meine Leinwand sein, auf der ich mein ganz persönliches Kunstwerk erschaffen werde. Gott, bist du schön!«, sagte er begeistert, küsste mich und biss mir in meine Unterlippe. Noch eine Weile danach hatte ich den metallischen Geschmack von Eisen im Mund.
Als die Seile gelöst waren, kribbelten meine Hände, auch meine Beine waren eingeschlafen. Er reichte mir seine Hände und half mir, hochzukommen. Keine Ahnung, wie lange ich auf diesem Holzboden gekniet hatte, ich spürte es nicht, zumindest nicht, bis ich aufzustehen versuchte. Als meine Knie nachgaben, fing Peer mich auf. Scheiße, taten mir die Kniescheiben weh! Sogar die Holzmaserung hatte sich tief in meinem Gewebe verewigt. Aber ich versuchte, mir nichts anmerken zu lassen, war das

Knien schließlich das tägliche Brot einer devoten Dienerin.

»Du wirst sehen, meine Kleine, du gewöhnst dich noch daran. Anfangs kann es hart sein, so lange eine bestimmte Körperhaltung einzunehmen.

Wenn du ganz brav bist, bekommst du beim nächsten Mal ein Kissen. Du warst tapfer. Als Belohnung darfst du mich küssen, bevor ich dich an dem Haken an der Decke befestige. Auch diese Position wird dir einiges abverlangen, meine Kleine.«

Mir war völlig egal, was er als Nächstes mit mir vorhatte, wenn ich ihn nur küssen durfte. Ich schlang meine Arme um ihn und sah ihm eine gefühlte Ewigkeit in die Augen, bevor ich ihn innig und hingebungsvoll küsste. Während dieser Tage, die ich bei meinem Herrn verbrachte, ereigneten sich einige magische Momente. Doch die Augen sagten, worüber zu sprechen unmöglich war. Ja, mir verschlägt es heute noch meinen Atem, wenn ich an diesen Zauber zurückdenke.

Er ließ mich gewähren. Und ich kostete die Belohnung in vollen Zügen aus.

»Stell dich jetzt genau hierhin und strecke deine Arme ganz nach oben.« Der Haken an der Decke war zirka einen halben Meter vom Bett entfernt. Die brave Sub, die ich war, tat, wie befohlen. Peer stieg indes auf das Bett und legte mir an jedem Handgelenk Ledermanschetten um, die durch einen Karabiner miteinander verbunden waren. An diesem Karabiner hängte er eine feingliedrige Metallkette ein, die er wiederum an dem Haken in der Decke einhängte.

Da ich gerade mal auf meinen Zehenspitzen stand, hatte ich kaum Halt. Aller Voraussicht nach war das genau so gedacht. Das Strecken und Dehnen verlangte mir schon in den ersten Minuten etliches ab. Doch meine Aufmerksamkeit und mein Fokus sollten sich alsbald auf etwas anderes richten.

Im Augenwinkel konnte ich erkennen, wie er eine große schwarze Rolle auf das Bett legte, die er langsam und andächtig ausrollte. Mir lief es schon wieder heiß und kalt am Rücken auf und ab, bis auf meinen Po, der gerade zu verglühen schien wie ein Stück heiße Kohle. Mein Blick zur Seite erhaschte ein ganzes Sortiment an Peitschen, Paddles und noch einige andere Utensilien, die ich nicht genau erkennen konnte. Da nur meine Zehenspitzen den Boden berührten, schaffte ich es nicht, mich zu drehen. Das war auch nicht mehr so wichtig, denn Peer hatte meine Versuche, aufs Bett zu blicken, längst bemerkt. Deshalb gab er mir einen leichten Schubs, sodass ich mich an der Kette wie ein Stück Fleisch um die eigene Achse drehte und mir schwindlig wurde. Peer fand daran sein sichtliches Amüsement. Mit einem fiesen Grinsen im Gesicht sah er zu, wie ich wieder Halt zu finden versuchte.

»Du wirst noch lernen, nicht so neugierig zu sein, meine Kleine!«

»Ja, mein Herr«, kam mir etwas genervt über die Lippen, was ihn nur noch mehr amüsierte. Für eine Weile war ich ihm echt böse. Am liebsten hätte ich ihm meine Meinung gesagt. Andererseits war die Auswahl an Schlaginstrumenten auf dem Bett nicht zu unterschätzen. Später war ich dankbar, meine Klappe gehalten zu haben. Außerdem hatte er nach einem Weilchen Erbarmen mit mir und brachte mir ein festeres Kissen, auf dem ich wieder gut Halt fand. Die paar Zentimeter Erhöhung waren auch für meine Schultern eine Wohltat.

Nachdem er alles vorbereitet hatte, verließ er für kurze Zeit den Raum. Als er wieder erschien, trug er nur eine Bluejeans.

Mir stockte der Atem. Wie sexy konnte ein Mann nur sein? Peer war von Kopf bis Fuß gepflegt, gutaussehend, trainiert. Er war barfuß, sofort fielen mir sein nackter Oberkörper und sein schwarzer Ledergürtel ins Auge. Irgendwie erinnerte er mich an einen Anwalt aus meiner Lieblingsserie. Harvey Specter. Ich hatte schon die ganze Zeit über das Gefühl, dass er eine Ähnlichkeit mit jemandem hatte, der mir bekannt war. Alles an ihm war so stimmig, wie soll ich sagen, schon fast kitschig. Als er nun auf mich zukam, gab ich mir Mühe, seinen Blicken nicht auszuweichen. Für kurze Momente blickte ich zu Boden und jedes Mal, wenn ich ihm wieder in seine blauen Augen sah, war er mir ein ordentliches Stück nähergekommen. Nun stand er vor mir und ich blickte zu ihm auf. Er griff mit dem Zeigefinger unter meinen Halsreif, wodurch er sich gleich enger anfühlte und mir das Atmen erschwerte. Mit der anderen Hand griff er fest in meine Mitte. Mein Venushügel pulsierte unter seiner Hand, die auf mir ruhte. Auch ich verharrte reglos. Wir atmeten im gleichen Takt und in diesem Moment war es so leise, dass ich glaubte, unsere Herzschläge hören zu können. Das war purer Sex. Er begehrte mich. Ich vertraute ihm. Wir ließen nur unsere Körper sprechen. Er beobachtete jede meiner Regungen, lauschte jedem Stöhnen und genau daraus gewann er seine Lust. Meine Lust war seine Lust.

Mein Schmerz war unser beider Lust. Schlagartig ließ er von mir ab. Für einen Atemzug war sein Pokerface verschwunden. In Peers Augen konnte ich seine Begierde deutlich erkennen. Mein Herr hatte Mühe, sich noch länger zu beherrschen. Sein harter Schwanz zeichnete ein deutliches Bild unter seiner Jeans. Ein herrlicher Anblick, von Größe, Härte und Stärke, welchen ich endlich sehen und spüren wollte. Wir atmeten schwer und in der Luft lag dieses Knistern, diese enorme Energie, die sich jeden Augenblick entladen konnte. Es war wie kurz vor einem Sommergewitter, der Moment, kurz bevor der Wind stürmisch wurde und der Regen schon zu riechen war. Genauso verdunkelte sich sein Gesichtsausdruck.

»Meine geile Kleine, dein betörendes Antlitz ist eine große Herausforderung für deinen Herrn. Wie du dich mir hingibst, mir vertraust, so etwas habe ich bis jetzt noch nicht erlebt,« sagte er mit verbissener Stimme. »Ich kann nicht mehr anders. Jetzt. Jetzt will ich dich spüren. Jetzt muss ich dich spüren. Sonst vergesse ich mich und ich will dich wirklich nicht verschrecken.«

Während ich ihn mit weit aufgerissenen Augen anstarrte, war ich mir der Bedeutung seiner Worte nicht ganz sicher. Energisch und getrieben von seiner Begierde öffnete er nun seinen schwarzen Ledergürtel, den er mit einem Ruck aus den Schlaufen seiner Jeans zog. Jetzt fasste er mit beiden Händen an meine Hüfte und dreht mich mit dem Gesicht von sich weg. Mit einem lauten Schnalzen zischte der Gürtel auf meinen Hintern. Es war, als würde er mich dafür bestrafen, dass er nicht länger warten konnte. Als trüge ich die Schuld daran, dass er sich für seine vorbereiteten Spielchen keine Zeit mehr nehmen konnte. Ein weiteres Mal zischte der Gürtel über meinen Rücken, was mir das Adrenalin in die Blutbahn schießen ließ. Meine Wahrnehmung war glasklar, völlig ungetrübt. Es war, als würde meine Haut atmen und pulsieren, um mich mit Sauerstoff zu fluten. Noch einmal war das peitschende Geräusch zwischen Haut und Leder zu hören. Mein Verstand wusste, da müsste Pein sein, doch das Adrenalin, welches durch meinen Körper pumpte, ließ mich keinerlei Schmerz fühlen. Nur mein Begehren wuchs ins Unermessliche. Ich begehrte, seinen harten Schwanz endlich in mir zu spüren. Sämtliche Sinne liefen bei mir auf Hochtouren, daher konnte ich hören, wie die Metallschnalle seines Gürtels zu Boden fiel. Mit einem Ruck und festem Griff drehte er mich wieder zu sich. Jetzt konnten meine Augen einen Blick auf seine Härte erhaschen. Mein Innerstes erbebte, ich dürstete danach, von ihm genommen zu werden. Ich spürte, wie seine Hände sich unter meine Pobacken schoben und mich anhoben. Meine Beine umklammerten seine Hüfte, während mein Becken nach Erlösung suchte. Seine

Zunge drängte sich zwischen meine Lippen und erstickte meinen lustvollen Schrei, als er mit seiner ganzen Männlichkeit in mich eindrang. Peer ließ mich spüren, wie scharf ihn die vorausgegangenen Spielereien gemacht hatten. Als er ganz tief in mir war, hielt er nur kurz inne. Wir beide sahen uns für ein paar Atemzüge in die Augen, um darin zu lesen, um zu erkennen, ob es für den anderen ein genauso erhebendes Gefühl von Begehrlichkeit war, wie für einen selbst.

Im nächsten Augenblick stieß er zügellos zu und nahm mich, wie ich es schon immer gewollt hatte. Leidenschaftlich, hart, fordernd und so lange, bis ich nicht mehr anders konnte und sich die Wellen, die in meinem Lustzentrum entstanden, wie ein Tsunami über meinen ganzen Körper entluden. Mein Stöhnen wurde lauter, vielleicht schrie ich auch, als ich die Erlösung kommen spürte und meine Muskeln sich nach und nach wieder entspannten. Erleichtert und glückselig nahm ich nur noch meinen eigenen Körper wahr. Ich genoss, wie ich weiter gegen sein Becken wiegte, wie meine Nässe sich über ihn ergoss und auf den Holzboden tropfte. Genau in dieser Sekunde packte er mich mit einer Hand an den Haaren und zog meinen Kopf zurück in den Nacken. Er saugte sich an meiner linken Brust fest, kreiste mit seiner Zunge um meine Knospe und mir war, als würde ich schweben.

Als seine Bewegungen fester und tiefer wurden, spürte ich das Pulsieren seines mächtigen Glieds in mir. Unterstützt von den straff sitzenden Nylons presste ich ihn noch tiefer in mich hinein und empfing seine ganze Lust. Unsere Säfte vermischten sich. Dieser ganz besondere Duft, der schon die ganze Zeit im Raum hing, wurde jetzt noch intensiver. Würzig und herb wie Champagner strömte der Liebesduft zweier Menschen in meine Nase. Nie zuvor hatte ich einen so tiefen, grölenden Lustschrei eines Mannes gehört. Seine Hingabe war für mich ebenso beeindruckend wie faszinierend. Schwer keuchend ließ er seinen Kopf auf meine Brust fallen. Langsam aber sicher wurde das Gewicht meinen Armen zu viel, die ja immer noch am Haken an der Decke befestigt waren. Doch ich wollte noch durchhalten, ich wollte diese gewaltige Energie, die sich hier gerade entladen hatte, noch ein bisschen genießen.

Nach einer Weile richtete Peer sich auf, lächelte sanft und sichtlich erleichtert, während ihm ein paar Schweißperlen übers Gesicht tanzten. Langsam glitt er aus meiner nassen Lusthöhle. Dabei streichelte er sanft über meine Oberschenkel, während ich zugleich die Umklammerung meiner Beine löste.

Merklich erschöpft stieg er aufs Bett, um den Karabiner aus der Halterung zu lösen. Als die Spannung an meinen Armen plötzlich nachließ, sackte ich zu Boden. Die Kraft in meinen Beinen hatte mich verlassen. Durch den plötzlich einsetzenden Blutfluss fühlten meine Arme sich an, als wären auf ihnen tausende Ameisen auf Wanderschaft. Da das Adrenalin ebenfalls nachgelassen hatte, konnte ich die Spuren des Ledergürtels auf jedem Zentimeter meiner geschundenen Haut jetzt deutlich spüren. Dennoch war ich überglücklich, ja ich war beseelt. Mein Herr beugte sich über mich, griff unter meine Kniekehlen und meinen Rücken, um mich aufzuheben. Er küsste mich sanft auf die Stirn und legte mich sacht und behutsam wie etwas Zerbrechliches auf sein Bett. Mein Herr legte sich zu mir, sodass mein Kopf auf seiner Brust ruhte, welche sich seelenruhig auf und ab bewegte. Wir sprachen lange kein Wort, sondern berührten uns nur sanft mit den Fingerspitzen und genossen die Anwesenheit des anderen.

»Weißt du eigentlich wie schön du bist?«, flüsterte mein Herr mir ins Ohr, als er über die Erhebungen der Striemen auf meinem Rücken streichelte. Überwältigt von den vielen Eindrücken und Erlebnissen schlief ich selig wie ein schnurrendes Kätzchen in seinen Armen ein.

Als ich am nächsten Morgen wach wurde, hatte ich zunächst ein bisschen Mühe, mich zurechtzufinden. Mir wurde nachgesagt, ein Morgenmuffel zu sein, und das konnte ich nur schlecht von der Hand weisen. Morgens brauchte ich immer eine Anlaufzeit, um meine müden Knochen in Schwung zu bringen. Meistens starrte ich komatös in die Luft, dann Toilette, anschließend Cappuccino und erst dann wird mein Betriebssystem langsam hochgefahren.

An diesem Morgen bei Peer verhielt ich mich jedoch etwas anders. Er lag nicht mehr neben mir, was mir den Vorteil verschaffte, mich auf seine Seite des Bettes zu drehen, um meine Nase tief in sein Kissen zu vergraben. Mit einem kräftigen Lungenzug atmete ich seinen herben, männlichen Duft wie benommen in mich ein. Das Polster erstickte mein Kichern. All das am Vortag Geschehene lief noch einmal wie eine Zusammenfassung nach dem Motto »Was bisher geschah« vor meinem inneren Auge ab. Vor Freude kugelte ich immer noch mit dem Kissen im Gesicht im Bett umher und strampelte mit den Beinen so fest auf die Matratze, dass ich schlagartig innehielt vor lauter Bammel, er könnte meinen Überschwang der Gefühle hören. Da ich keinen Schimmer hatte, wie spät es inzwischen war, sah ich mich nach einer Uhr um. Auf dem Nachtkästchen erblickte ich seine Breitling. Während ich feststellte, dass es erst sieben Uhr morgens war, probierte ich dieses imposante Ding an meinem Handgelenk aus. Sie war natürlich viel zu groß und zu schwer, aber sie gab mir das Gefühl, ihm nah zu sein. Mit Schwung drehte ich mich auf den Rücken und als würde ich einen Schneeengel machen, ging mein Schauspiel auf dem kuscheligen Laken weiter. Indessen konnte ich mich dumpf daran erinnern, nachts mal zur Toilette gegangen zu sein. Bei dieser Gelegenheit machte meine kleine Zehe Bekanntschaft mit der Glastüre des stillen Örtchens. Um Peer nicht zu wecken, hielt ich mir den Mund zu und biss mir so auf die Unterlippe, dass ich am liebsten gleich noch mehr gejault hätte. Mit einer Fingerspitze griff ich nun an meine Lippe und hob kurz meinen Kopf, um meine Zehe zu begutachten. Gut. Alles noch da. Nun erinnerte ich mich weiter. Humpelnd und auf Zehenspitzen war ich wieder zurück ins warme Bettchen gekrochen. Ich küsste ihn auf die Wange, als wären wir schon lange ein Liebespaar. Daraufhin erschrak ich, weil es mir augenblicklich unangenehm war. Doch verdammt, er hatte es bemerkt und lächelte mit geschlossenen Augen übers ganze Gesicht. Peinlich berührt, aber überglücklich über sein Lächeln, drehte ich mich schnell zur Seite und zog mir die Decke über den Kopf. Mein Herz pochte so laut, dass ich Angst hatte, er könnte es hören.

Meine Erinnerung vertiefte sich weiter, die Bilder wurden klarer und nahmen immer mehr Form an.

»Wir hatten nochmal Sex!«, kam es mir erstaunt über die Lippen.

»Wir hatten nochmal Sex! Ohne Scheiß! Wir hatten nochmal Sex!«, sagte ich mir immer wieder, weil es so unwirklich war und weil ich es mir selbst nicht glauben konnte. Meine Gedanken reisten wieder zurück in die vergangene Nacht und prompt reagierte mein Körper. Zusammengerollt wie ein Rollmops und sensationssüchtig auf meine eigenen Gedanken wartend, ließ ich letzte Nacht noch einmal Revue passieren.

Mein Herr war an mich herangerückt, hatte die Bettdecke angehoben und sich an mich geschmiegt. Er fing an, meinen Rücken und meinen Nacken zu küssen, dabei drehte er mich auf den Bauch. Während er mit gespreizten Beinen über meinem Po kniete, spürte ich sein Gewicht und sein bereits hart gewordenes Prachtexemplar, welches gegen meine Pofalte drängte. Wir hatten während unserer Mailgespräche auch über Analsex gesprochen, doch in diesem Moment war ich davon wohl doch eher überrumpelt. Mit seinem ganzen Gewicht drückte sein Oberkörper mich fest in die Matratze, während er mir mit einer Hand den Mund zuhielt. Unter seiner Last war es für mich schwierig, einen tiefen Atemzug zu nehmen. Während ich noch die Enge in meinen Brustkorb wahrnahm und angestrengt versuchte, den nötigen Sauerstoff durch die Nase zu bekommen, setzte er mit der anderen Hand sein hartes Stück an meinem Poloch an. Immer wieder ließ er es sanft dagegen gleiten, bis es sich dehnte und ihn gewähren ließ. Hin- und hergerissen zwischen Lust und Schmerz stöhnte oder wimmerte ich unter seinem Bestreben, in mich einzudringen. Mein Speichel floss über seine Finger, welche meinen Mund bedeckten und mir zusätzlich das Atmen erschwerten. Als der Schmerz für einen kurzen Augenblick überhandnahm und ich mich nach oben drücken wollte, flüsterte er mir etwas in mein Ohr.

»Ich weiß, meine Kleine, das tut jetzt kurz ein bisschen weh, aber das muss gerade sein. Du machst mich so außerordentlich heiß.«

Ab diesem Zeitpunkt, so besann ich mich an letzte Nacht zurück, war es nur noch der absolute Wahnsinn. Mein Verstand wehrte sich nicht länger, er entspannte sich. Mein Körper folgte und entspannte sich ebenfalls. Jetzt war ich bereit, seine ganze Härte in mich aufzunehmen. Die Dunkelheit, unsere schwitzenden und vibrierenden Körper, sein lautes Keuchen und Stöhnen wiegten mich in eine Art Trance. Keine Ahnung, wie lange er mich so nahm. In meinem erotisierenden Wiedererleben kamen wir beide fast gleichzeitig mit einer ungeheuren Intensität, wie ich sie noch nie davor am eigenen Leib erfahren hatte. Anschließend verharrte mein Herr noch eine Weile in mir. Er atmete schwer, streichelte dabei sanft über meinen Rücken und spielte mit meinen Haaren. Dabei musste er mir auch das Halsband abgenommen haben, denn nach dem Aufwachen trug ich es nicht mehr. In einer Art Dämmerzustand lag ich wohl noch eine Weile so auf dem Bett und erfühlte, wie sich sein Saft aus mir langsam den Weg auf das Leintuch bahnte. Trotz des kalten nassen Fleckes war ich bis zu dem Unfall mit der kleinen Zehe wieder eingeschlafen.

Da lag ich nun, aufgekratzt, freudestrahlend und eingehüllt in den Duft meines Herrn. Mein Traum wurde wahr. Nach wie vor hatte ich nur meine inzwischen ziemlich malträtierte Strumpfhose an. Ich hob mein Becken an und streifte die mit Laufmaschen übersäten Nylons ab. Danach kroch ich aus dem Bett und suchte im Badezimmer einen Abfalleimer, um sie wegzuwerfen. Außerdem war mir bereits etwas kalt geworden. Zudem erschreckte ich beim Blick in den Spiegel. Meine zerzauste Lockenmähne war nicht mein Problem, dafür das verronnene Make-up und die Wimperntusche, die sich in meinem Gesicht selbständig gemacht hatten. Etwas panisch und ratlos überlegte ich, wie ich das Malheur beseitigen konnte. Mein Koffer stand immer noch unten im Vorraum, nahe der Treppe. So nackt und mit verschmiertem Gesicht wollte ich Peer auf gar keinen Fall begegnen. Schnell schnappte ich mir die dünne Decke vom Bett, umwickelte mich mit ihr wie ein Crêpe und öffnete vorsichtig die Schlafzimmertür. Ganz vorsichtig und auf Zehenspitzen schlich ich Richtung Treppe. Wie auf rohen Eiern setzte ich an und nahm die erste Stufe. Warum musste es hier auch Holzstufen geben?! Klar knarrten sie in dieser Stille unerträglich laut. Daher verkniff ich mir den nächsten Schritt, um zu hören, ob Peer das Knarren mitbekommen hatte. Konzentriert lauschte ich, vernahm aber nur mein eigenes Herzklopfen sowie mein aufgeregtes Schnaufen. Nun versuchte ich es mit Geschwindigkeit und nahm ein paar Treppen ganz hurtig. Doch wieder war dieses Knarren der Holzstufen unerträglich laut. Es war, als würden sie das mit Absicht machen und laut nach meinem Herrn rufen. Egal, ich musste irgendwie zu meinem Gepäck kommen und huschte flink nach unten in den Hausgang. Wie bei einem Spießrutenlauf schnappte ich mir erleichtert meinen Trolley, als plötzlich ...

»Meine Kleine ist auch schon wach! Schön!«
Seine tiefe Stimme ging mir durch und durch und ich zuckte wie ein ertappter Dieb zusammen. Ruckartig ließ ich vor lauter Schreck auch noch meinen Rollkoffer samt der Decke fallen.

»Guten Morgen Peer, ähm ... mein Herr«, stammelte ich mit Blick nach unten vor mich hin und schob eine Hand vor mein Gesicht, als würde die Sonne mich blenden. Dabei war das nur der klägliche Versuch, mein verschmiertes Gesicht zu verdecken. Er sollte mich keinesfalls so sehen. Oh mein Gott, war mir das peinlich!

»Du trägst keinen Halsreif, Maria. Sei also ganz entspannt«, sagte er mit freundlicher Stimme, während er zu mir kam und mich mit seinen starken, gepflegten Händen an den Seiten meiner Schultern umfasste. Aufmerksam wie er war, hob er die Decke für mich wieder auf und legte sie mir sanft und liebevoll um meinen nackten, zittrigen Körper. Sein Kuss, den er mir auf die Stirn drückte, ließ mich auf Wolke sieben schweben. Vergessen waren die Augenringe und der Wuschel am Kopf.

»Komm, meine Kleine! Ich begleite dich nach oben, helfe dir tragen. Du kannst in Ruhe duschen und dich frischmachen. Danach kommst du zu mir herunter in die Küche. Das Frühstück wartet auf dich. Du musst hungrig sein.«
Hungrig war ich nicht wirklich, aber an ihm konnte ich mich nicht sattsehen.

»Cappuccino wäre toll«, grinste ich ihn über beide Ohren an.

»Vergiss bitte nicht, vor dem Duschen meine Uhr wieder abzunehmen, meine Kleine.«

Ertappt! Etwas frech und übermütig, als könnte mich kein Wässerchen trüben, zuckte ich unschuldig mit den Schultern.

»Natürlich, mach ich, sorry!«, kicherte ich und tapste weiter barfuß hinter ihm her.

Obwohl ich es kaum erwarten konnte, wieder in seine strahlend blauen Augen zu sehen, nahm ich mir dennoch ausgiebig Zeit für eine herrliche Regendusche. Mein Kopfkino fand jedoch auch hier keine Atempause. Mit geschlossenen Augen und dem Gefühl von strömendem Regen in meinem Gesicht fühlte ich seine Hände von letzter Nacht auf meinem Rücken. Ich erwischte mich bei der Vorstellung, seine Härte zwischen meinen nassen Oberschenkeln zu spüren und berührte mich lüstern in meiner Mitte. Beim Einseifen massierte ich meine Brüste etwas länger als notwendig und schwelgte eine Zeitlang in meiner gedanklichen Rückschau. Das ging, bis mein Magen nun doch mit einem lauten eindrucksvollen Knurren auf sich aufmerksam machte. Sodann sputete ich mich, putzte mir tanzend unter der Dusche die Zähne, zauberte mir danach rucki-zucki ein leichtes Tages-Make-up und schlüpfte in ein blumiges, leicht transparentes Sommerkleid. Die nassen Haarspitzen ließen es am Rücken wohl noch ein bisschen durchscheinender wirken.

Nun konnte mir die fiese, verräterische Holztreppe nichts mehr anhaben.

»Ha Ha!«

Beschwingt und selbstbewusst ging ich zu Peer in die Küche. Die Morgensonne blinzelte durch die große Fensterfront auf den edlen, massiven Esstisch und präsentierte das opulente Frühstück, das keine Wünsche offenließ. Dieser schöne Mann hatte mir den Rücken zugewandt, stand bei der Kaffeemaschine und drückte die Taste für Cappuccino. Zwischen Wohnzimmer und Küche blieb ich abwartend stehen und musterte diesen faszinierenden Mann von oben bis unten. Da war es wieder, dieses Gefühl, in einem Traum gefangen zu sein. Ein Traum, der von mir aus nicht enden musste. Ich war hier gerne gefangen, wenn nötig auch gefesselt.

»Komm, meine Kleine. Setz dich.«

Mit seinen Worten holte er mich, ohne sich dabei umzudrehen, aus meinen Träumereien. Brav nahm ich an dem reichlich gedeckten Tisch Platz. Der Anblick all dieser Köstlichkeiten, vermischt mit dem Duft nach frischgebrühtem Kaffee ließ mich schlagartig hungrig werden. Er hatte sich echt viel Mühe gegeben und damit gab er mir ein Gefühl von Geborgensein.

»Wie lange bist du schon wach, um so etwas Köstliches zu zaubern?«, fragte ich ihn neugierig und um etwas ins Gespräch zu kommen.

»Selten schlafe ich mehr als fünf oder sechs Stunden. Darum konnte ich dich eine Weile betrachten, wie du süß und friedlich geschlafen hast.«

Mit der Tasse in meinen Händen, so als würde ich mich daran festhalten, lächelte ich ihn an.

»Weißt du, dass du ganz niedlich sabberst, wenn du seitlich schläfst und dein Gesicht im Kissen vergräbst?«, erwähnte er so ganz salopp nebenbei. Meine Augen wurden groß und ich verschluckte mich so heftig am Cappuccino, dass ich einen Teil davon über mein Teller prustete. Amüsiert lachte er lauthals drauflos und steckte mich mit seinem herzhaften Lacher an. Zwischen Keuchen, nach Luft japsen und Lachen wischte ich mit einer Serviette die Kaffeespritzer vom Tisch. Vor lauter Lachen und Atemnot kullerten mir die Tränen über die Wangen. Erst nach ein paar tiefen Atemzügen gelang es mir, zu antworten.

»Jaaa, das tu ich. So peinlich«, murmelte ich in die Serviette, welche ich nun aus Scham vor mein Gesicht hielt.

»Nein, das war süß, DU bist süß, wenn du wie ein kleiner sabbernder Engel eingekuschelt schläfst.« Seine Hände umgriffen meine Handgelenke. Nun führte er meine Hände zu seinem Gesicht und küsste mit seinen Lippen zärtlich meine Handrücken. Seine Oberlippe war etwas schmaler als die Unterlippe und sein markant ausgeprägtes Kinn schmiegte sich mit seinem dezenten Drei-Tage-Bart fast schon etwas verliebt an meine Finger. So kam es mir zumindest vor. Glücksgefühle und ein Schwall Hormone fluteten jeden Zentimeter meines Körpers. Ja, jede einzelne Zelle spürte dieses Vibrieren, dieses Verlangen, mich diesem umwerfenden Mann hinzugeben.

Für ein paar Augenblicke war es völlig still, zeitlos, gedankenverloren, magisch.

Der erste Cappuccino war schnell getrunken, darum bat ich ihn um eine weitere Tasse. Die zweite Tasse war bei mir immer für den Genuss. Mir war auch nicht entgangen, dass zwischen den ganzen süßen und sauren Köstlichkeiten, der Wurst und dem Käse, dem Obst und Gemüse auch ein Stück Sachertorte stand. Das war tatsächlich ein Stück echte Sachertorte aus dem Café und Hotel Sacher in Wien. Wie hatte er das nur wieder eingefädelt? Während wir über dies und das miteinander sprachen, liebäugelte ich immer wieder mit diesem köstlichen Stück Sünde.
Aus welchen Gründen auch immer ging – im Gegensatz zum Sex – unser Gespräch nie in die Tiefe. Gewisse Dinge in Peers Leben blieben für mich ein Rätsel. Geschickt lenkte er jedes Mal die Themen in eine andere Richtung, um nur ja nicht über seine Familie, seinen Beruf oder sonstige persönliche Sachen sprechen zu müssen.
Dieser Umstand stimmte mich etwas nachdenklich, da in mir das Gefühl aufkeimte, dass er mir nicht vertraute, ja schlimmer noch, dass er wirklich nur das Eine von mir wollte. Spätestens jetzt wurde mir klar, ich war dabei, mich in diesen Mann zu verlieben. Schließlich war ich nur wegen der einzigartigen Gelegenheit nach Wien gefahren, mich als Sub zu entdecken und zu erfahren. Natürlich auch, weil Peer einfach ein Sahneschnittchen war. Unwiderstehlich, heiß, sexy, gutaussehend, erfolgreich und

noch dazu ein begnadeter Dom. Vielleicht war ich
von Anfang an zu naiv an diese Sache herangegangen. Ich hörte gedanklich die Stimme meiner besten Freundin.
»Sieh dir diesen Traum von einem Mann an! Du
wirst dich Hals über Kopf in ihn verlieben – und wer
darf dich dann wieder trösten?«
Ja, SIE natürlich. Wozu hatte Frau auch eine beste
Freundin!? Am meisten ärgerte mich aber, dass sie
wieder mal recht behalten hatte.

Peer war kurz in einem anderen Zimmer verschwunden, weil sein Handy geklingelt hatte und er
mir mit einem kurzen »Da muss ich schnell rangehen« zu verstehen gab, dass es etwas Wichtiges sein
musste. Den Kopf auf meinen Unterarmen abgestützt, schmollte ich mit hungrigen Augen noch
einmal über den Frühstückstisch. Meine eigenen
Gedanken ließen etwas Wehmut und Frust in mir
aufsteigen und wenn ich Frust hatte, dann brauchte
ich etwas Süßes. Dieses süße Schokoding schien
mit mir zu flirten und außerdem hatte ich noch nie
zuvor eine ECHTE Sachertorte gegessen. Also griff
ich beherzt zu, ließ den Teller vor meinem Gesicht
schweben, um sie wie eine Kostbarkeit von allen
Seiten zu betrachten ... und zack – hatte ich eine Gabel in der rechten Hand, den Teller in der linken,
stach durch die köstliche Schokoladenglasur in den
saftigen Tortenboden, um den ersten Bissen mit geschlossenen Augen in vollen Zügen zu genießen.
»Mmhhhh ...«, stöhnte ich leise vor mich hin und
hatte kurz vergessen, dass ich ja gar nicht alleine

war. Aber ich war immer wieder verwundert, was so eine Köstlichkeit in mir auslösen konnte. Viel zu oft in meinem Leben hatte ich mir aus den unterschiedlichsten Gründen, Erfahrungen, Dinge, wie auch köstliches Essen verwehrt. Da gab es diese laute, kritische innere Stimme in meinem Kopf.

›Das kannst du doch nicht machen, was sagen die anderen dazu? – Willst du das wirklich essen? Bist ja ohnehin nicht die Schlankeste und der Sommer steht auch vor der Tür! – Zieh dieses Kleid besser nicht an, damit fällst du zu sehr auf.‹ Und und und ...

Trotz alledem wollte ich mich endlich spüren, authentisch sein, ich sein, frei sein, mit all meinen Ecken und Kanten oder besser gesagt mit meinen Rundungen. Ich wollte mir nichts mehr verwehren und diese Reise zu Peer war ebenfalls ein Schritt in die richtige Richtung. Zumindest in meine richtige Richtung. Tatsächlich fand ich mich und meine Entscheidung, für dieses Wochenende zu ihm zu fahren, sehr mutig. Ja, darüber hinaus war ich auch stolz auf mich. Daher erlaubte ich mir jetzt auch, dieses süße, himmlische Stück Sachertorte in vollen Zügen zu genießen.

»Meine Kleine! Du isst gerade dein Safe-Word auf«, ertönte Peers ernste Stimme, aus der ich seinen amüsierten Unterton aber genau heraushören konnte.

»Da siehst du mal, wie sehr ich dir vertraue«, antwortete ich ganz selbstbewusst mit einem frechen Augenzwinkern und Nasenrümpfen.

Für einen kurzen Moment verdunkelte sich Peers Gesichtsausdruck. Seine Augen erschienen mir jetzt kalt und nachdenklich. Seine Schläfen arbeiteten und zuckten bis zu seinen Wangenknochen, als würde er die Zähne aufeinanderbeißen.

Ebenso spürte ich Unsicherheit in mir emporsteigen. Ein unangenehmes Kribbeln stieg von meiner Magengegend bis hinauf in meinen Hals und ich nahm wahr, wie die durch die Hitze der Zweifel ausgelöste Röte in mein Gesicht wanderte. Das fühlte sich an, als hätte ich einen Sonnenbrand auf meinen Wangen. Gleichzeitig hatte ich das Gefühl, das Stück Torte würde sich in meiner Kehle querlegen. Nur mit Mühe und einem großen Schluck Cappuccino konnte ich es herunterspülen. In dieser sonst so prachtvollen und heimeligen Villa war eine nachdenklich stimmende Stille eingekehrt. Verlegen und ruhelos blickte ich in meine Tasse Kaffee, als könnte ich wie eine Hellseherin im Kaffeesud lesen. Im Augenwinkel konnte ich erkennen, wie er zu mir ging. Er kam ganz nah zu mir heran, nahm mir die Tasse aus den Händen und stellte sie ganz behutsam, ja fast schon andächtig auf die außergewöhnlich große Tischplatte. Mein Kopf war so weit gesenkt, dass mein Kinn mein Dekolletee berührte. Nervös wie ein kleines Mädchen kaute ich auf meiner Unterlippe herum und hatte etwas Angst davor, ihm in die Augen zu blicken. Keine Ahnung aus welchem Grund, jedoch hatte ich die Empfindung, ewas Falsches gesagt zu haben. Etwas, das ihn erzürnt hatte, etwas Unangebrachtes. So genau wusste ich es eigentlich gar nicht mehr, wie es zu dieser Stille und Kälte in seinen Augen gekommen war. Was hatte ich verpasst?! Durch meinen gesenkten

Blick sah ich seinen festen Stand, seinen dezenten, aber gut sichtbaren Oberschenkelmuskel, der sich unter seiner dunkelblauen Jeans abzeichnet. Er atmete einmal tief ein und aus, bevor er mit beiden Händen mein Gesicht umfasste. Seine Handflächen waren erstaunlicherweise noch wärmer als meine Wangen. Die nüchterne, verunsichernde Energie veränderte sich. Sie wandelte sich in wärmende Fürsorge. Er übte keinerlei Druck auf mich aus, ihn anzusehen. Erst als ich bereit war, ihm langsam meinen Blick zuzuwenden, führten mich seine Hände. Jetzt schaute ich wieder in diese blauen, gutmütigen Augen, die ich von Beginn an kannte und die mir mittlerweile vertraut waren. Die kalten, eisblauen Augen von vorhin waren mir fremd und nur beim Gedanken daran schauderte es mich. Bei diesem Unbehagen musste ich mich kurz schütteln. Dabei lief es mir heiß und kalt über den Rücken.

Mit einem milden und versöhnlichen Lächeln, wobei er wie immer seinen linken Mundwinkel leicht anhob, beugte er sich zu mir herunter und gab mir einen festen und nachhaltigen Kuss auf meine Stirn. In diesem Augenblick spürte ich seine Ehrlichkeit, seine Besorgnis um mein Wohl, sein Bestreben, gut für mich sein zu wollen. Aus diesem Gefühl heraus umschlang ich ihn mit meinen Armen, verschloss meine Finger in seinem Rücken und drückte meinen Kopf fest gegen seine Brust. Sein Herzschlag war ruhig, unaufgeregt, gleichmäßig, selbst dann, als ich auch bei ihm einen erleichterten Seufzer wahrnahm.

»Du bist wahrlich ganz besonders, meine kleine Maria. Bitte pass gut auf dich auf und glaube auch mir nicht jedes Wort. Nicht alles ist so, wie es scheint. Ich möchte dich nicht verletzten, dir keinesfalls wehtun. Wenn du wüsstest, wie schön du bist«, betonte er eindringlich, den Kopf hielt er dabei ein wenig zur Seite geneigt.

Seine Lippen suchten die meinen, um mich lange und innig zu küssen.

Währenddessen wanderte seine rechte Hand unter mein leichtes Kleid, wo sie meine linke Brust massierte. Fest, begehrlich, fordernd und nach mehr verlangend. Vor meinem inneren Auge sah ich dennoch immer wieder den finsteren, kalten Ausdruck seines Gesichts. Doch mein Körper ignorierte diese Warnung. Meine Brustwarzen wurden steif und pulsierten unter seinen Fingerspitzen, die meine Brust langsam und zärtlich umspielten. Besänftigt von seinen Liebkosungen beruhigten meine Bedenken und mein Herz sich ein wenig. Seine Zärtlichkeit zwang mich ebenfalls, mich zu unterwerfen, diesen Vorfall zu vergessen. Sein minutenlanges Streicheln versetzte mich in eine Art Trance. Mein Stöhnen glich eher einem aufgeregten zarten Wimmern, welches kaum hörbar war. Wie das zufriedene leise Schnurren einer Katze auf dem Schoß ihres Herrchens. Irgendwann schob er eine Hand unter meine Pobacken, um mich leicht anzuheben. Dabei streifte er gekonnt und geschmeidig mein Kleid über meinen Kopf. Er schien wenig überrascht zu sein, dass ich nun völlig nackt auf seinem Esstisch saß. Trotzdem bemerkte ich eine gewisse Zufriedenheit, dass er mich ohne Höschen fand. Groß und imposant stand er zwischen meinen gespreizten Beinen. Ganz nah. So nah, dass wir uns nicht einmal mehr in die Augen blicken konnten. Nur die ruhige Auf-und-ab-Bewegung seines Brustkorbs konnte ich beobachten. Seine starken Hände wanderten indes zu meinen Schultern und über meine Wirbelsäule herunter. Nie mehr als ein Hauch, trotzdem bedrohlich. Mit dem Wissen, dass er kurz davor war, mehr von mir zu wollen, öffnete ich meine Schenkel noch ein Stück weiter und drückte meinen Venushügel fest und fordernd gegen die harte Beule in seiner Hose. Er war so hart geworden, dass ich mir dachte, so eingezwängt in seiner Jeans müsse es ihm wehtun. Meine Reaktion schien Peer zu erregen. Er stieß ein kehliges Brummen aus, das mir wie ein Geräusch der Warnung vorkam. Mit einer Hand drückte er fest gegen meinen Steiß und damit drückt er mich noch fester gegen seine Hüfte. Mit der anderen Hand krallte er seine Faust in mein Haar. Meine Kopfhaut brannte, als er mich von der Tischplatte schob und mit einem harschen Nachdruck vor ihm auf die Knie zwang. Plötzlich durchflutete eine glühende Welle der Lust meinen Körper. Instinktiv umspielte meine Zungenspitze meine Oberlippe und mit hungrigen und wachen Augen blickte ich meinen Herrn anhimmelnd an. Seine Augen glänzten vor Lust. Während er dennoch völlig beherrscht und ruhig seinen Gürtel und dann die Knöpfe seiner Jeans öffnete, beugte er sich zu mir und streckte mir seine minzig schmeckende Zunge entgegen. Unsere Zungen umkreisen sich,

sie spielten miteinander, als würden sie sich um-
tanzen. Plötzlich entzog er sich mir. Er wich einen
Schritt zurück, ließ seine Hose zu Boden gleiten,
stieg heraus und kickte sie mit einem Fuß zur Seite.
Auch er trug zu meiner Verwunderung keine Unter-
wäsche. Sein Hemd folgte seiner Jeans und da stand
er nun.

Oh mein Gott! Die Hitze in mir loderte, als würde
ein Vulkanausbruch bevorstehen. Vor mir enthüll-
ten sich stramme Schenkel, harte Muskeln, leicht
gebräunte Haut und schöne nackte Füße. Wäre ich
in diesem Moment nicht bereits auf den Knien gewesen, so wäre ich spätestens jetzt auf die Knie gegangen. Peer war wortwörtlich der Herr all meiner
Sinne.
»Bitte, ich möchte dich probieren, dich kosten und
verwöhnen, mein Herr!«
Während dieser Worte, die nur so aus mir heraus-
sprudelten, füllte mein Mund sich mit Speichel.
Meine Vorfreude auf das Bevorstehende wuchs ins
Unermessliche. Seit ich bei Peer war, hatte ich eine
Seite in mir entdeckt, die ich mir nicht einmal erträumt hatte. So fühlte sich echte Lust an! Gefährlich, orgastisch, köstlich, explosiv und animalisch.
Ich war bereit für die härtere Gangart und das spürte mein Herr. Mein Gedanke war noch nicht fertig
gedacht, da packte er mich mit festen und unerbittlichen Fingern am Kinn. Sein harter Schwanz, dessen Eichel durch den Lusttropfen, der sich gebildet
hatte, bereits glänzte, schwenkte so nah vor meinem Gesicht, dass ich meinen Mund bereits emp-

fangsbereit geöffnet hatte. Nichts wollte ich in diesem Moment sehnlicher, als seinen schönen harten Schwanz in Empfang zu nehmen, ihn zu lutschen, zu küssen und wortwörtlich auszusaugen. Gierig und unüberlegt griff ich mit meinen Armen um seine strammen Oberschenkel und vergrub meine Hände in seinen knackigen Pobacken.

Zack! Schellte eine Ohrfeige auf meiner linken Wange. Diese Ohrfeige traf mich so unverhofft, dass ich mit beiden Händen ganz entrüstet an meine Wange griff. Dabei blickte ich schmollend und unverständlich nach oben.

Mein Herr grinste höhnisch.

»Jetzt kennst du die Konsequenzen, wenn du glaubst, die Führung übernehmen zu können.«

Er beugte sich zu mir herunter und leckte spöttisch über meine Finger, welche immer noch auf meiner Wange verweilten. Eigentlich hatte es gar nicht wehgetan. Es war eher das Überraschungsmoment, welches mich schmerzte und auch etwas kränkte. Innerlich brachte mich diese Ohrfeige jedoch zum Beben. Doch etwas schien mich daran zu hindern, das auch zu zeigen. War das vielleicht mein Stolz? Oder war es eher die Tatsache, mir nicht eingestehen zu können, dass ich es genoss, von einem Mann, von meinem Herrn geschlagen und getadelt zu werden?

»Damit du nicht nochmals in die Versuchung kommst, deine Hände ungefragt einzusetzen, habe ich eine ganz besondere Idee für dich, meine süße

Kleine«, verkündete er mit frech zusammenge-
kniffen Augen.

Nur zwei Schritte von uns entfernt öffnete er eine
schmale Küchenlade, aus der er mit einem Ruck ein
schwarzes, seidig glänzendes, langes, schmales
Tuch herauszog. Als er wieder zu mir kam, wusste
ich, was nun folgen würde. Also erhaschte ich noch
schnell einen Blick auf seinen heißen sexy Körper,
brannte dieses Bild in mein Gedächtnis und schon
wurde es um mich herum dunkel. Der seidige Stoff
fühlte sich auf meinem glühend heißen Kopf kühl
an und brachte meiner Haut für kurze Zeit eine
willkommene Erfrischung. Der Schal musste wirklich sehr lang gewesen sein. Zweimal um meine Augen herumgebunden war es mir wahrlich unmöglich, auch nur irgendetwas schemenhaft zu erkennen. Unter dem Druck des Tuchs blinzelte ich und
versuchte, etwas auszumachen. Doch ohne Erfolg.

»Folge mir, meine Kleine!«, wies er mich an, während er meinen Oberarm fest umgriff, um mir aufzuhelfen, aber auch, um mir zu zeigen, wo lang es
ging.

Geduldig und langsam führte er mich, ohne ein
Wort zu sprechen, nach nebenan ins großzügige,
lichtdurchflutete Wohnzimmer. Vor meinem inneren Auge konnte ich genau sehen, an welchen Platz
er mich führte. Da waren ein paar Schritte gera-
deaus, dann ein paar nach links, ein großer Bogen
um die schwere, mit hellbraunem Rauleder überzo-
gene Couch bis vor die riesiggroße Fensterfront.
Ein Fenster, welches bodentief war und das Gefühl
vermittelte, direkt im gepflegten und akkuraten

Vorgarten des Hauses zu stehen. Genau vor diesem Fenster befahl er mir, auf die Knie zu gehen. Zögerlich drehte ich mich umher, als würde ich mich umsehen können.

»Mein Herr ... ähmmmm ...«, stammelte ich verunsichert und hilflos.

»Ja!«

»Steh ich gerade nackt vor dem großen, bodentiefen Fenster?«

»Ja.«

»Ich will das nicht, mein Herr«, klagte ich verzweifelt.

»Hat meine Kleine ein Problem damit, mir zu vertrauen?«, warf er mit eindringlicher Betonung ein.

»Mein Herr, bitte entschuldige meine Zweifel. Aber ich möchte nicht von anderen beobachtet werden. Ist es meinem Herrn denn egal, wenn die Nachbarn unser Spiel beobachten können?«

»Vertraust du mir?«, ertönte seine Stimme nun von etwas weiter weg.

Ohne dass ich es bemerkte, hatte er sich von mir entfernt. Ich war wohl gerade zu sehr mit meinen eigenen Ängsten beschäftigt. Leichtes Zittern, zunehmende Orientierungslosigkeit und eine gewisse Unsicherheit übermannten meinen Körper, meinen Verstand und mein Selbstbewusstsein, während in meinem Kopf ein innerer Dialog begann. Als würde die artige, angepasste Maria auf meiner rechten Schulter platznehmen und die unartige, unersättliche Kleine auf meiner linken Schulter.

›Das kannst du doch nicht machen! Was, wenn seine Nachbarn dich sehen? So nackt, so lüstern und überhaupt so nackt!‹

›Ach, halt die Klappe, dir gefällt es doch. Vertrau ihm doch einfach!‹

›Du kennst diesen Mann nicht. Um Himmels willen, bewahre dir doch wenigstens etwas Würde und beende das hier.‹

›Beenden? Niemals! Merkst du nicht, wie sehr es dich kickt, dich erregt? Du läufst ja jetzt schon aus wie ein tropfender Wasserhahn.‹

»Ruhe! Alle beide!«, rutschte mir wohl laut über die Lippen, da Peer etwas irritiert nachfragte, was ich gesagt hätte. Ich nahm meinen ganzen Mut zusammen, ertastete mit meinen nackten Füßen ein bereitgelegtes Kissen und ging wackelig und etwas benommen auf die Knie. Irgendwie war mir schwindlig geworden, mein Herz raste und meine Atmung war flach. Doch sobald ich auf dem weichen Kissen eine Weile aufrecht kniend verweilt hatte, beruhigte sich mein Herzschlag wieder. Meine Lungenflügel dehnten sich wieder aus und nach ein paar tiefen, kräftigen Atemzügen ging es mir gleich wieder besser.

»Du hast dich also dazu entschieden, mir zu vertrauen?«, hörte ich ihn mit zweifelnder Stimme.

»Ja, ... ja, mein Herr, ich vertraue dir!«

»Dann hast du dir auch wieder deinen Halsreif verdient, meine Kleine.«

Die Luft knisterte vor Spannung. Ich konnte spüren, wie er näherkam, obwohl ich seine Schritte nicht hören konnte. Es war, als wären wir zwei Magnete, die sich unausweichlich anzogen. Für mich gab es nur diese eine Option, zu vertrauen. Obwohl ich mir vor meinem inneren Auge immer wieder vorstellen musste, wie ich nackt vor dieser unerbittlichen, alles enthüllenden, fiesen Fensterfront kniete. Doch ich wurde schnell aus meinen angstmachenden Gedanken erlöst. Mein Herr stand vor mir. Da war wieder dieses zitronen-holzige Aroma, welches so aphrodisierend auf mich wirkte, dass ich das Gefühl hatte, mein Körper würde vor Verlangen zerreißen.

»Meine süße kleine Maria ...«, hauchte er fast andächtig, als er mir meinen Halsreif umlegte, den er enganliegend verschloss.

Meinen Namen sprach er mit einem feinen Akzent aus, den ich nicht einordnen konnte. Er war ihm so schön über die Zunge gerollt, dass ich seine Zunge auf der Stelle auf mir spüren wollte. Ich wollte alles um mich herum vergessen. Auch dieses Monstrum von Fenster. Ich wollte alles von ihm. Ich wollte seine Dominanz. Aber tief in mir spürte ich noch etwas anderes. Ich wollte auch seine Liebe.

Oha! Bei diesem Gedanken, der mir durch meinen ganzen erregten Körper schoss, musste ich selbst erstmal schwer schlucken. Da war ich doch tatsächlich dabei, mich in diesen Mann zu verlieben. Mein Herz raste. Ich hatte wohl kurz vergessen, zu atmen, als Peer mit seinem Daumen über meine Lippen streifte. Zuerst zärtlich, dann immer fordernder, ließ er seinen vor Verlangen zitternden Daumen in meinen Mund gleiten. Reflexartig umspielte ich ihn mit meiner Zunge und begann, zu lecken und zu saugen, als hätte ich bereits sein Prachtexemplar in meinem Mund. Mir schien, mein Herr hatte Gefallen daran. So sehr, dass er mich mit seiner freien Hand am Hals packte und mir die Luft nahm.

»Na, na, na, meine Kleine. Immer schön langsam. Wir wollen das Spiel vor unseren Zusehern doch noch etwas länger genießen«, meinte er mit einem amüsierten Unterton.

Suchend huschte mein Blick umher, auch wenn ich gar nichts sehen konnte. Plötzlich war sein heißer Atem an meiner Wange und er strich mit der Nase über meine glühende Haut.

»Das verunsichert dich, nicht wahr? Du vertraust deinem Herrn nicht.«

Seine Stimme bebte und ich schämte mich, bekam aber auch etwas Angst. Denn mir war jetzt im vollen Umfang bewusst, war er nicht zufrieden mit seiner Kleinen, dann hatte das Folgen für mich. Diese Konsequenzen folgten prompt. Er ging hinter mich und befahl mir, meine Arme nach hinten zu strecken. Mein Körper zitterte und meine Hände waren zu Fäusten geballt. Peer schien das zu erregen. Sein Atem wurde schwer und tief. Während er meine Arme mit einem groben Seil hinter meinem Rücken verschnürte, brummte er zufrieden. Immer wieder, wenn er innehielt, hatte ich das Gefühl, seine Blicke auf meiner Haut zu spüren. Es war, als würde sein bloßes Betrachten gewisse Körperstellen zum Kribbeln bringen. Wieder waren wir in unsere eigene Welt abgetaucht. In eine dunkelbunte Sphäre voller Spannung, Leidenschaft, Begehren und Hingabe.

Sein letzter Handgriff wurde von einem »So, mmhh ...« begleitet. Das Seil saß nun fest um meine Handgelenke und ich war mir sicher, es würde Spuren hinterlassen. Mit Armen und Händen am Rücken war mir wieder jegliche Abwehrmöglichkeit genommen. Jetzt schob er sich ganz nah an mich heran. Eine Hand wühlte sich in meine Mähne. Unsanft riss er meinen Kopf so heftig nach hinten, sodass ich das Gefühl hatte, umzukippen. Doch sein nackter Oberkörper fing mich auf. Die Hitze zwischen uns brannte lichterloh, es war wie ein Inferno. Nun riss er meinen Kopf zur Seite und hielt meine Haare fest wie einen Zopf. Mein Herr bedeckte meinen Nacken mit Küssen. Er leckte mit seiner Zunge von meiner Schulter über den Hals bis hinauf zu meinem Ohr. Verdammt, war das leidenschaftlich! Plötzlich biss er mir in den Hals und gerade, als ich aufschreien wollte, umgriff er meinen Venushügel fest und fordernd, dabei glitt er etwas zwischen meine Schamlippen und erstickte damit meinen Aufschrei. Er beherrschte dieses Spiel.

Schmerz und Lust waren nicht mehr voneinander getrennt. Sie waren eins. Ich litt Schmerzen und gleichzeitig brannte ich vor Verlangen. Ich begehrte ihn, diesen geheimnisvollen Mann. Würde ich je erfahren, wer er wirklich war, was ihn antrieb?

»Dein Körper trieft förmlich vor Begehren, meine Kleine!«, stöhnte er mir ins Ohr, während sich einer seiner Finger in mich hineinpresste. Mein Körper bäumte sich auf, mein Becken schob sich ihm entgegen.

»Sag es!«, knurrte er mir ins Ohr.

»Was soll ich sagen ...mein Herr?«, hauchte ich mit Mühe aus meinen vor Lust zusammengepressten Lippen.

»Sag, dass du mein bist!«

»Ich bin dein, mein Herr!«

»Sag es so, dass ich dir glauben kann!«

Dieser Satz irritierte mich ehrlich gesagt und so zögerte ich mit meiner Antwort. Ein zweiter Finger drang tief in mich ein. Sein fester Griff in meinen Haaren, sein heißer Atem an meiner Wange, sein Dreitagebart an seinem Kinn, welches er immer wieder über meine weiche Haut kratzte, ließen mich keinen klaren Gedanken fassen.

»Antworte!«, sagte er energisch. Sein Griff in meinen Haaren wurde fester und meine Kopfhaut ziepte.

»Sag es!« Ein weiterer Finger suchte sich fast schon etwas gewaltsam einen Weg in meine Mitte.

»Ich bin dein, mein Herr! Ich bin dein!«, schrie ich ihm mit lustvoll gequälter Stimme entgegen.

Sofort wurde seine Körperspannung wieder weicher, sein Griff etwas lockerer, doch er fickte mich ohne Erbarmen hart mit seinen Fingern. Mein Innerstes pulsierte und umschloss seine Finger, als würde meine Vagina ihn verschlingen wollen. Mein Höhepunkt bahnte sich an, ich stöhnte und keuchte wie noch nie zuvor. Ich wollte ihn küssen und seine Zunge schmecken. Doch er billigte meinem Kopf keinen Spielraum. Bei jedem Versuch, seinem festen Griff zu entkommen, wurde er nur noch energischer und schmerzhafter. Dieses überwältigende Gefühl zwischen meinen Beinen ließ mich verzweifeln und genau in dem Moment, als alle meine Muskeln zu bersten schienen, zog er seine Finger aus mir und hörte auf, mich zu berühren. Er ließ mich einfach los. Ohne seinen Halt fiel ich wie ein Stück Holz auf die Seite und zu Boden. Unsanft prallte ich mit der linken Schulter gegen den unnachgiebigen Parkettboden. Doch mein Körper vibrierte noch immer und sehnte sich schmerzend nach Erlösung. Ich wollte diesen Orgasmus, also presste ich meine Oberschenkel fest aneinander und ließ meine Hüfte weiter kreisen, als ob seine Finger noch in mir wären. Doch der Orgasmus verpuffte im Nichts.

Da lag ich nun wie ein Fisch, der an Land gespült wurde. Ich zuckte und hatte durch dieses intensive Erlebnis unter der Augenbinde komplett die Orientierung verloren. In dieser Position war es mir nicht einmal möglich, mich aufzusetzen. Meine Schulter und der Arm, auf den ich gestürzt war, schmerzten. Mein Herzschlag pumpte das Blut so intensiv durch meine Adern, dass ich das Pulsieren unter dem straff sitzenden Seil spüren konnte. Er hatte mein Verlangen mit Absicht an den Rand des Wahnsinns getrieben, um mich dann an meiner Lust verhungern zu lassen. Am liebsten hätte ich ihn angeschrien.

»Sag es!«, vernahm ich seine feste Stimme, die nun vor mir zu hören war.

»Ich bin dein, mein Herr!«, herrschte ich ihn an.»Ich bin verdammt nochmal dein! Wieso quälst du mich so, mein Herr?«

Lachend griff er unter meine Schulter und zog mich wieder in die kniende Position. Meine Arme kribbelten, denn sie schienen eingeschlafen zu sein. Die raue Faser des Seils fühlte sich jetzt an wie tausende kleiner Nadelstiche. In mir regierte ein Gefühlschaos. Geil, wütend und den Tränen nah ... eine sehr bizarre Kombination.

»Wenn du mein bist, meine Kleine, dann darfst du mich auch haben«, sagte er mit besänftigender Stimme.

Seine Finger, welche kurz zuvor noch tief in mir waren, streichelten nun sanft über meine Wange. Sie waren immer noch nass. Ein Duft purer Lust, aber auch der Geruch eines verebbten Orgasmus strömten in meine Nase. Während meine Gefühlswelt, vermischt mit meinen Gedanken, wie ein Lift auf und ab fuhr, öffnete er langsam den festen Knoten meiner Augenbinde. Ohne das Tuch wegzuziehen, ließ er es einfach von meinem Gesicht gleiten. Mit blinzelnden Augen und von der Helligkeit etwas überfordert suchte mein Augenpaar gierig nach meinem Herrn, um gleich wieder unsicher zur Fensterfront zu blicken. Meine Blicke wechselten nervös hin und her, bis ich vor mir plötzlich meinen Herrn sah, der seine Faust um seinen mächtigen Schwanz gelegt hatte. Er biss sich auf die Lippen, während er ihn genüsslich streichelte. Die große Fensterverglasung war vergessen, als würde die von ihm ausgehende Hitze alle meine störenden Gedanken verbrennen. Mein Verstand schaltete auf Standby, meine Arme hörten auf zu kribbeln, meine Schulter schmerzte plötzlich nicht mehr. Als er mir immer näher kam, konnte ich den Duft von Moschus wahrnehmen. Obwohl ich ihn am liebsten verschlingen wollte, blieben meine Lippen geschlossen. Er presste seinen Schwanz gegen meine Lippen und benetzte sie mit seinem bittersüßen Lusttropfen. Nun glitt er mit seiner heißen Erektion über meine Wange, um sie danach fordernd gegen meinen Mund zu drücken. Während mein Mund sich langsam öffnete und meine Zunge ihn willkommen hieß, wanderte mein Blick lüstern nach oben, um ihm in die Augen sehen zu können. Jetzt wusste ich, warum er mir die Augenbinde abgenommen hatte. Irgendwie legte sich eine sonderbare Ruhe über uns. Fast so, als hätten wir beide einen Moment der Erleuchtung. Genussvoll und mit einer Art Genugtuung schloss ich meine Augen und gab mich ganz meinem Herrn hin. Mit einer Hand drückte er gegen meinen Hinterkopf und drang mit seiner vollen Länge und Härte ganz tief in meine Kehle ein. Jedes Röcheln und Nach-Luft-Schnappen ließen ihn nur noch lauter stöhnen. Der Speichel lief mir aus den Mundwinkeln, während meine Lippen immer fester an seinem Fleisch saugten. Auch wenn meine Hände fest verschnürt auf meinem Rücken verweilten, hatte ich doch das Gefühl, seine zuckenden Muskeln zu fühlen. Immer, wenn ich fester saugte, spannte er seinen Po und seine Oberschenkel an. Er knurrte und brummte, derweil er mir seinen Schwanz tief in den Mund rammte. Unser Augenkontakt war beständig und hatte eine ganz eigene Magie entwickelt.

»Du machst mich wahnsinnig, meine Kleine!«, fauchte er mit zusammengebissenen Zähnen und stieß noch einmal tief in meine Kehle, bevor er sich mir entzog. Er taumelte zwei Schritte zurück und atmete schwer. Verwundert und hungrig blickte ich ihn und seinen Penis an, der auf mich zeigte.

»Bitte mein Herr, lass mich dich noch genießen und verwöhnen. Du schmeckst so gut. Noch nie zuvor hat mir ein Mann so geschmeckt, wie du es tust, mein Herr.«

Sabbernd, aber aufrecht und stolz kniete ich noch immer vor meinem Herrn. Sein Blick weitete sich, als würde er schon wissen, was er als Nächstes mit mir vorhatte. Ich lächelte ihn an und neigte meinen Kopf zur Seite. Genau diese Geste schien er als Aufforderung zu verstehen. Plötzlich nahm Peer einen tiefen Atemzug und ging mit zwei großen Schritten zu mir. Seine Energie war so eindeutig, dass ich es kurz mit der Angst zu tun bekam. Er ergriff meine fixierten Unterarme fest und hob mich mit einem Ruck in die Höhe. Im nächsten Moment packte er mich an den Hüften und positionierte mich direkt vor sich. Er hatte mehr Kraft, als ich gedacht hatte. Wenn er wollte, dann konnte er mich wie eine Puppe in die gewünschte Position bringen. Seine Stirn legte sich in Falten, als er auf mich herabsah. Für einen kurzen Augenblick wirkte er nachdenklich und ein rätselhafter Ausdruck huschte über sein Gesicht. Es war, als würde er verzweifelt versuchen, meine Gedanken zu lesen. Mir stockte der Atem und ich wagte nicht, mich zu bewegen. Eigentlich wollte ich ihm sagen, dass die Fesseln mir bereits mehr als nur unangenehm waren. Allerdings schien er gerade völlig in seinen Gedanken verloren zu sein und daher wagte ich nicht, auch nur einen Mucks von mir zu geben. Gespannt starrte ich ihn mit großen, fragenden Augen an und wartete geduldig. Ein kleiner Teil in mir wollte ihm gerade nicht gehorchen, doch der andere Teil in mir hatte auch etwas Angst vor ihm.

»Mein Herr?«, piepste ich mit vorsichtiger Stimme.

»Stell dich mit dem Rücken zum Fenster vor die Rückenlehne der Couch!«, grollte seine Stimme tiefer als sonst.

›Hätte ich bloß nichts gesagt‹, dachte ich bei mir, als ich unsicher auf meine Position ging. Meine Beine waren schwer, aber meine Arme fühlten sich mittlerweile taub an. Aus dem Augenwinkel beobachtete ich meinen Herrn und verfolgte seine Schritte, die ihn wieder zur besagten Kommode führten. Suchend tasteten seine Hände in der mittleren Schublade. Meine Blicke dürften ihm nicht entgangen sein. Seine gebückte Haltung veränderte sich nicht, sein Kopf allerdings wandte sich mir zu. Streng sah er mich an.

»Senke deinen Blick, meine Kleine!«

Ich tat, was er mir befohlen hatte, und konnte nur erkennen, dass er etwas Festes, Schwarzes in einer Hand hielt, während er wieder zu mir kam. Als er hinter mir stand, drückte er seinen ganzen Körper gegen meinen. Dominierend presste er sein hartes Glied und seine Hüften gegen meinen Po, sodass ich das Gleichgewicht verlor und mein Oberkörper wie ein nasser Sack über die Rückenlehne des Sofas plumpste.

»Was für ein aufregender und offener Anblick«, lachte er amüsiert und selbstgefällig.

Mein Hinterteil lag für ihn jetzt wie auf einem Präsentierteller und ich konnte mich ohne meine Arme nicht aus dieser Haltung befreien. Ausgeliefert, neugierig und hungrig blieb mir nur abzuwarten, was er als Nächstes mit mir machen würde. Derweil ließ er seine Hände über meinen Rücken gleiten, streichelte ihn. Prüfend glitten seine Hände über meine Fesseln. Ein erregendes Gefühl stieg in mir auf, als er mich so betrachtete. Auch wenn ich nur auf die feine Maserung des Rauleders blicken konnte, so spürte ich dennoch seine begierigen Blicke und die Genugtuung, dass ich hier so wehrlos festhing. Mit beiden Händen fing er an, meine Pobakken zu kneten. Dabei gruben sich seine Finger immer fester in mein Fleisch, fast als würde er einen Teig kneten. Dabei vernahm ich immer wieder sein tiefes Brummen und Stöhnen, vor allem, wenn er seine Finger zwischen meine Schamlippen oder über meinen Anus gleiten ließ. Mein ganzer Körper vibrierte, bebte und immer wieder testete ich verzweifelt die Belastbarkeit meiner Fesseln. Vielleicht gab es ja doch ein Entkommen? Dabei wollte ich ihm gar nicht entkommen.

»Deine Hingabe macht mich wahnsinnig, weißt du das, meine kleine Sklavin?«, stöhnte er mir ins Ohr, während er sich mit seinem Oberkörper über mich beugte und mir durch sein Gewicht den Atem nahm. Mein Kopf wurde heiß und rot. Kopfüber japste ich nach Luft. Er richtete sich auf und ließ mich wieder atmen. Dabei rieb er seinen Schritt gegen meinen und presste mich noch fester gegen die Rückenlehne des Sofas.

»Ich will noch so viel mit dir anstellen, meine Kleine. Ich will dich zum Schreien bringen. Verdammt! Ich will, dass du jetzt schreist!«

Und mir war unmittelbar klar, was diese Worte zu bedeuten hatten. Noch nicht fertig gedacht, prasselte bereits ein Paddle auf meinen Hintern. Dieser Schlag war so heftig, dass ich das Gefühl hatte, mein ganzer Körper würde Wellen schlagen. Doch ich wollte seinem Wunsch zu schreien noch nicht nachgeben. Als ein weiterer Schlag genau dieselbe Stelle noch einmal traf, stöhnte ich laut auf. Dieses Paddle war nicht mit Leder gepolstert, wie ich es sonst kannte, sondern bestand aus Holz. Nach jedem Schlag mit dem Holzteil folgte ein Schlag mit seiner Handfläche. Beides klatschte laut und erbarmungslos auf meine Haut.

»Zähl mit, meine Kleine!«, befahl er mir mit hörbar erregter Stimme.

Zack, schlug er mit dem Paddle zu.

»Eins.«

»Eins was, meine Kleine?«

»Eins, mein Herr.«

»Sehr gut, meine Kleine«, lobte er mich mit freundlicher Stimme und streichelte über die bereits empfindliche Hautstelle auf meiner Pobacke.

»Zwei, mein Herr«, knirschte ich zwischen meinen Zähnen hervor, nachdem der nächste Schlag mich getroffen hatte.

»Drei, mein Herr.«

»Vier, mein Herr.«

»Autsch! Fünf, mein Herr«, hatte ich mittlerweile Mühe zu sagen, da der Schmerz sich zu verwandeln begann. Der glühende Schmerz und die pochende Haut auf meinem Hintern verwandelten sich in Vergnügen. Dieser Schmerz machte mich nur noch heißer. Jetzt hatte ich begriffen, dass Schmerzen der Schlüssel zu meiner Befriedigung waren. Immer mehr ergab ich mich dieser Situation und vor allem dem Schauplatz, an dem das Ganze stattfand. Bei dem Gedanken, dass mein leuchtend roter Arsch gerade wahrscheinlich sogar bis zur nächsten Querstraße zu sehen war, musste ich schmunzeln. Abwechselnd peitschten Paddle und Hand weiter auf meinen Allerwertesten. Mein Hintern glühte und auch wenn ich ihm die Genugtuung zu schreien nicht geben wollte, war es mir nach einer Weile nicht mehr möglich, zu zählen, wodurch seine Schläge nur noch härter und fester auf mich prasselten. Ich fing an zu wimmern, zu zucken und versuchte, meine Beine anzuwinkeln, um meinen Po vor den Schlägen zu schützen. Herr Gott! Mein Kontingent des Ertragbaren war erschöpft.

»Bitte, mein Herr, ich halte das nicht mehr aus. Das tut so verdammt weh«, wimmerte ich leise und flehend, während ich immer wieder in die Polsterung biss.

»Was sagst du, meine Kleine?«, grinste er mir förmlich ins Ohr, als er näher kam, um sich an meinem Wimmern zu ergötzen.

»Bitte, mein Herr, ich kann nicht mehr. Ich werde tagelang nicht sitzen können. Bitte nicht mehr schlagen.«

»Ich sagte, ich möchte, dass du schreist!«, erwähnte er ganz seelenruhig, während er jetzt nur noch mit der Hand abwechselnd auf meine linke und rechte Pobacke schlug.

Meine Haut war bereits so empfindlich, dass ich das Gefühl hatte, sie würde jeden Moment aufplatzen. Das Maß des Tolerierbaren war erreicht. Er wollte, dass ich schreie? Bitte! Als seine Hand ein weiteres Mal auf meinen Hintern klatschte, schrie ich aus vollen Lungen. Zwar erstickte die Couch die Heftigkeit meines Aufschreis, allerdings zeigte er dennoch seine Wirkung. Plötzlich ließ Peer von mir ab, fiel hinter mir auf die Knie und vergrub sein Gesicht in meiner Spalte. Zuerst streichelte seine Zunge mich ganz tief, bevor er vorsichtig über meine wunden Stellen auf meinem prallen geschundenen Hintern leckte. Mir lief ein gewaltiger Schauer über meinen ganzen Körper. Mir war, als würde ich durch das Wechselspiel von Schmerz und übergangsloser Zärtlichkeit implodieren. Jede Zelle in meinem Körper, ja mein ganzes Energiesystem schien sich auf eine Entladung vorzubereiten. Ein Gefühl zum Zerbersten! Während ich fühlen konnte, wie meine Klitoris durch seine Zungenspitze immer mehr anschwoll und wie die Nässe sich zwischen meinen Schenkeln verteilte, schrie ich richtig. Meine Brustwarzen wurden so hart, dass sie fühlbar über das Rauleder wetzten.

Und im nächsten Moment ...

... wurde es still in meinen Gedanken. Eine mächtige, überwältigende Woge baute sich in mir auf. Zuerst meine Beine hinauf umkreiste sie meine Hüfte, um dann in mein Innerstes überzuschwappen. In diesen Sekunden zersprang ich in Abermillionen kleinste Teile.

»O Gott!«, schrie ich bestimmt mehrmals in Gedanken und wahrscheinlich auch laut. Keine Ahnung, ich wusste es nicht mehr.

Gerade, als mein Körper sich endlich zu entspannen begann, glitt er überraschend in meine vor Nässe triefende Höhle. Mein Innerstes pulsierte, umschloss seinen kräftigen, harten Schwanz und ich erschauderte, als sich in mir erneut ein orgastischer Druck aufbaute. Eine mit Adrenalin vollgepumpte Welle flutete meinen bereits erschöpften Körper und ließ mich erneut in ungeahnte Höhen aufsteigen. Jegliche Körperspannung hatte meinen Leib verlassen. Wie ein nasser, lebloser Sack hing ich nun über der Rückenlehne vor dem Fenster. Dennoch war ich so erfüllt und glückselig, wie noch nie zuvor in meinem Leben. An Denken war jetzt nicht zu denken. Stattdessen fühlten Peers Stöße sich an, als würde er mich sanft wiegen. Meine Aufgabe und die damit verbundene Regungslosigkeit brachten ihn dazu, mich noch härter zu nehmen. Seine Hoden klatschten weiter gegen meine geschwollene Lustperle. Ohne jegliches Zeitgefühl, ohne jeglichen inneren Druck genoss ich seine Erregung jetzt umso mehr. Sein Stöhnen und sein Keuchen ließen in mir ein weiteres Gefühl der Zufriedenheit aufsteigen.

»Fuck!«, grollte es aus ihm heraus.

Mit ungezähmter Kraft stieß er erneut zu. In mir pulsierte ein stechender Schmerz, bevor ich jeden Schub, jeden Strahl meines Herrn in mir spüren

konnte. Ein weiteres Mal verspürte ich eine tiefe
Befriedigung und ergötzte mich daran, nun auch
einen Teil von ihm zu besitzen. Auch er hatte sich
mir hingegeben.

Mein Po brannte lichterloh wie ein Höllenfeuer,
doch mein Körper war schlaff, wie der einer Stoffpuppe. Als mein Herr sich aus mir zurückzog, hörte
ich einen Schwall zu Boden tropfen. Er atmete
schwer, als er mir einen zärtlichen Kuss auf jede
meiner geschundenen Pohälften gab. Eigentlich
wollte ich mich gar nicht bewegen, sondern einfach
so hängen bleiben. Sämtliche Kräfte hatten mich
verlassen. Vielleicht waren sie auch einfach nicht
wahrnehmbar. Doch jetzt konnte ich es kaum erwarten, meine Arme und Hände endlich wieder
fühlen zu können. Als könnte er erneut meine Gedanken lesen, kam er zu mir.
»Komm, meine Kleine, ich helfe dir hoch und be-
freie dich von deinen Fesseln.«
Wie ein Puppenspieler richtete er mich auf, drehte
mich um und setzte mich an die Kante der Lehne.
Da meine Haare überall auf meinem verschwitzten
Körper klebten, versuchte ich, mir ein paar Haar-
strähnen aus dem Gesicht zu blasen. Peer lächelte
mich mit sanftmütigen und zufriedenen Augen an,
bevor er mir fürsorglich die Haare hinter mein Ohr
strich. Da stand er nun. Ein Mann, wie ich ihn mir
erträumt hatte. Sein Oberkörper glänzte durch die
Schweißperlen, die auf ihm zu tanzen schienen.
Meine Wahrnehmung war gerade weit und gren-
zenlos. Auch die Schweißtropfen auf seinen Haar-

spitzen, die wie Tautropfen glitzerten, entgingen mir nicht. Diesen kostbaren, erfüllenden und unvergesslichen Augenblick wollte ich mir in meine Seele einbrennen.

»Dieses Fenster ist aus einem speziellen Spiegelglas. Von außen ist es tagsüber nicht einsehbar, meine Kleine«, flüsterte er mir leise zu, während er langsam begann, meine Fesseln zu lösen.

Nach diesem intensiven, jede Faser meines Körper durchdringenden und meine Welt erschütternden Erlebnis saßen wir beide nackt hinter der schweren Couch auf dem Boden. Damit wir es gemütlich hatten, hatte er eine große, kuschelige weiße Decke ausgebreitet. Um meinen geschundenen Po etwas zu schonen, legte ich mich seitlich neben ihn, meinen Kopf in seinen Schoß gebettet, mit Blick in die Welt da draußen. Der Duft unserer Säfte strömte immer wieder in meine Nase. Unsere Körpersäfte, die eins geworden waren, hatten etwas von herbem Champagner. Dieser Geruch löste schließlich ein Prickeln in mir aus, das in jede Ecke meiner Seele perlte.

Der Blick durch dieses große Fenster hatte etwas Unwirkliches. Die Welt dort draußen schien mir fern und befremdlich. Gerade jetzt, in diesem Moment, fühlte ich mich hinter diesen Mauern und Fenstern zu Hause, fühlte mich sicher und geborgen. Jetzt war ich mir ganz sicher, was mir all die Jahre zuvor gefehlt hatte. Mir wurde bewusst, diese Passion hatte schon immer in mir geschlummert. Diese Erkenntnis war nichts Neues, doch hatte ich mir nie erlaubt, auf meinen Körper zu hören, wenn er es härter wollte. Stets schwebte dieses Gefühl, nicht ganz richtig zu sein, als pervers oder krank abgestempelt zu werden, wie eine dunkle Gewitterwolke über mir. Peer hatte mich von dieser Gewitterwolke befreit, mich durch meinen inneren Sturm begleitet und meine dunkle Seite gestreichelt, bis sie sich sonnestrahlend zeigte. Er hatte sie ins Licht geführt und dafür war ich ihm ergeben. Unter fühlbaren Schmerzen in meiner Schulter und auf meinem Hintern drehte ich mich auf den Rükken, um ihn anzusehen. Seine hellblauen Augen blickten matt und mit einem gewissen Ernst in die Ferne. Er ließ sein Kinn etwas hängen, sein Mund war leicht geöffnet und sein Ausdruck verschleierte sich immer wieder schwermütig. Ich war bis eben so ergriffen und selig gewesen, daher konnte ich diesen Ausdruck in seinem Gesicht nicht deuten. Dieser Umstand verwirrte mich und ließ in mir ein Gefühl der Beklommenheit aufsteigen. Er schien so vertieft in seine Gedanken zu sein, dass er es gar nicht bemerkte, wie sehr ich ihn anhimmelte und versuchte, schlau aus ihm zu werden. Verzweifelt suchte ich nach den richtigen Worten, nach etwas Sinngebendem. Doch die Worte fegten wie lose Blätter im Sturm durch meinen Kopf. Nichts ergab einen Sinn.

»Darf ich bitte mein Halsband abnehmen, mein Herr?« Diese Worte kamen sehr zaghaft, fast unsicher von meinen Lippen.

Ohne eine Antwort griff er fürsorglich unter meine Schultern und hob mich an. Vorsichtig richtete ich mich auf und saß nun, mit dem Rücken ihm zugewandt, wie eine Yogini vor ihm. Ein paar unerträgliche Atemzüge vergingen, bis er schließlich Hand anlegte und meinen Halsreif zu öffnen begann. Warum sprach er jetzt nicht mehr mit mir? Was war es, das seine Stimmung immer wieder so nachdenklich, fast traurig werden ließ? War er nicht zufrieden mit mir? Gefiel ihm unsere Session nicht?

Vielleicht war ich ihm ja doch zu unerfahren und er hatte bereits ganz andere Vorstellungen? Für mich waren seine Dominanz, seine Leidenschaft mehr, als ich mir je erträumt hatte. Doch da er erfahren war, war das für ihn wahrscheinlich nichts Besonderes?

Der Halsreif hatte ebenfalls Spuren hinterlassen. Ich unterdrückte ein Stöhnen, als er die wunde Stelle an meinem Hals liebevoll küsste. Seine Finger und Lippen lösten sich von mir. Er richtete sich auf, schob sich an mir vorbei und stellte sich in voller Pracht in das Schaufenster. Mein Herz pochte wie verrückt. Unsicher, ob ich es ihm gleichtun sollte, stand ich ebenfalls auf. Meine Knie waren noch ganz weich und ich fühlte mich etwas wackelig. Als ich nur ein paar Zentimeter hinter ihm stand, überlegte ich, ob ich ihn streicheln sollte, hob meine rechte Hand an, um ihn am Rücken zu berühren. Doch diese seltsame Schwere, die ihn umgab sowie der Umstand, dass ich diesen undurchschaubaren Mann nicht wirklich kannte, ließen meinen Versuch, ihn anzufassen, ersterben. Ohne sich mir zuzuwenden sprach er gegen die kalte Glasscheibe.

»Geh dich jetzt waschen und duschen«, herrschte er mich kühl und nüchtern an. Ich war den Tränen nah, verstand die Welt nicht mehr.

»Ja«, antwortete ich kurz und knapp, wobei ich hoffte, er würde mir nicht anhören, wie verzweifelt ich gerade war. In der Hoffnung, er würde noch etwas sagen, das dieses erniedrigende Gefühl im Keim ersticken könnte, wartete ich noch einen kurzen Augenblick. Doch sein Schweigen war paradoxerweise laut und erschütterte mich bis ins Mark. Mit gesenktem Kopf wandte ich mich ab und taumelte wie betäubt Richtung Holztreppe. Irgendwie fühlte ich mich wie eine Idiotin, weil ich tatsächlich gedacht hatte, ich könnte diesem Mann etwas bedeuten. Enttäuschung machte sich in mir breit. Mittig der Treppe hielt ich kurz inne, drehte mich nochmals zu Peer um und sah ihn wie eine steinerne Statue noch immer am selben Fleck stehen. Was ging bloß in diesem sonst so charmanten Mann vor sich? Augenblicklich empfand ich Mitleid mit Peer. Er hatte mit seinen Dämonen zu kämpfen, das war offensichtlich. Ich war nicht hier, um ihn zu retten, sondern um mich zu entdecken. Dafür war ich ihm dankbar, also blieb ich in der Rolle der unerfahrenen Sub und ging mich waschen.

»Guten Morgen, meine Kleine Maria«, hauchte Peer mir leise ins Ohr, um mich zu wecken.
Nur langsam kam ich zu mir und realisierte wieder, wo ich war und was sich erst vor ein paar Stunden ereignet hatte. Hier bei Peer spielte Zeit keine Rolle. Nirgends hing eine Uhr und auf mein Handy hatte ich auch schon länger nicht mehr gesehen. Nach der Dusche hatte ich mich auf sein Bett bequemt und zur Decke gestarrt. Der Versuch, meine Gedanken zu ordnen und aus seinem Verhalten schlau zu werden, hatte in einem tiefen und erholsamen Schlaf geendet.
»Guten Morgen, Peer«, strahlte ich oscarverdächtig, als ich in sein schönes Gesicht blickte. Keinesfalls wollte ich mir meine Unsicherheit anmerken las-

sen. Außerdem waren seine Augen jetzt wieder tief
erfüllt mit Freundlichkeit und Zärtlichkeit. Seine
Blicke glitten so strahlend über meine nackten
Schultern und mein Gesicht, dass ich das Gefühl
hatte, er würde mir mit ihnen Streicheleinheiten
geben.

»Dreh dich bitte auf den Bauch«, verlangte er mit einem treuen Blick.

»Jaaa?«, blinzelte ich ihn etwas unsicher an, während ich mich umdrehte und ihm meinen blanken
Po präsentierte.

Mein Kopf ruhte auf einem Kissen, welches ich mir
geschnappt hatte. Mein Augenpaar funkelte ihn an
und beobachtete, wie er sich aufrichtete und dabei
etwas in seinen Händen hielt. Tatsächlich war es
eine Tube mit einer Wund- und Heilsalbe. Fürsorglich und zärtlich massierte er mir die Salbe auf meine geschundene Haut.

Wow! Was sollte ich jetzt sagen? Ein Traum!
Genüsslich und zufrieden schmiegte ich mein Gesicht an das Polster. Vergessen, na ja zumindest fast
vergessen war die unterkühlte Stimmung, die nach
unserem atemberaubenden Sex im Wohnzimmer
geherrscht hatte. Jede seiner Berührungen schien
»verzeih mir« zu sagen. Nicht für die Striemen, die
mich jetzt zierten, sondern für seine abweisende,
kalte Art danach.

»Da gibt es Dinge, die du über mich besser nicht
wissen solltest«, erwähnte er so nebenbei, als er einen Finger zwischen meine Pofalte gleiten ließ.

»Dinge, über die ich auch nicht reden möchte«, betonte er sehr nachdenklich.

Immer wieder versuchten seine Finger vorsichtig und zaghaft, in mich einzudringen. Doch als würde er es sich selbst verwehren, zog er sie immer wieder zurück. Während mein Verstand das Gesagte einzuordnen versuchte, war mein Körper ihm bereits ergeben. Wie von Geisterhand öffneten sich meine Schenkel und schon versuchte meine Hüfte, seine Finger zu umkreisen und in sich aufzunehmen. Mit einem Ruck und Schwung packte er mich mit festen Griff an der Hüfte und drehte mich um. Etwas verdutzt und überrascht blickte ich ihn aufmerksam und glasklar an. Meine Lippen pressten sich fest aneinander, als er meine Knie ergriff und sie energisch auseinanderdrückte. Da ich keine Gegenwehr gab, war es fast so, als würde er sie zur Seite werfen. Das bescherte mir ein kurzes Brennen in der Leistengegend. Für den Hauch einer Sekunde kreuzten sich unsere Blicke. Sein Blick hatte etwas Animalisches, Gefährliches, Forderndes, drückte zugleich aber auch sein absolutes Begehren aus. Er ließ sich auf mich fallen und nur seine Unterarme, auf die er sich stützte, verhinderten, dass ich sein ganzes Gewicht hinnehmen musste. Wir blickten uns tief in die Augen. Unsere Atem vermischten sich. Kein Blatt Papier hätte zwischen unsere Lippen gepasst, dennoch küssten wir uns nicht. Seine Stimmung veränderte sich. Sein auf mir liegender Körper, sein Herzschlag und sein Atem in meinem Gesicht überwältigten mich. Vor Verlangen bebend umschlang ich ihn mit meinen Armen. Fordernd glitten meine Fingernägel über seinen verschwitzten Rücken, wo sie sich risikobereit in sein festes Fleisch gruben.

Ich hatte aufgehört zu denken. Peer zwischen meinen Schenkeln zu spüren, seine sexuelle Dominanz, hatte etwas Befreiendes. Noch nie hatte ich einen Mann so begehrt wie ihn. Seine Arme schoben sich unter meine Schulterblätter und er drückte mich ganz fest an sich. Obwohl ich seine Härte in mir spüren wollte, war ich auf die plötzliche Offensive seiner Erregung nicht vorbereitet. Ich kreischte laut auf, als er in mich hineinstieß und ohne Eingewöhnung immer wieder hart in mich eindrang.

»Du gehörst mir«, knurrte er und presste dabei unsere Körper so fest aneinander, dass ich kaum noch atmen konnte.

Seine Stimme war jetzt alles, was ich noch brauchte, um in andere Sphären abzutauchen. Meine Hände ballten sich zu Fäusten. Zu groß war das Bedürfnis, mit meinen Nägeln tiefe, blutende Furchen auf seinem Rücken zu ziehen.

»O Gott«, stöhnte ich an seine feste Brust und war versucht, ihn zu beißen.

Alle Dämme brachen, als eine mächtige Welle sich aufbaute. Mein Magen, sämtliche Eingeweide und jeder Muskel in meinem Körper zogen sich zusammen. Ich bebte unter seinem Körper und seiner Hitze. Als er in meine Schulter biss, wurde mir klar, auch er war kurz davor, die Erlösung zu erfahren.

»Fuck«, stöhnte er und bäumte sich auf, während wir gemeinsam kamen.

Mir entwich ein alles durchdringender, befreiender Schrei und es kam mir in einer Heftigkeit, die ich so nicht erwartet hatte. In den richtigen Händen schien mein Körper zu vielem imstande zu sein. Zum Beispiel zu einem Urknall, wie eben.

Sichtlich erschöpft rollte Peer sich zur Seite und blieb schwer atmend neben mir liegen.

Da lagen wir nun, starrten beide an die Decke. Unsere Hände lagen ganz nah beieinander, die Fingerspitzen nur ein Quäntchen voneinander entfernt. Insgeheim ersehnte ich seine Berührung, wollte eine Geste von ihm, ein Zeichen der Verbundenheit oder das Feeling, ihm etwas zu bedeuten.

Vergebens.

Sein Brustkorb hob sich wieder ganz ruhig und gelassen. Gleichzeitig rollten wir unsere Köpfe zur Seite, um uns anzusehen. Sanft und milde lächelten wir. Nun gab Peer mir mit einer eindringlichen Kopfbewegung zu verstehen, mich zu ihm zu legen. Er hob seine Hand und ich schob mich ganz flink an ihn heran. Neben seinem Herzschlag hörte ich durch das geöffnete Fenster auch ein paar Vögel ganz eifrig schwatzen. Das leise Rauschen der Bäume ließ auch die seidig schimmernden Gardinen tanzen. Kaum spürbar streichelten seine Fingerspitzen über meinen Rücken bis zu meinem Brustansatz und wieder zurück. Eine stetige Bewegung, die für Gänsehaut, aber auch für Geborgenheit sorgte. Nach einer Weile bemerkte ich, dass seine Berührungen etwas ins Stocken gerieten, langsamer wurden. Schließlich war er eingedöst und schlief nun ganz friedlich. Seine Gesichtszüge waren so weich und entspannt. Vorsichtig schlüpfte ich nach unten aus seiner Umarmung und legte seinen Arm ganz behutsam auf sein sexy Sixpack. Vor dem Bett blieb ich für einen Moment stehen, um diesen schönen Mann andächtig wie ein Kunstwerk zu betrachten. Rein optisch ließ er keine Wünsche offen. Erst jetzt fielen mir seine tollen langen Wimpern auf. ›Unfair‹, dachte ich bei mir. Manche Frauen würden für so eine Wimpernpracht viel geben. Schmunzelnd wanderte mein Blick weiter über seinen Körper. Ich mochte sein dezentes, weiches Brusthaar, es war nicht viel und daher nicht störend wie ein V auf seiner Brust angeordnet. Meiner Meinung nach unterstrich es seine Männlichkeit. Gut, beim Blick in seine Mitte wurde mir schlagartig wieder wärmer. Köstlich und ausfüllend konnte ich dazu nur sagen. Seine Beine waren sehnig und ich sah ihnen Sportlichkeit an. Sogar seine Füße waren perfekt und vor allem gepflegt. Jede Zehe ein kleines Meisterwerk. Na ja, das sah vielleicht nicht jeder so, aber ich hatte eine Schwäche für schöne, gepflegte Hände und Füße. Langsam und ganz leise ging ich ein paar Schritte rückwärts und entfernte mich vom Bett. Nur schwer konnten meine Augen sich von ihm lösen. Beflügelt schlich ich ins Badezimmer und zur Toilette. An einem Wandhaken hing ein hellblaues, bereits getragenes Hemd. Ich schnappte es mir und hielt es fest in beiden Händen, während ich meine Nase darin vergrub, um jede Duftnote tief in mich zu inhalieren. Männlich und dennoch sinnlich nahm ich eine feine Zitrusnote wahr. Vielleicht auch etwas Holziges und zart Minziges. Mehr konnte ich nicht ausmachen, schließlich war ich kein Parfumeur. Aber es roch göttlich, so viel konnte ich sagen. Daher beschloss ich kurzerhand, das Hemd anzuziehen. Die Ärmel krempelte ich zweimal um, vorne knöpfte ich es ein bisschen zu und mein Hintern war gerade bedeckt. Perfekt! Jetzt fühlte ich mich ein bisschen wie eine Hollywood-Schönheit, die das Hemd von ihrem sexy Lover anhatte und durch die Villa tanzte. Moment! So war es doch auch. Mit einem breiten Grinsen verließ ich das Bad und schlich auf Zehenspitzen durchs Schlafzimmer hinaus zur Treppe. Etwas aufgedreht tänzelte ich über die Stiege, als würde Musik spielen. Mit jeder Stufe wurde mir immer bewusster, was ich hier erleben durfte. Diese zwei Tage hatten mein Leben verändert. In diesem Augenblick wurde mir klar, ich wollte nie mehr ohne diese Vorliebe, ohne dieses sexuelle Verlangen sein. Womöglich war es nicht so einfach, dafür den perfekten Partner zu finden, doch darüber wollte ich jetzt nicht nachdenken. Schließlich hatte ich selbst gerade erst mein Debüt erfahren. Und dafür hatte ich mit Peer den perfekten Mann und Dom gefunden. Ebenso den richtigen Platz, um mich ungehemmt auf Entdeckungsreise zu begeben. Alle Erinnerungen, jede einzelne Begebenheit wirbelt ohne Unterlass durch meinen Kopf. Meine schmerzende Schulter und der blaue Fleck, der sich am Oberarm anbahnte, erinnerten mich ebenso wie die bereits verblassenden Striemen auf meinem Allerwertesten. Im Erdgeschoss konnte ich mich in einem bodentiefen Spiegel betrachten und Peers Zeichnungen auf meiner blassen Haut bewundern. Diese Blessuren trug ich mit Stolz. Sie waren für mich ein Symbol für meine Hingabe, für Leidenschaft und auch für mein absolutes Vertrauen. Gab es etwas Größeres, als sich seinem Gegenüber so hinzugeben, zu vertrauen und zu verschenken? Für einen Dom bedeutete es absolutes Fingerspitzengefühl, die Grenzen seiner Sub zu verschieben und dennoch zu wahren. Schlussendlich war sie sein wertvollster Besitz. Für die Zeit bei meinem Herrn war ich sein wertvollster Besitz. Alles konnte er sich kaufen, wahrscheinlich auch eine Frau. Aber meine Hingabe war echt. Er brauchte sich bestimmt keine Frau zu kaufen oder ein Escort-Mädchen bezahlen. Bei Peer würden viele Frauen Schlange stehen. Diese Gedanken stimmten mich im Handumdrehen etwas traurig. Dem Spiegel zugewandt betrachtete ich mich eine Weile. Doch ich mochte, was ich sah. Also lächelte ich mir selbst zu und mit einem Augenzwinkern begann ich zu tanzen. In mir war so eine Freiheit, die zum Ausdruck gebracht werden wollte. Jetzt war kein Platz für schwere Gedanken. Mein Körper und meine Seele waren erfüllt von Freude, Leichtigkeit und Lust. Gott, wie konnte ich immer noch solchen Hunger auf Sex haben!

Für einen Moment spürte ich zwischen meine Beine und fühlte, wie wund ich bereits war. Herrlich! Nächste Woche würde ich wahrscheinlich alles meiner neugierigen Freundin Anna erzählen. Boah, ich konnte es eigentlich kaum erwarten, ihr zu berichten. Aber ein paar Erinnerungen und Geschichten durfte ich bis zum nächsten Tag schon noch sammeln. Anschließend würde es wieder zurückgehen in mein kleines, aber feines Nest.

An eine solche Villa hätte ich mich allerdings auch gewöhnen können. Während ich zu imaginärer Musik von Raum zu Raum tänzelte, betrachtete ich alles um mich herum ganz genau. Nichts, das auf etwas Persönliches hinweisen könnte, war zu entdecken. Keine Fotos von ihm oder seiner Familie. Als Nächstes liebäugelte ich mit einem alten Sekretär, der etwas abseits von den anderen Möbeln stand. Genauer gesagt passte er gar nicht sonderlich gut in diesen Raum. Daher hatte ich das Gefühl, er müsste etwas Besonderes für Peer sein. Schließlich war sonst alles perfekt und geschmackvoll aufeinander abgestimmt. Die Kissen passten zum Teppich, der Teppich zu den Gardinen, die Gardinen zur Couch, die Couch zur Wandfarbe et cetera. Hmmm, doch dieses Möbelstück war anders. Vielleicht ein Familienerbstück? Dieses Teil zog mich förmlich in seinen Bann, als würde ich dort alle Rätsel um diesen göttlichen Mann lösen können. In der Art, als würde ich mich wie eine Katze an meine Beute anschleichen, tappte ich vorsichtig näher an den Sekretär. Irgendwie war es aufregend. Mein Herzschlag beschleunigte sich und ich verspürte eine innerliche Anspannung. Dieses Gefühl beschlich mich schon immer als kleines Mädchen, wenn ich zum Schmuckkästchen meiner Mutter schlich. Sie hatte es mir strikt verboten, mich an ihrem Schmuck zu vergreifen. Doch diesem Drang nachzugeben, war zu verlockend. All die funkelnden und glitzernden Ketten und Ohrringe waren zu schön, um sie nicht auszuprobieren. Dabei war ich immer ganz sorgsam, vorsichtig und bedacht. Alles legte ich wieder genau so zurück und platziert es so, wie ich es vorgefunden hatte. Dennoch bin ich mir sicher, meine Mutter wusste ganz genau, was ich tat. Wahrscheinlich hätte mir das Ganze mit Erlaubnis gar nicht so viel Freude bereitet. So war es immer ein kleines Abenteuer und das brannte sich als Erinnerung an meine Kindheit in mir ein.

Irgendwie fühlte es sich nicht richtig an, in seinen Sachen zu stöbern. Bestimmt hatte er seine Gründe, aus denen er mir nicht mehr von sich erzählen wollte. Etwas in mir wollte sich damit aber nicht abfinden. Ich verschenkte mich an ihn und vertraute mich ihm an. Sollte er mir dann nicht auch ein Stück weit vertrauen?

Vorsichtig glitten meine Finger über die glatte, glänzende Oberfläche. Kein einziges Staubkorn war zu sehen. Das Holz glänzte in unterschiedlichen Farbtönen. Grundsätzlich war das Möbel aus dunklem Holz, doch an manchen Stellen war die Maserung heller. Die Rückwand der Schreibfläche und die beiden Schubladen verzierten sehr elegante und bedeutsame Ornamente, die goldig schimmerten. Die Schubladen waren jeweils mit zwei antiken Klappgriffen aus Messing ausgestattet. Die wiederum sahen sehr aufwendig gearbeitet aus und waren mit kleinen Sonnen und Blättern verziert. Beim Versuch, einen Griff anzuheben, quietschte der wie die alte Schranktür meiner Oma. Für einen Augenblick hatte ich mich erschrocken und ließ den Messinggriff zurück aufs Holz fallen. Das klang, als würde jemand einmal bestimmt und mit Nachdruck an die Tür klopfen. Ich hielt inne, horchte eine Zeitlang, ob Peer davon wach geworden war. Wie angewurzelt und ohne zu atmen stand ich stocksteif vor dieser ungewöhnlichen Rarität. Nach einer gefühlten Ewigkeit brachte ich schließlich all meinen Mut auf und ergriff ganz ehrfürchtig beide Messingringe. Ganz langsam, wie in Zeitlupe und ohne ein Geräusch zu erzeugen, öffnete ich Zentimeter für Zentimeter die oberste Lade. Und siehe da! Nichts! Außer einem Stoß weißem Papier und ein paar Schreibutensilien war auch hier nichts zu entdecken. Gut, vielleicht gab es auch gar nichts Außergewöhnliches herauszufinden. Die untere Schublade öffnete ich schon etwas routinierter und weniger andächtig. Für einen winzigen Augenblick stockte mein Herz, als ich einen silberfarbenen Bilderrahmen hervorblitzen sah. Eine bildhübsche Frau mit langen blonden Haaren und zwei entzückende Kinder, ebenfalls zwei Blondschopfe, strahlten mir förmlich entgegen. Mit einem Ruck und ohne es genauer zu betrachten, schob ich die Lade mit meinem Knie wieder zurück. Der ganze Tisch wackelte verräterisch, als die Lade zurückdonnerte und wieder unter dem Schreibtisch verschwand. Ich wagte nicht, dieses Foto ein weiteres Mal anzusehen. Stattdessen hatte ich Schnappatmung und meine Augen wanderten umher, als würden sie irgendwo Halt suchen. Doch da gab es nichts. Hier war nichts Vertrautes. Gar nichts.

In mir war ein Gefühl der Beklommenheit. Aus welchem Grund diese Geheimnistuerei? Hatte er tatsächlich so wenig Vertrauen in mich?

Wahrscheinlich würde es dafür eine Erklärung geben. Nur welche?

»Bist du jetzt zufrieden, Maria?«, sagte ich laut zu mir selbst, während ich rückwärts ging, bis ich an einem Hocker Halt fand.

Ich setzte mich. Eigentlich konnte mir egal sein, ob er Familie hatte. Sofern er getrennt war. Seine Kinder sahen entzückend aus. Warum in drei Namen Gottes durfte ich von den beiden nichts wissen? Wir hatten nie über Kinder gesprochen. Selbst hatte ich noch keine Kinder, aber mit dem richtigen Mann waren die mir schon gut vorstellbar. Bis jetzt war ich mit meinem Leben viel zu beschäftigt. Da gab es noch keinen Raum dafür oder tiefere Gedanken über einen Kinderwunsch.

Irgendetwas baute sich jedoch zwischen Peer und mir auf. Immer dann, wenn seine Miene sich verfinsterte, waren wir uns davor besonders nah. Es war, als würde er sich diese Nähe nicht gestatten. Mein Pulsschlag beschleunigte sich im Handumdrehen, wenn ich in solche Gedanken abglitt. Dann war mir, als würde ich seine Hände auf mir spüren, als würden seine Worte in meinen Ohren nachklingen, seine Härte in mir pulsieren. An diesen Erlebnissen und Gefühlen konnte auch das mysteriöse Foto in dem alten Sekretär nichts ändern. Mit dieser Erkenntnis raffte ich mich aus meiner Schockstarre hoch und ging erhobenen Hauptes in die Küche. Ich hatte Hunger.

In der Kochstube hatte ich keinerlei Bedenken, mich umzusehen. Auf der Suche nach Essbarem konnte mich ohnehin niemand bremsen. Bei diesem Gedanken musste ich schmunzeln. Dabei stöberte ich im Kühlschrank, seinen Schränken und kam schließlich zu dem Schluss, eine Pasta zu kochen. Bestimmt hatte Peer auch Hunger, wenn er wach wurde. Jetzt konnte ich nur hoffen, dass er Kapern und Oliven in einer Tomatensauce mochte. Das war jedenfalls mein absolutes Lieblingsessen. Wenn ich Zeit hatte, dann kochte ich mir gerne selbst etwas Köstliches. Frische Zutaten waren mir wichtig und in diesem Zuhause schien das genauso zu sein. Peers Kühlschrank war gut gefüllt mit frischem Gemüse. Die schwarzen und grünen Oliven schienen von einem Markt zu stammen. Während ich mir alle Zutaten und Kräuter zurechtlegte, naschte ich davon. Zu Hause war es für mich eine Ruckzuck-Angelegenheit, diese Pasta zu kochen. Hier musste ich mich jedoch erst zurechtfinden. Aber ich war überrascht. Instinktiv gelang es mir, fast immer auf Anhieb die richtige Schublade oder das zutreffende Kästchen zu öffnen. Selten hatte ich eine so gut durchdachte und praktische Anordnung in einer Küche vorgefunden. Wenn ich da an meinen Ex dachte, dem es völlig egal war, wenn die Gewürze nicht griffbereit aufbewahrt wurden oder die Messer sich am anderen Ende der Kochinsel befanden. Vielleicht war es auch die bildhübsche Frau auf dem Foto mit den Kindern, die ihr Knowhow hier hineingesteckt hatte? Neugier war ja bekanntlich der Katze Tod. Trotzdem überlegte ich hin und her, ob ich ihn darauf ansprechen sollte. Andererseits würde ich mich verraten, denn ich hatte unerlaubterweise in seinen Sachen gestöbert.

»Ich lass es lieber«, kam mir wieder mal laut über meine Lippen, während ich gedankenversunken in der Tomatensauce rührte.

»Was lässt du lieber sein?«, riss mich eine warme und freundliche Stimme aus meiner Versenkung. Ich schürzte die Lippen, antwortete jedoch nicht.

»Hast du Hunger? Ich war so frei, eine Kleinigkeit zu zaubern. Möchtest du probieren?«

Geschickt vom Thema abgelenkt, hielt ich einen Löffel mit Sauce in die Höhe und wartete auf seine Reaktion.

»Du grinst, als hättest du etwas angestellt«, erwiderte Peer, indem er näherkam, um zu kosten.

»Ich hoffe, es war in Ordnung, mich in deiner Küche auszubreiten, so ganz ohne zu fragen!?«, grinste ich ihn frech und etwas verliebt an.

Fürsorglich pustete ich nochmals, bevor ich ihm den Löffel in den Mund steckte.

»Exquisite, Mademoiselle!« Anmutig hob er dabei sein Kinn und ich starrte auf seine männlich-weiche Haut an seinem Hals und die darunter deutlich erkennbaren Muskelstränge. Er war so maskulin, aber nicht massig.

»Du schöner Mann«, schwärmte ich ihn an, senkte verlegen meinen Kopf auf meine rechte Schulter und kniff meine Augen zusammen. Warum musste ich auch immer laut aussprechen, was ich mir gerade dachte? Doch Peer schien es zu gefallen. Er war hinter mich getreten. Seine Arme umschlangen mich zärtlich und er verschränkte seine Hände vorn auf meinem Bauch. Er ließ seine weichen Lippen über meinen Hals gleiten. Ich konnte nicht anders, als meinen Kopf zur Seite zu neigen, um ihm den Weg freizumachen. Ein langgezogenes »mmhhhh ...«, hauchte er auf meine Haut, als er mit scharfen Zähnen plötzlich zubiss.

»Autsch!«, fauchte ich ihn an und musste sofort lächeln, als ich in sein amüsiertes Gesicht blickte.

»Lass uns essen, meine süße kleine Sklavin. Dein Herr hat Hunger. Aber am meisten freut er sich jetzt schon auf seinen Nachtisch«, funkelte er mich mit treublauen Augen an.

Mit einem typisch machohaften Klaps auf meinen Hintern wandte er sich ab und begann damit, den Tisch zu decken. Mein Körper und meine Lust waren gerade dabei, genau so aufzukochen, wie das Nudelwasser für die Spaghetti. Mit der einen Hand rührte ich die Nudeln im kochenden Wasser, während ich mit der anderen Hand nach dem etwas zu festen Liebesbiss von Peer fühlte. Sein Zahnabdruck war deutlich zu ertasten.

»Mein Hemd steht dir«, sagte er, ohne mich dabei anzusehen.

»Das find ich auch«, erwiderte ich übertrieben selbstbewusst.

»Woher kommt es, dass alle Frauen so darauf stehen, die Hemden ihrer Männer anzuziehen?«

Davor hatte ich noch nie das Bedürfnis gehabt, ein Hemd eines Mannes anzuziehen. Eher im Gegenteil. Erstens trugen meine Ex-Freunde alle keine Hemden und zweitens hatte ich auf ihre verschwitzen T-Shirts wirklich keinen Bock. Doch Peer roch einfach unwiderstehlich. Selbst wenn wir völlig verschwitzt bei der Sache waren, törnte sein Geruch mich an. Sogar meine Nase war von ihm und seinem Aroma angetan. Eigentlich wollte ihn jede Faser meines Körpers. Wenn es da nicht diese eine dunkle Wolke gäbe, die wie ein Mysterium über ihn schwebte.

»Wirklich, wollen das ALLE Frauen?«, entgegnete ich etwas schnippisch.

Mein Herz wollte etwas ganz anderes antworten. Zum Beispiel: »Weil ich dir nah sein wollte oder weil du so verdammt gut riechst oder du bist einfach ein Traum, nimm mich jetzt und auf der Stelle!«

Doch ich übte mich in Zurückhaltung. Wahrscheinlich, weil ich etwas Angst vor seiner Reaktion hatte.

»Ich habe diese Erfahrung gemacht. Liegt bestimmt an meinem gutem Geschmack«, lächelte er mit seinem strahlend weißen Lächeln verschmitzt.

»Dein Geschmack, was deine Hemden betrifft oder deine Frauen?«, blinzelte ich ihn etwas provokant mit unschuldigen Augen an.

Doch mehr als ein mildes, besänftigendes Lächeln bekam ich auf diese Anspielung wieder nicht. Irgendwie wollte ich dieses Rätsel knacken, auch wenn mich zunehmend das ungute Gefühl beschlich, dass mir nicht gefallen würde, was es herauszufinden galt.

»Bon Appetit«, sagte er mit kurzem, herzlichen Kopfnicken.

Genüsslich und ohne viel zu reden aßen wir unsere Pasta. Wir hatten beide großen Appetit und holten uns Nachschlag. Während des Essens bemerkte ich noch eine Gemeinsamkeit. Niemand vergrub seine

Spaghetti unter einen Berg aus frisch geriebenem Parmesan, wie ich es tat. Niemand außer Peer.

Als er fertig gegessen hatte, schob er seinen Teller ein Stückchen in die Mitte, faltete seine Hände und stützte sich mit den Ellenbogen am Tisch ab. Sein Kinn legte er angedeutet auf seine Hände und nun sah er mir eindringlich in die Augen. Gerade eben nahm ich meinen letzten Bissen und hatte unter seiner Beobachtung Mühe, ihn zu kauen und runterzuschlucken.

Stille machte sich breit. Jedes Kauen und Schlucken geschah jetzt unerträglich laut und auch etwas unangenehm. Aus Unsicherheit rollte ich meine Augen mal nach links, dann wieder nach rechts und dabei kaute ich auf meiner Unterlippe.

»Ich fühl mich leicht beobachtet.«

»Ist das so?«, fragte er übertrieben gleichgültig, um nicht ungeduldig zu wirken.

»Jaaaa ...«, antwortete ich verlegen und mit einem großen Fragezeichen in meinem Gesicht.

»Ich freue mich einfach auf meinen Nachtisch.«

»Ist das so?«, spielte ich seine Karte zurück und schmunzelte ihn herausfordernd an.

Gerade als ich aufstehen wollte, um abzuräumen, griff er blitzschnell über den Tisch und fasste energisch mein linkes Handgelenk. Ich erschreckte, weil ich das nicht kommen sah. Seine Schläfen spielten wieder gefährlich, als würde er die Zähne aufeinanderpressen.

»Du gehst jetzt hinauf ins Schlafzimmer. Auf dem Bett findest du etwas, von dem ich möchte, dass du es anziehst. Dann wartest du kniend auf mich, den

Oberkörper auf dem Boden, sodass dein süßer Arsch mich anlachen wird, wenn ich ins Zimmer komme. Hast du alles verstanden, meine Kleine?«
Klar, was gab es auch nicht zu verstehen.
»Ja, mein Herr«, antwortete ich flink.
Auf Anhieb waren wir wieder in unsere Rollen geschlüpft. Dom und Sub. Herr und Kleine.

Mein Herr überraschte mich immer wieder aufs Neue. Auf dem Bett, welches übrigens wieder tipptopp aufgebettet war, fand ich eine sehr hochwertige, flache schwarze Schachtel. Diese Schachtel bestand aus festem Karton, welcher mit einem mir unbekannten goldfarbenen Logo bedruckt war. Neugierig und mit besonderer Vorsicht öffnete ich den Deckel, unter dem ein rotes Seidenpapier zum Vorschein kam. Das Seidenpapier verdeckte die Überraschung. Mein erster Gedanke war der an elegante, sexy Dessous. Aber wie schon gesagt, er war immer für eine extravagante Überraschung zu haben. Ich öffnete also das gefaltete Seidenpapier und klappte es zur Seite. Mit Herzchenaugen erblickte ich den Inhalt der Schachtel. Ganz vorsichtig, nur mit Daumen und Zeigefingern, ergriff ich dieses traumhaft schöne Teil mit beiden Händen und hob es andächtig in die Höhe. Als es sich entfaltete, wurde es im vollen Umfang sichtbar. Es war ein Catsuit aus echten Nylons. Überwältigt und mit feuchten Augen strahlte ich diese Kostbarkeit an. Peer kannte meine Vorliebe für echte Nylons. Die waren mittlerweile echt schwer zu bekommen. Noch nie zuvor hatte ich einen Catsuit aus Nylon besessen. Mein

Herz hüpfte vor Glückseligkeit. Als würde ich diese Rarität umarmen, tanzte ich damit eine Runde durch das große Schlafzimmer. Vor dem Badezimmerspiegel legte ich einen kurzen Halt ein, um es an mich gehalten zu betrachten. Soooo schön! Aufgedreht tänzelte ich wie im Galopp zurück ins Schlafzimmer. Peers Hemd flog im hohen Bogen auf den korpulenten Ohrensessel. Mit dem hatte ich ja schon Bekanntschaft gemacht. Nackig setzte ich mich auf sein Bett. In dieser Schachtel gab es noch ein ganz wichtiges Utensil, um die Nylons unbeschadet anziehen zu können. Nämlich weiße, samtige Handschuhe. Zu groß wäre sonst die Gefahr gewesen, die Nylons mit einem Fingernagel irgendwo zu beschädigen. Sein Messer würde mein Herr diesmal ohnehin nicht benötigen. Dieser Catsuit hatte bereits Öffnungen an den richtigen Stellen. Ich hegte die große Hoffnung, es mitnehmen zu dürfen, wenn ich am nächsten Tag abreisen würde. Aufgeregt und zappelig wie ein kleines Mädchen zog ich mir die Handschuhe an. Konzentriert, fast übertrieben behutsam, ließ ich zuerst meine rechte Hand und meinen Arm in die Nylons gleiten, um sie vorsichtig aufzurollen. Sachte streifte ich die Nylons Stück für Stück über meine Beine, meine Haut, meine Hüfte und zum Schluss noch über meine Brüste. Meine Nippel ragten bereits hervor, als würden sie die Berührung mit diesem Stoff sehnsüchtig erwarten. Dieses glatte, seidige Gefühl, es war, als würde ich selbst aus einem Seidenkokon schlüpfen. Die Handschuhe brauchte ich nun nicht länger und warf sie treffsicher auf den Sessel. Unweigerlich musste ich mich selbst berühren, meine Fingerspitzen sachte über diesen Hauch von Nichts gleiten lassen. Strümpfe und Nylons waren ebenso wie meine devote Ader ein Fetisch von mir. Deshalb trug ich meistens Kleider. Im Winter hatte dieser Hauch von Nichts einen wärmenden und an heißen Sommertagen einen angenehm kühlen Effekt. In den passenden Heels wirkten sie luxuriös, verführerisch, sinnlich und die Blicke der Männer waren mir gewiss.

Doch nicht nur meine Beine waren jetzt in Nylons gehüllt, sondern mein ganzer Körper. Ich fühlte mich darin wie eine Superheldin in einem magischen Superheldinnenanzug. Eine Superheldin der Verführung. Unwiderstehlich. Sexy. Weiblich. Eingehüllt in eine zweite stimulierende Haut. Jetzt war ich bereit, Peers Nachspeise zu sein.

Nun hatte ich nur noch seine Anweisungen zu befolgen. Kniend, Oberkörper abgelegt, meinen Po in Richtung Schlafzimmertüre. Mein Herr wollte meine Öffnungen nicht nur sichtbar, sondern auf dem Präsentierteller. Merkwürdigerweise war es mir überhaupt nicht unangenehm, mich so offenherzig zu zeigen. Ihm diese besonderen Einblicke zu gewähren, machte mich auf eine außergewöhnliche Art und Weise sogar stolz. Aus Gründen der Bequemlichkeit war ich versucht, mir ein Kissen unterzulegen. Allerdings versagte mir der Respekt vor meinem Herrn diese Erleichterung. Also brachte ich mich in Position und hoffte auf eine rasche, knieschonende Erlösung. Doch eine gefühlte Ewigkeit verging, bevor ich seine Schritte auf der Treppe wahrnahm. Diesmal hatten sie auch ihn verraten. Meine Spannung stieg mit jeder Stufe, die er mir näherkam. Mein Körper zitterte, während ich auf die Holzmaserung des Bodens starrte und meinen Herrn sehnlichst erwartete. Ich versuchte, meinen Atem zu beruhigen, um ihn zu lokalisieren. Wo war er jetzt? War er überhaupt schon im Raum? Warum konnte ich keine Schritte mehr hören? Je länger ich in dieser Stille verharrte, desto unsicherer wurde ich. Etwas in mir war versucht, die angeordnete Position kurz zu verlassen, um mich umzusehen. Mir war jedoch bewusst, dass das Konsequenzen haben würde, falls er mich bereits beobachtete. Meine Gedanken wurden unruhig, meine Ohren vernahmen jedes noch so kleine Geräusch und die Holzmaserung des Parkettbodens schien sich zu bewegen. Die feinen Linien schwangen wie kaum wahrnehmbare Wellen auf und ab, hin und her. Manchmal musste ich meine Augen fest zukneifen, damit mir nicht schwindelig wurde.

Plötzlich räusperte er sich. Bestimmt, um mich aus dieser Lautlosigkeit und damit aus meiner Unsicherheit zu befreien. Nichts tat er ohne Grund, nichts ohne Bedacht. Mein Erschrecken war gleich wieder vorüber, doch durch die immense Ausschüttung von Adrenalin übernahm mein Körper die Kontrolle. Mein Blut brodelte wie heiße Lava durch meine Adern, während Peers Anziehungskraft und seine Präsenz in meinem Magen wüteten.

»Wenn du sehen könntest, was ich gerade sehe, meine kleine sexy Maria«, sagte er im ruhigen, aber deutlich erregten Zustand.

Jetzt hatte er auch noch meinen Gehörsinn erobert und für sich eingenommen. Mein Geruchssinn war ihm bereits erlegen. Die Klangfarbe seiner Stimme veränderte sich, wenn er zum Dom wurde. Seine Stimmlage wurde noch voller, sie vereinigte sich mit seiner Kraft und Würde. Diese Komponenten lösten in mir den überwältigenden Drang aus, ihm bedingungslos zu gehorchen.

»Ich will dir ein Geheimnis verraten, meine Kleine.« Mein Herz stockte und ich hielt den Atem an. Würde er mir jetzt etwa von seiner Familie erzählen. Ausgerechnet jetzt, wo er auf meinen prallen Arsch starrte?!

»Für mich ist das auch das erste Mal. Und es törnt mich so verflucht noch mal an, wie du dich mir hingibst, mir gehorchst und dich in jeder Hinsicht für mich öffnest«, drang seine Stimme in mein Gehör und quälte mich mit Verlangen.

»Was? Ähm ... ich meine, wie bitte, mein Herr?«, rutschte es mir verblüfft aus meinem offenstehenden Mund.

»Ich habe mit vielen Frauen geschlafen, habe viel ausprobiert, doch noch niemals war ich ein Dom. Noch nie in meinem Leben hatte ich eine Sub, eine so unbeschreiblich geile, sinnliche, devote Frau wie dich in meinen Fingern.«

Regungslos und fassungslos verharrte ich in meiner Position. Akustisch hatte ich seine Worte verstanden. Einordnen konnte ich das Gesagte jedoch nicht. Verwirrt und geil streckte ich ihm noch immer meinen Po entgegen. Die Zeit verstrich quälend langsam, die Sekunden krochen unterwürfig,

bis sie zu Minuten wurden. Irgendwie war ich hin-
und hergerissen. Mein Körper schrie »Nimm mich,
fick mich!«, aber mein Verstand brüllte »Darüber
müssen wir jetzt reden!«

Mein Herr nahm mir diese Entscheidung ab, indem
er sich zu meinem Hintern bückte und begann,
meine Pobacken mit beiden Händen inbrünstig zu
massieren. Mit festen Fingern grub er sich in mein
Fleisch. Er hatte sich Massageöl zurechtgelegt, welches er ständig auf mich träufelte. Dabei sparte er
meine Pofalte nicht aus. Das nach exotischen
Früchten duftende Öl sammelte sich wie ein Pot-
pourri zwischen meinen Schamlippen, von denen
es gelegentlich geräuschlos auf die Holzdielen
tropfte. So, als würde es unabsichtlich passieren,
glitten seine Fingerspitzen immer wieder zwischen
meine Schamlippen. Seine sanften, kontinuierli-
chen Bewegungen versetzten mich erneut in eine
Art Trance.

»Du machst mich verrückt«, quälte er zwischen seinen zusammengepressten Lippen hervor.

Er küsste und leckte über meine ölige Haut und ließ
seinen Daumen in meine Spalte gleiten. Begleitet
von genussvollem Stöhnen bäumte mein Oberkörper sich auf. Sofort drückte er mich mit einer Hand
wieder fest zu Boden. Genau diese Dominanz ließ
mich wie Wachs in seinen Händen sein. Um das
Spiel noch etwas anzufachen, versuchte ich, mich
gegen seine dominante Hand zu wehren. Ich drückte meinen Rücken fest gegen seine Handfläche.

»Meine Kleine versucht also, sich zu wehren?!«, reagierte er prompt und vergnügt.

Seine Reaktion, mich noch fester niederzudrücken, entfachte in mir ein Feuer unbekannten Ausmaßes. Er hatte mir vorgemacht, ein Dom zu sein, während ich ihm vorgemacht hatte, immer ganz brav zu sein. Er stand also darauf, wenn ich mich wehrte. Das war also eine weitere Herausforderung für ihn. Und die sollte er bekommen.

Meine Wangen glühten, als er mich fest im Nacken packte. So, als würde ein Löwe sein Weibchen zurechtweisen. Erneut glitt sein Finger in meine Nässe und seiner Brust entwich ein Stöhnen. Als sein Finger noch tiefer eintauchte, ließ er meine Gegenwehr verklingen. Stattdessen umkreiste ich seine Finger nun mit meiner Hüfte. Er nahm mich immer härter, schneller und fickte mich mit seinen Fingern. Dabei war er alles andere als zärtlich. Wir hatten ein neues Level erreicht. Ein animalisches, wilderes Level als bisher. Beim Versuch, meine Beine zusammenzudrücken, verwies er mich sofort in meine Schranken. Er klatschte mit einer Wucht auf meinen Arsch, die mich überraschte. Ein Inferno der Energien war entbrannt. Gierig spannten sich meine inneren Muskeln um seine Finger.

Peer streichelte mich immer grober, verteilte die Nässe auf seinen Fingern über meinen ganzen Körper. Mein Mund war trocken, ich dürstete nach seinen Küssen. Plötzlich hielt er inne und vergrub eine Hand ganz fest in meinen Haaren. Unsanft packte er zu und stand im selben Atemzug auf. Mir blieb nichts anderes übrig, als mich seiner Bewegung anzupassen, da es sonst schmerzhaft geworden wäre. So ein übergangsloser Positionswechsel war ohnehin immer mit Schmerzen verbunden. Meine Gelenke fühlten sich nach langer Bewegungslosigkeit immer steif an. Vor allem litten meine Knie unter meinem Sub-Dasein. Mein Herr beförderte mich mit Schwung aufs Bett und positionierte mich nach seinen Wünschen. Wieder musste ich an einen Puppenspieler denken. Mein Herr hatte alle Fäden in der Hand.

»Streck deine Arme seitlich nach oben. Ich werde dir jetzt an Armen und Beinen Lederfesseln anlegen.«

Er griff unter die Matratze, von wo er an Seilen befestigte Ledermanschetten hervorzauberte. Gerade als er nach meinem rechten Arm greifen wollte, deutete ich an, ihm meine Hand zu entziehen. Für einen Augenblick schien die Zeit stehenzubleiben. Seine Augen funkelten mich an, während er sich siegessicher über die Lippen leckte.

»Ohhh, du hast ja keine Ahnung, meine Kleine!«, protzte er mit einem fiesen Grinsen. Meine Geste schien etwas Dunkles in ihm wachgerüttelt zu haben, wahrscheinlich fühlte er sich herausgefordert.

Mit festen Fingern griff er mit Daumen und Zeigefinger meine Wangen und drückte sie zu einem Spitzmund zusammen. Mein Kiefer schmerzte unter diesem Druck. Ruckartig riss er meinen Kopf zur anderen Seite. Dadurch konnte ich ihn zwar nicht mehr ansehen, doch dafür spürte ich seinen heißen, feuchten Atem an meinem Ohr und an meiner Wange. Wie ein glühender Funkenregen prasselte sein schwerer, erregter Atem auf meine Haut.

»Du hast dein Safeword hoffentlich nicht vergessen?!«, zischte er und züngelte wie eine Tigerpython mit seiner Zunge in mein Ohr.

Da sich sein Griff um meine Wangen noch nicht gelockert hatte, war es mir unmöglich, ihm zu antworten. Daher versuchte ich es mit einem Nicken.

»Ah, du kannst nicht reden? Das gefällt mir. Ich werde dafür sorgen, dass du für die nächsten Stunden nicht reden wirst.«

Stunden?! Nichts reden?! Was war mit meinem Safeword? Wie sollte ich ihn so wissen lassen, wenn er dabei war, meine Grenzen zu überschreiten? Er nutzte das Überraschungsmoment, um meinen rechten Arm zu fixieren. Er rollte sich über mich hinweg zur anderen Seite. Mit flinken Handgriffen war auch mein anderer Arm gefesselt. Elegant, aber energisch schwang er sich aus dem Bett. Mit festen Schritten verließ er das Schlafzimmer, um im Handumdrehen mit einem Knebel, einem »Gagball«, in der linken Hand wieder zurückzukommen. Er setzte sich seitlich zu mir ans Bett und ließ den Gagball höhnisch über meinem Gesicht schweben.

»Sag das Safeword lieber jetzt. Ich werde dich gleich nicht mehr verstehen, meine ahnungslose Kleine.«

»Wie ...?«, verstummte ich, weil er meine Antwort erst gar nicht abwartete, sondern den Knebel in meinen Mund schob. Dabei biss ich mir auf die Unterlippe, ich konnte schmecken, wie es blutete.

Er hatte gar nicht vor, meine Bedenken oder Fragen zu hören. Ich wehrte mich, schüttelte mit weit aufgerissenen Augen meinen Kopf. Mein Blick sagte »Das wagst du nicht!«, und er hatte ihn verstanden.

»Doch, genau das mach ich jetzt«, lachte er mit einem Blick, der mir Gänsehaut und Unbehagen bescherte.

Der Knebel war mit einem Klettverschluss ausgestattet. Deshalb hatte er keinerlei Mühe, ihn trotz meiner Gegenwehr zu verschließen. Sein Mittelfinger strich über die blutende Stelle auf meiner Lippe. Mit dem Daumen massierte er das Blut in seinen Finger, während die andere Hand provokant über meinen Bauch nach unten schwebte. Meine gefesselten Arme hatten kaum Spielraum. Nicht einmal an der Nase kratzen war mehr möglich. Mich zu wehren natürlich auch nicht. Versunken und erotisiert tastete und streichelte er meine zweite Haut. Mich in dem Catsuit so sexy und durch die Fesseln so ausgeliefert zu fühlen, brachte mich innerlich zum Beben. Durch die vorhandenen Löcher im Gagball konnte ich zwar gut atmen, aber etwas zu sagen war mir unmöglich. Mein Speichel, der sich in den Mundwinkeln sammelte, floss über meine Wangen, bis hinunter zu meinem Hals oder kitzelte mich hinter meinem Ohr. Plötzlich warf er sich kniend über mein Becken und drückte mich tief in die Matratze. Mit beiden Händen knetete er meine Brüste. Meine Brustwarzen pressten sich gegen den Nylonstoff, als wollten sie ihn durchbohren. Er beugte sich weit nach vorn und biss ohne Erbarmen in meinen rechten Nippel. Unter dem Schmerz, der durch meinen ganzen Körper schoss, bäumte ich mich auf. Wie eine Stute versuchte ich ihn abzuwerfen, indem ich strampelte. Diese Reaktion ließ seine Augen teuflisch auffunkeln. Jetzt ließ er sein ganzes

Gewicht auf mich nieder. Seine Hand schnellte wie eine Zange fest um meine Kehle und übte bedrohlichen Druck aus. Augenblicklich hielt ich inne. Mein Herz raste, mein Atem war schwer und mit großen Augen sah ich in das Gesicht meines Herren. Meine Beine hatten aufgehört zu strampeln, und sanken wieder auf das weiche Laken. Mein Körper loderte vor Hitze wie ein Stück glühende Kohle. Die Abkühlung des Lakens war auf meinen Waden deutlich zu spüren. Mein Herr holte tief Luft, bewegte seine Lippen, als würde er gleich etwas sagen. Stattdessen schnürte er mir meinen Hals mit beständig stärker werdendem Druck immer weiter zu. Mit der anderen Hand griff er zwischen meine Beine, wo er seine Finger um meine Lustperle kreisen ließ. Ein überwältigendes Lustgefühl baute sich in mir auf. Ich schnaubte und rang nach Luft. An meinen Mundwinkeln bildeten sich Schaumbläschen, die mich an Seifenblasen erinnerten. Immer, wenn meine Augen sich flatternd schlossen, lockerte er für ein paar Sekunden seine Umklammerung meiner Kehle. Doch seine Finger kreisten ohne Unterlass und ohne Rücksicht weiter.

»Ich werde dich schon noch zähmen, du geile kleine Stute. Glaubst du, du kannst mich einfach so abschütteln? Glaubst du ernsthaft, du könntest verhindern, dass ich dich immer und immer wieder von einem Höhepunkt zum nächsten befördere?«

Seine Worte gingen so tief, tiefer als sein hartes Prachtstück es jemals könnte.

»Komm schon, meine Kleine«, forderte er mich heraus. Dabei betonte er das Wort »Komm« in einem so energischen Befehlston, dass sich in meinem Inneren augenblicklich eine erotische Welle ausbreitete.

Ich schrie und zerrte an meinen Fesseln. Doch seine Fingerspitzen umspielten weiter meine Perle, beständig und gleichmäßig. Dann konnte ich nicht mehr anders. Noch einmal spannte sich jeder noch so kleine Muskel in meinem Körper zum Zerbersten an. Bis ... ja, bis sich ein explosionsartiger Orgasmus über meinen ganzen Körper ausbreitete, der erst in meinen Zehen und Haarspitzen verebbte. Wie eine leblose Puppe sackte ich in mich zusammen. Stille legte sich über den Raum. Reglos ruhten seine Hände auf meinen Brüsten. Meine Augen waren geschlossen. Gedanklich reiste ich kurz durch meinen Körper. Da war meine pulsierende Klitoris, eingehüllt in geschwollene Schamlippen. Dann war da mein Becken, welches eingeengt, ergeben unter der Last meines Herrn vergraben lag. Dort seine erbarmungslosen Hände, welche auf meinen nylonbedeckten Knospen lagen. Und dann war da noch mein Hals. Noch immer konnte ich in meinem Fleisch jede Fingerkuppe spüren. Erst jetzt fiel mir auf, dass meine Haare völlig nassgeschwitzt in meinem Gesicht, auf meinen Schultern und meinem Rücken klebten. Mein Kiefer schmerzte, weil ich meinen Mund nicht schließen konnte. Fix und fertig, kraftlos und dennoch überglücklich lag ich da, schnaufte durch den Gagball und hatte ungeheuren Durst.

»Meine Kleine ist bestimmt durstig. Ich werde jetzt nach unten gehen und dir ein Glas Wasser holen.

Wenn ich dir dann den Knebel entferne, damit du trinken kannst, hast du keine Erlaubnis, zu sprechen. Du sollst mir nur nicht dehydrieren. Hast du das verstanden?«

Mit einem kurzen raschen Nicken bestätigte ich. Wahrscheinlich hätte ich alles bejaht, nur um einen Schluck Wasser zu bekommen.

Ohne ein weiteres Wort und ohne den Knebel zu entfernen verließ er das Schlafzimmer. Erschöpft ließ ich meinen Kopf sinken. Wie ein aufgescheuchter Schwarm Fische schwirrten tausende Empfindungen durch meinen müden Kopf. Keinen einzigen Gedanken konnte ich fassen. Während ich wartete, starrte ich an die weiße Decke. Die Zeit schien nicht zu vergehen. Wo war er hingegangen? Was dauerte so lange? Meine Zunge war so trocken, dass sie an meinem Gaumen klebte. Noch nie in meinem Leben war ich so durstig wie in diesem Augenblick.

Dann endlich, Schritte auf der Holztreppe. Erlösung war in Anmarsch. Ungeduldig zappelte ich mit den Beinen. Meine Oberschenkel schienen zu applaudieren und klatschten freudig aneinander, als Peer ins Zimmer kam. Er erkannte wohl die Dringlichkeit, denn er kam schnurstracks zu mir. Zuerst nahm er an meiner Seite Platz und öffnete unverzüglich den Knebel. Doch bevor ich trinken konnte, musste ich meinen Mund erst ein paarmal öffnen und wieder schließen. Meine Gesichtsakrobatik sah bestimmt lustig aus, war aber notwendig, um meinen eingerosteten Kiefer wieder beweglich zu machen. Ein paarmal schnalzte ich mit der Zunge, bevor mein Herr mir das Wasserglas an die Lippen setzte und dabei fürsorglich meinen Kopf stützte. Gierig leerte ich fast das ganze Glas. Mit jedem Schluck konnte ich die Kühle in meinem Hals und in meinem Magen spüren. Dennoch hatte ich das Gefühl, dass mein Durst nicht im Mindesten gelöscht war, so ausgedörrt war mein Körper.

Er sah mich sanftmütig an, während er mich im Gesicht zärtlich streichelte und meine nassen, klebrigen Haare zur Seite strich. Sein Lächeln offenbarte seine perfekten, breiten Zähne und seine wundervoll geformten Lippen. Als er erneut zu dem fiesen Knebel griff, verwandelte mein Blick sich in ein mitleidiges Flehen. Sprechen durfte ich ja nicht. Deshalb versuchte ich, mich mit meinen Augen zu verständigen. Mit Dackelblick und Schmollmund flehte ich ihn förmlich an.

»Du möchtest den Knebel nicht mehr?!«

Mein eindringliches Kopfschütteln bestätigte seine Aussage.

»Du wirst weiterhin artig sein und kein Wort sprechen?«

Ein kurzes, eifrig-bejahendes Kopfnicken war erneut meine Antwort.

»Nun gut. Dann will ich gnädig mit dir sein, meine geile Kleine. Allerdings ist er schneller wieder in deinem süßen Mund, als du bis drei zählen kannst.«

Mit einem weit entspannteren Mienenspiel nickte ich auch dieses Mal zustimmend.

»Gut, dann werde ich jetzt mal deine Beine fixieren, damit du nicht wie eine rollige Stute nach mir treten kannst, wenn ich gleich in deiner Mitte abtauche«, zwinkerte er mit glänzenden Augen.

Bereitwillig und ohne Gegenwehr öffnete ich meine Beine, indem ich sie den fesselnden Ledermanschetten entgegenstreckte. Dabei fiel mein Blick auf meine seidig glänzenden Beine. Dezent blitzte der hochglänzende hellrote Nagellack auf meinen Zehen durch die verstärkte dunklere Nylon-Zehenspitze. Mein Herr ließ seine Hände über meine Füße gleiten und betrachtete sie wie ein Meister sein Meisterwerk.

»Du hast wunderschöne Füße«, raunte er erregt, ohne seinen Blick von ihnen abzuwenden.

Zuerst befestigte er meinen linken Fuß, danach griff er nach meinem rechten Fußknöchel und streichelte fast schon andachtsvoll über meine Wade. In jedem Moment war ich völlig wehrlos, was ja nichts Neues war. Doch jetzt war etwas anders. Es war, als hätte ich mit meiner Gegenwehr seine Dämonen geweckt. Seine Blicke waren scharf wie eine Messersschneide und seine Schläfen pulsierten.

Als könnte ein Wolf, der Blut geleckt hat, jeden Augenblick über seine Beute herfallen, wanderte er vor dem Fußende des Bettes hin und her. Mit auf dem Rücken gefalteten Händen und geneigtem Kopf betrachtete er mich. Da lag ich in aller Pracht mit ausgebreiteten Armen und gespreizten Beinen, eingehüllt in das zärtliche Material, welches ihn zusätzlich um den Verstand zu bringen drohte. Wie ein verängstigter fixierter »Bettengel« öffnete ich meine Flügel für meinen Herrn. Mein Atem ging

immer schneller. Die Anspannung und die Unge-
wissheit waren fast zum Zerbersten.

»Nach diesen Tagen bei deinem Herrn wirst du jedes Mal feucht werden, wenn du Nylons oder
Strümpfe trägst«, stellte er fest.

Er zog seine Augenbrauen hoch und legte seine
sonst so makellose Stirn in Falten. Etwas in mir bekam Panik. Vielleicht war es ein Fehler, angekettet
und hilflos hier zu liegen. Vielleicht sollte ich einfach das Safeword sagen und zugeben, dass mir das
hier doch eine Nummer zu heftig war.

»Du bist mir so schön ausgeliefert, das sollte ich
wahrlich für mich nutzen. Nicht wahr, meine Kleine?«

In diese Falle tappte ich nicht. Ich hatte noch immer
nicht seine Erlaubnis, zu sprechen, also blieb ich
weiterhin schweigsam.

»Brav, meine Kleine«, flüsterte er gegen meinen
Oberschenkel, nachdem er sich über mich gebeugt
hatte. Er ließ seine Nase über mir auf und ab, hin
und her gleiten und schnupperte an mir, als wollte
er mich einatmen. Die Berührung seiner Nasenspitze kitzelte mich, sodass ich lachen musste.
Ruckartig blickte er hoch, zog seine Augenbrauen
extrem hoch und grinste fieser als der Weihnachts-
grinch. Augenblicklich ließ er von mir ab, um mit
großen Schritten im Flur zu verschwinden.

Irritiert ließ ich meinen Kopf auf die Unterlage fallen und schüttelte fragend meinen Kopf. Plötzlich
betrat er mit einer großen schwarz-weißen Feder
wieder den Raum. Ich ahnte Böses. Er wird doch
nicht ...?!

»Meine Kleine ist also besonders kitzelig«, betonte er amüsiert, während er die Feder an den Innenseiten meiner Schenkel ansetzte.

Verzweifelt versuchte ich, mich zu beherrschen. Doch ich musste schon lachen, bevor ich die Feder überhaupt zu spüren bekam. Konnte er mich nicht einfach auspeitschen? Ich bereute, dass ich mich mit meinem Lachen verraten hatte. Obwohl ich den Schmerz einer Peitsche gleichzeitig genoss und hasste, beförderte er mich in lustvolle Höhen. Gekitzelt zu werden wiederum stand nicht auf meiner Agenda. Mein Herr kniete auf Hüfthöhe seitlich rechts von mir. Mit zugekniffen Augen und fest aufeinandergepressten Lippen wartete ich darauf, dass es jeden Moment killekille machen würde. Falsch gedacht! Da meine Augen geschlossen waren, sah ich es nicht kommen. Mit Daumen und Zeigefinger kniff er so unglaublich fest in meine Brustwarze, dass ich kurz davor war, laut aufzuschreien.

»Fu...!«, zischte ich zwischen meinen Schneidezähnen hervor, doch aufgrund des Sprechverbots verstummte ich im Handumdrehen. Lieber kein Risiko eingehen und nicht den unliebsamen Knebel riskieren, schoss mir ein Gedankenblitz durch meine Windungen.

Während er meinen Nippel unnachgiebig zwischen seinen Fingerkuppen formte, als würde er sich eine Zigarette drehen, strich er mit der Feder in der anderen Hand zwischen meinen empfindlichen Schenkeln auf und ab. Durch diese sehr unterschiedlichen Reize veränderte sich etwas in meinem Körper. Nicht der süße, stechende Schmerz in meiner Brust und auch nicht die sanfte, kitzlige Federspitze zwischen meinen Schenkeln verursachte dieses Gefühl. Vielmehr war es die Tatsache, dass ich in völliger Unterwerfung absolut ausgeliefert war. Ich konnte mich weder wehren noch umdrehen oder gar weglaufen. Was blieb mir anderes übrig, als alles zu akzeptieren, was Peer mit mir machte. Diese völlige Hingabe und die Abgabe aller Kontrolle ließen in mir ein Freudenfeuer entstehen. Nach nur wenigen Stunden bei Peer fühlte ich es bereits lodern. Doch jetzt, nach nur zwei Tagen, hatte er es zu einer Hitze entfacht, die wie ein Inferno in mir wütete. Meine Sexualität lebte auf wie ein Phönix, der sich aus der Asche jeder Mittelmäßigkeit erhob.

Immer wieder und in immer kürzeren Abständen setzte er überall an meinem Körper unterschiedlichste Stimuli. Mal zwickte er, mal pikste er mich mit der Stielfeder, mal küsste er, mal saugte er. Als er jedoch ohne jede Vorwarnung urplötzlich zwei Finger in mich rammte, bäumte mein Oberkörper sich lustvoll auf und mein Kopf überstreckte sich, wodurch mein Hals lang und verwundbar wurde. Während seine Finger in mir kreisten und pulsierten, legte er nun seinen Oberkörper auf mich. Er küsste und leckte mit fester Zunge jeden Zentimeter meines Halses. Sein Gewicht erschwerte mir das Atmen. Völlig von Sinnen, überwältigt von den unterschiedlichen Empfindungen, flehte ich in orientierungsloser Ekstase stumm um einen Höhepunkt.

»Ich habe die absolute Kontrolle über dich. Wenn ich sage, du sollst kommen, dann wirst du das gefälligst tun«, keuchte er geräuschvoll in mein Ohr, als er selbst kurz nach Luft schnappte.

Dieser Satz, diese Bestimmtheit seiner Worte waren wie eine Zündschnur zu meiner Vagina.

»Du kommst erst, wenn ich es dir erlaube. Hast du verstanden!«, raunte er schwer atmend.

Mein Körper war bereit, die Zündschnur in Brand gesetzt. Am liebsten hätte ich ihn darum angefleht, kommen zu dürfen. Mein Mund war geöffnet, weil ich versuchte, das Unvermeidliche durch meine Atmung hinauszuzögern.

»Du bist nass, so unglaublich nass.«

Seine animalische Stimme machte es nicht besser. Konnte er nicht einfach leise sein?! Sah er meinen Kampf denn nicht?! Zitternd und zuckend zog ich an den Fesseln. Mit jeder Bewegung hatte ich das Gefühl, sie würden sich noch enger um meine Hand- und Fußgelenke legen. In der Vertiefung meines Dekolletés sammelte sich Schweiß, der sich mit jedem Aufbäumen auf das Laken ergoss.

Dann hörte ich endlich die erlösenden Worte meines Herrn.

»Komm! Komm jetzt!«

Mein Herz raste, mein Körper pulsierte im selben Rhythmus wie meine empfindlichen Nippel. Ich hatte das Gefühl, meine Haut würde atmen, seine Stimme in mein Innerstes kriechen und von dort die Kontrolle über mich übernehmen.

»Komm schon. Jetzt!«, keuchte er siegessicher, während seine Finger mich unaufhörlich fickten.

Als nun auch noch sein Daumen meine Klitoris entdeckte, warf ich erneut meinen Kopf in den Nacken.

Ich hörte einen tiefen Schrei aus vollen Lungen, dabei wusste ich nicht, dass ich meinen eigenen Schrei hörte. Diese Empfindung war zu viel, zu intensiv. Mein Verstand war vollkommen ausgeschaltet. Unter Zuckungen stöhnte ich, als gäbe es kein Morgen. Hinter meinen geschlossenen Augen sah ich Sternchen wie an einem klaren Nachthimmel.

»Fuck, jaaa!«, stieß er aus, als mein Saft sich über seine Hand ergoss.

Mit jedem Pulsieren während meines Orgasmus schwappte eine neue Welle auf seine Finger. Als dieses überwältigende, alles verzehrende Gefühl verebbte und alle meine Muskeln nach Entspannung bettelten, stieß ich erneut einen erlösenden Schrei aus. Mein ganzer Körper war nassgeschwitzt. Hechelnd öffnete ich langsam meine Augen. Erst nach und nach begann ich zu begreifen, was gerade geschehen war. Noch nie zuvor hatte ich abgespritzt. Bei den Pornos, die ich manchmal angesehen hatte, war mir immer schleierhaft gewesen, ob es das wirklich gab.

Ja, verdammt! Das war möglich! Bei diesem Gedanken musste ich meinen Herrn anlächeln. Befriedigt, erschöpft und beeindruckt, wozu dieser Mann mich treiben konnte, schmiegte ich meinen Kopf an seinen neben meinem Kopf abgestützten Unterarm. Sichtlich stolz und mit Genugtuung strahlte er mich an.

»Das war unglaublich. Du bist unglaublich, meine kleine, geile Maria. Du hast dir eine Belohnung verdient. Ab sofort darfst du wieder sprechen«, sagte er so süßlich, als würde er seinem braven Mädchen einen Lolli reichen.

Doch ich wusste gar nicht, was ich sagen sollte.

»Darf ich bitte einen Schluck Wasser haben, mein Herr?« Das war es, wonach ich mich gerade sehnte und was mein Körper so dringend benötigte. Wasser zum Löschen meines ungeheuerlichen Durstes und eine erfrischende, kalte Dusche, um mein wallendes Blut wieder auf normale Temperatur zu bringen.

»Das sollst du haben, meine Kleine. Du sollst ja noch eine Weile aushalten.« Er stieg aus dem Bett, nahm das Glas vom Nachtisch und machte sich auf den Weg ins Badezimmer.

Währenddessen brauchten seine Worte eine Weile, um meinen Verstand zu erreichen.

Waaas?! Ich sollte noch eine Weile aushalten? Hatte er das tatsächlich gerade gesagt? Wahrscheinlich hatte ich mich verhört. Das konnte er doch gar nicht ernst meinen. Seit gefühlten Stunden war ich hier an sein Bett gefesselt. Zugegeben, die Position, in der er mich fixiert hatte, war die bisher bequemste Variante. Allerdings war mein Körper an seine Grenzen gestoßen. Oder war es mein Verstand?

»Macht mein Herr mich jetzt bitte los, damit ich gut trinken kann?«, versuchte ich selbstsicher zu fragen.

»Ich helf dir schon, meine Kleine. Noch kann ich dich nicht losmachen. Aber ich werde dir eine kleine Pause gönnen«, sagte er sanftmütig und gönnerhaft.

»Du hast dich mir völlig ausgeliefert und mir die Kontrolle übergeben. Ich glaube, du hast keine Ahnung, was das mit mir macht.«

Mit genau solchen Aussagen ließ er mich immer wieder tief ins Tal abstürzen. Auf ein Hoch folgte ein Tief. Wie meinte er das wieder? Jedes Mal erschuf mein Verstand ein neues Schreckensszenario. War ich jetzt hier gefesselt, bis mich sämtliche Kräfte verlassen würden? Was, wenn er mich nicht mehr nach Hause fahren lässt?! Was, wenn er mich verschwinden lassen würde: Gefoltert, zerstückelt, verscharrt?! Keine Ahnung, warum mir immer solche Gedanken in den Kopf schossen. Vielleicht sah ich zu viele Netflix-Serien? Zugegeben, es gab schlimmere Tode, als nach den x-ten Orgasmus die Englein singen zu hören. Trotzdem war dieser Mann mir fremd. Ich hatte meiner besten Freundin zwar den Namen und die Adresse von Peer geschickt, um nicht völlig im Nirgendwo abzutauchen. Doch falls sie reagieren müsste, wäre es wahrscheinlich schon zu spät. Kopfschüttelnd und mit zugekniffen Augen versuchte ich, diese Angst einflößenden Gehirngespinste abzuschütteln.

»Alles gut, meine Kleine?«, fragte er mit besorgter Stimme und streichelte über meine Wange.

Für einen Moment war ich erschrocken, da ich ihn nicht kommen gehört hatte. Meine Augen kreisten im Raum umher, um nur ja keinen Blickkontakt zu ihm aufzunehmen. Wie schon ein paar Mal in der Zeit bei Peer hatte er wieder meine Gedanken gelesen. Diese Gedanken waren zu verletzend. Womöglich sah er sie als Vertrauensbruch an.

»Bitte, meine Kleine, ich sehe doch, dass dich etwas beschäftigt. Du sollst mir alles sagen, was in dir vorgeht. Hier bei mir darfst du deine Kontrolle abgeben, dich fallen lassen. Ich bin hier, um dich aufzufangen.«

Seine Worte lösten in mir etwas aus. Meine Augen füllten sich mit Tränen, die mir die Sicht nahmen. Für einen Moment hatte ich meine Fesseln vergessen und wollte mir mit der rechten Hand die Tränen wegwischen. Unsanft hielten die Fesseln mich an meinem Platz. Aus Scham wandte ich meinen Kopf ab und hätte mein Gesicht am liebsten unter meiner Achsel vergraben.

Wie von Zauberhand hatte er ein Taschentuch parat, das er mir vors Gesicht hielt.

»Schau mich an, meine süße Kleine!«

Mit sanften Fingerspitzen glitt er unter meine Wange und drehte meinen Kopf, bis unsere Blicke sich schließlich wieder kreuzten.

»Du zitterst, meine Kleine. Vor Kälte wird's sicher nicht sein. Rede mit mir, ich möchte doch, dass es dir gut geht.«

»Ich hatte gerade mit Ängsten zu kämpfen, die plötzlich über mich gekommen sind«, flüsterte ich mit gesenktem Blick.

»Welche Ängste, meine Kleine?«

Seine Hand ruhte auf meinem Bauch, ohne zu beschweren. Er wollte mir Trost schenken und Sicherheit geben.

»Naja«, stotterte ich. »Ich hatte gerade diesen Gedanken, vielleicht nicht mehr nach Hause zu kommen, weil ich mich einem fremden Mann ausgeliefert habe. Vielleicht lässt du mich nicht mehr gehen? Manchmal sagt mein Herr Dinge, die mich verunsichern, die mich aus dieser schönen Blase herausholen. Bist du jetzt enttäuscht von mir?«, schluchzte ich unter Tränen und mit laufender Nase.

»Meine Kleine«, betonte er besonders sanftmütig und mit weicher, fast mitleidiger Mimik. »Du hast meine kühnsten Vorstellungen mehr als übertroffen. Deine Ergebenheit ist ein Gabe. Allerdings weckt sie in mir ein ungeahntes Verlangen nach Dominanz. Das kannte ich so auch noch nicht. Ich möchte dich streicheln, dich küssen, verwöhnen und halten. Gleichzeitig möchte ich fest zupacken, schlagen, peinigen und dich nicht mehr gehen lassen. Aber sei dir gewiss, ich würde dir niemals Schaden zufügen. Deine Unterwerfung sehe ich als ein Geschenk und das setzt Vertrauen voraus«, lächelte er mit treuen und glaubwürdigen Augen.

»Alles wieder gut? Oder sollte ich noch etwas wissen, meine Kleine?!«

»Wieder gut. Danke mein Herr«, nickte ich mit kurzen Kopfbewegungen.

»Trotzdem werde ich dich noch nicht losmachen«, zwinkerte er frech, während er aufstand.

»Außerdem, meine kleine, schweigsame Sklavin, gilt ab jetzt wieder Sprechverbot.«

Zum Glück hatte er mir bereits seinen Rücken zugewandt, weshalb er meinen Schmollmund und die rollenden Augen nicht mehr sehen konnte. Das hätte bestimmt wieder Konsequenzen in Form von schönen roten Striemen auf meiner weißen Haut zur Folge gehabt.

Peer verschwand, ohne sich nochmals nach mir umzublicken. Knarrend verriet auch ihn die Holztreppe. Er war nach unten gegangen. Da lag ich nun. Die Zeit verging zäher als klebriger Kaugummi unter der Schuhsohle. Die paar Zentimeter Spielraum, die mir blieben, versuchte ich zu nutzen. Unruhig und etwas genervt wetzte ich hin und her und versuchte, eine angenehme Position zu finden. Da es mir zu anstrengend war, meinen Kopf ständig anzuheben, um mich umsehen zu können, blieb mir nur der Ausblick nach oben an die weiße Decke. Manchmal sah ich nach rechts zur Tür, ob ich etwas wahrnehmen konnte. Doch am liebsten war mir der Blick zum Fenster. Mit jedem sanften Luftstoß tanzte der weiße, durchsichtige Store in meine Richtung. Der Vorhang war nicht ganz vors Fenster geschoben, deshalb konnte ich erkennen, wie die Sonne den Himmel zartrosa anmalte. Die Wolken waren wie weiße Farbkleckse, die stillzustehen schienen. Dieses friedliche Bild hatte eine beruhigende Wirkung auf mich. Auch in mir machte sich ein Gefühl von Frieden breit. Dieser Frieden ließ meine Muskeln entspannen und meinen Körper noch tiefer in die Unterlage sinken. Mein Gedankenkarussell kam zum Stillstand. Dieses Wochenende hatte mein Leben verändert. Meine Sehnsüchte und meine Verdorbenheit hatten einen Platz gefunden.

Hier, bei Peer.

Ein alles durchdringender, unbarmherziger Schmerz weckte mich. Mein Kopf fühlte sich schwer und trunken an. Meine Augenlider mussten vom Weinen geschwollen sein. Mir war, als hätte ich sie gegen Bleivorhänge getauscht. Das Licht im Raum schimmerte schwarz und grau, das von den rötlichen Lichtstrahlen der untergehenden Sonne durchbrochen wurde. In dieser mystischen Stimmung erkannte ich die Umrisse meines Herrn, wie er seitlich neben mir lag, seinen Kopf auf einer Hand abgestützt. Er stimulierte meine Nippel. Sie waren schon ganz hart, sodass sie wie kleine Knospen unter dem Nylonstoff emporragten. Erneut kniff er energisch in meine Brustwarze. Dabei war er mir so nah, dass ich die Hitze seines Atems in meinem Gesicht spüren konnte. Er lutschte gerade an etwas Minzigem, als er seine Lippen gegen meine presste und mit seiner Zunge dieses erfrischende Zuckerl in meinen Mund schob. Was für eine Wohltat! Nach unendlich erscheinenden Stunden endlich dieses erfrischende Gefühl. Ganz ehrlich, ich hatte schon Angst gehabt, er würde mich küssen wollen. Wir waren ja schließlich nicht in Hollywood! Jedes Mal, wenn Menschen sich in Filmen gleich nach dem Aufwachen küssen, denke ich mir, wie unrealistisch. Allerdings hätte ich auch nichts dagegen gehabt, mit frischem Atem, perfekt geföhntem Haar und ohne den Abdruck meines Polsters im Gesicht wach zu werden. Stattdessen war ich eher so ein kleines Sabbermonster mit Augenringen und einer verwuschelten Löwenmähne.

Das dämmrige Licht der untergehenden Abendsonne zeichnete alles in weiche Silhouetten. Ohne ein Wort zu sprechen sahen wir uns an. Nur das Klimpern des Bonbons auf meinen Zähnen war zu hören, wenn ich es von einer Backe in die andere schob.

Peer richtete sich auf und ging ans Bettende. Die letzten Lichtstrahlen unterstrichen nochmals seine schöne Gestalt. Seine leicht zerzausten Haare. Seine markanten Wangenknochen. Seine sportlich-sehnige Schulterpartie und die muskulösen Arme. Leider verwehrte mir die sexy enganliegende Boxershort weitere Einblicke. Meine Nylons schimmerten weich und seidig glänzend, bis die Sonne gänzlich hinter dem Fenster verschwunden war. Der große schwarze Schatten vor mir fing an, meine Fesseln an den Beinen zu lösen. Gespannt und glasklar beobachtete ich jede seiner Bewegungen. Was würde er als Nächstes tun? Welche Spielereien hatte er sich noch ausgedacht?

Meine Beine waren wieder frei. Dennoch blieben sie reglos an ihrem Platz liegen. Trotz der friedlichen Stille, die um uns herrschte, waren meine Nerven gespannt wie Drahtseile, all meine Sinne arbeiteten auf Hochtouren. Als er auch noch meine Arme aus den engen Ledermanschetten befreite, war ich ehrlich gesagt etwas irritiert, vielleicht sogar etwas enttäuscht. Nachdem ich nun meine Freiheit wiedererlangt hatte, streckte ich meine Arme und Beine ganz weit und dehnte mich wie eine Katze nach ihrem Schläfchen. Inzwischen hatte Peer sich am Bettrand niedergelassen, von wo er mich mit einem

Schulterblick beobachtete. Da ich noch immer nicht die Erlaubnis hatte, sprechen zu dürfen, krabbelte ich über die Bettdecke und schmiegte meinen Oberkörper an seinen nackten Rücken. Zuerst küsste ich seinen definierten Rücken nur zaghaft. Immer wieder züngelte meine Zungenspitze zwischen meinen Lippen hervor, um ihn abzutasten, ihn zu probieren. Wie eine Meeresbrise schmeckte er leicht salzig. Am liebsten wäre ich in ihm versunken, wie in einem unendlichen Ozean.

»Weißt du, Wasser ist niemals einsam«, flüsterte ich auf seine makellose Haut, während meine Lippen unaufhörlich über ihn glitten.

Keine Ahnung, warum ich das sagte. Doch in Peer schien es etwas auszulösen. Er drehte sich zur Seite und umfasste mit beiden Händen meine Wangen. Trotz der Dunkelheit, die sich bereits wie ein Dieb herangeschlichen hatte, waren seine Handgriffe zielsicher. Ich rückte mit meinem Körper nach, sodass er mein Gesicht nun genau vor seins hielt. Unsere Nasenspitzen berührten sich und unsere Lippen zitterten vor Verlangen. Wir waren wie zwei Magnete, die sich suchten. Seine Augen waren geschlossen. Ich jedoch starrte ihn an, weil ich mich nicht sattsehen konnte an seinen Konturen. Unser Atem floss ruhig und gleichmäßig. Zunehmend lag ein Knistern in der Luft, als würden sich jeden Augenblick Blitze entladen und Funken sprühen.

Ohne sich auch nur einen Millimeter von mir zu entfernen, sagte er etwas völlig Unerwartetes.

»Ich weiß, du bist zu mir gekommen, weil du meine Kleine sein wolltest. Du bist zu mir gekommen, um

dich und deine devote Seite zu erleben und auszukosten. Aber ich möchte dich eben auch als Maria
erleben und spüren. Ich möchte dich auch auf mir
haben. Zärtlich, wild und hemmungslos. Ohne Einschränkungen. Ohne Gebote oder Verbote. Sag,
willst du das auch, Maria?«

Sein Atem blieb völlig ruhig, als er das sagte. Doch
ich hatte das Gefühl, sein Herz würde laut gegen
seine Brust hämmern.

»Ja!«, hauchte ich zwischen meinen fordernden Lippen hervor.

Ich schwang mein Bein um ihn herum und saß nun
in seinem Schoß. Unter mir pulsierte sein Glied, das
gegen meinen Venushügel drückte. Mit sanften
Vorwärts- und Rückwärtsbewegungen versuchte
ich, ihn noch heißer zu machen. Noch immer hielt
er mein Gesicht wie zerbrechliches Porzellan zwischen seinen Händen. Immer wieder küssten wir
uns. Es war, als könnte er nach mir schnappen und
es sich gleich wieder verbieten. Irgendetwas schien
ihn zu beschäftigen, das konnte ich fühlen.

Peer richtete seinen Oberkörper kerzengerade auf.
Seine Stirn legte sich in Falten und ein nachdenkli-
cher Ausdruck huschte über sein Gesicht. Selbst die
Dunkelheit vermochte seine Nachdenklichkeit nicht
zu verbergen. Unerwartet packte er mich wie von
Sinnen an den Hüften und positionierte mich auf
seinen Oberschenkeln. Er zog seine Boxershorts ein
Stück herunter und ihm entwich ein tiefes Grollen.
Endlich war sein schwerer Schwanz frei. Prall und
heiß tropfend wartete er darauf, von mir aufge-
nommen zu werden. Trotz meiner weichen Knie

hob ich mich an und setzte meine nasse Höhle direkt über seinen Dolch. Er steckte seinen Kopf zwischen meine Brüste und wartete auf Erlösung. Zentimeter für Zentimeter ließ ich seine pulsierende Härte in mich gleiten. Ich hielt meinen Atem an und stöhnte erleichtert, als ich ihn zur Gänze in mir hatte. Seine prallen Eier drückten fest gegen meine Pobacken. Mit langsamen Kreisbewegungen versuchte ich ihn noch tiefer in mir zu spüren. Peers Hände umgriffen meine Brüste, als wollte er sich daran festhalten. Er küsste und saugte an meinen Nippeln, die sich wie kleine Gebirgsgipfel nach ihm streckten und verschlungen werden wollten. Er umschlang mich mit seinen Armen und drückte sein Gesicht noch fester in mein Dekolleté. Mein Kopf fiel in meinen Nacken, während wollüstiges Stöhnen meine Auf- und Ab-Bewegungen begleitete. Lustvoll ritt ich ihn, als wollte ich ihn bändigen und zu meinem alleinigen Besitz machen. Er stieg in meinen Rhythmus ein und presste seine Hüfte immer wieder fest empor. Sein Schwanz war hart wie Stahl und unnachgiebig. Unsere Bewegungen wurden fordernder, schneller, härter. Mit geschlossenen Augen taumelte mein Kopf zwischen meinen Schultern wie betrunken umher. Allein der Duft in diesem Schlafzimmer hätte schon ausgereicht, um high zu werden. Trunken vor Lust und Geilheit. Eine Mischung aus Moschus, Sandelholz, Champagner und heißer Liebe mit Himbeeren. Ein berauschender Duft der Versuchung und der Hingabe.
Seine Hände umklammerten meine Pobacken, als er sich aufzurichten begann. Also schlang ich meine

Beine fest um ihn und krallte meine Hände in seinen Rücken. Mit Schwung hob er uns beide an. Bei jeder seiner Bewegungen spürte ich, wie seine Muskeln sich anspannten und seine Männlichkeit demonstrativ unterstrichen. Sein Brummen, das er von sich gab, als er mich auf der Fensterbank des Schlafzimmerfensters absetzte, spürte ich durch die Vibration auch auf meiner Brust. Er streichelte mit seiner Nase über meine, bevor er mich innig und mit heftigem Zungenspiel küsste. Als wären unsere Zungen zwei Degen, die sich duellierten. Dabei wurden seine Stöße härter. Er drückte mich gegen die kalte Fensterscheibe, die meiner heißen Haut eine willkommene Abkühlung war. Wie Butter glitt mein schweißnasser Rücken über das Glas. Ich versuchte, mich mit beiden Händen auf der Marmorplatte abzustützen, um Halt zu finden.

So konnte ich mich ganz öffnen und zugleich gegen seine immer ungezügelter werdenden Stöße stemmen. Plötzlich glitt er aus meiner Lusthöhle und fiel vor mir auf die Knie. Meine Beine legte er sich über seine Schultern, während ich mein Gesäß bis zur Kante vorschob. Gierig, als würde er mich trinken wollen, schlürfte er an meinen Schamlippen und reizte sie mit sanften Bissen. Seine Arme umklammerten von außen meine Schenkel, damit nahm er mir jeden Spielraum, um seiner Zunge etwas auszuweichen. Seine Zunge war unerbittlich, stieß zu, leckte und bohrte sich in mich. Immer wieder klopfte mein Kopf dumpf gegen das Fenster. Meine Finger wühlten sich durch seine Haare. Als seine Zunge meinen Kitzler in Besitz nahm, schnaubte ich wie eine rossige Stute, deren Nasenflügel flatterten. Er nahm mein tiefstes Inneres in Besitz, während mein ganzer Unterleib sich zusammenkrampfte und ich hechelnd nach Luft schnappte. Die immerwährende rollende Bewegung seiner Zunge um meine Perle brachte meinen ganzen Körper zum Erzittern. Mit festem Griff krallte ich meine Finger noch fester in seine Haare und fixierte seinen Kopf. Ich konnte mich nicht entscheiden, ob ich ihn an mich ziehen oder von mir wegdrücken wollte. Aber für eine Entscheidung war es ohnehin zu spät. Eine monströse Welle baute sich in mir auf. Ein Orgasmus neckte mich, wenn Peer seine Zunge über eine gewisse Stelle tanzen ließ. Ein alles durchdringender und flehender Aufschrei hallte durch den Raum, als er instinktiv genau diesen einen Punkt mit seiner Zunge und etwas Druck stimulierte. Jetzt wusste er genau, wie er mich zum Beben bringen konnte. Von den Zehenspitzen bis zu meinen Zahnwurzeln und Haarspitzen schien mein ganzes Nervensystem auf diese Stimulation zu reagieren. Nach jedem Orgasmus bei Peer dachte ich, es ginge nicht mehr intensiver. Doch jetzt war ich kurz davor, zu explodieren. Mein Innerstes wollte sich nach außen stülpen und mein Äußerstes nach innen kriechen. Oben war unten, Stille war laut, Dunkelheit wurde von Licht erfüllt. Dieser Höhepunkt schien nicht enden zu wollen und ließ mich meine Kontrolle gänzlich verlieren. Dabei bemerkte ich gar nicht, wie sehr ich seinen Kopf zwischen meinen Schenkeln in die Mangel nahm. Erschreckt durch diese Erkenntnis ließ ich alle Anspannung los und fühlte nach, wie

die Wellen nach und nach verebbten. Durch den Lichteinfall der Straßenlaternen konnte ich Peers zufriedenes Lächeln erkennen. Das Weiß seiner Augen leuchtete mit seinen perfekten Zähnen um die Wette. Sachte hob ich meine Beine von seinen Schultern. Unsere Haut schien aneinanderzukleben. Mit stolzer Brust baute er sich vor mir auf und seine immer noch stahlharte Erektion glitt mühelos in meine weit offenstehende, triefende Lustgrotte. Sie schien ihn bereits freudig zu erwarten, denn sie umschloss sofort seinen pulsierenden Penis. Nach ein paar Bewegungen hob er mich von der Fensterbank. Ich unterschätzte meine orgastische Entladung und sackte gleich zu Boden. Doch Peer stützte mich. Trotz der aufgeladenen Spannung mussten wir beide lachen. Auch er benötigte jetzt dringend dieses Gefühl der Erleichterung. Wie es sich wohl für einen Mann anfühlte, wenn er abspritzte?
Bestimmend und energisch drehte er mich mit dem Gesicht zum Fenster, damit ich mich abstützen konnte. Er packte mein Haar und machte eine Handbewegung, als würde er es sich einmal um sein Handgelenk wickeln. Meine Kopfhaut brannte unter diesem starken Zug. Nun drückte er meinen Rücken durch und schlug mir kräftig auf den Hintern. »Du machst mich wahnsinnig!«, fletschte er energiegeladen zwischen seinen Zähnen hervor, als er mich zu ficken begann.
Immer und immer wieder schlug er mich. Jeder heiße Handabdruck brachte mir köstliche Schmerzen. In mir baute sich eine mächtige neue Woge auf, die mir zwischen die Schenkel kroch.

»Oh mein Gott, nicht schon wieder«, stieß ich lauthals hervor, als die Woge in mein Innerstes
schwappte, wo sie mir erneut einen herrlichen Orgasmus bescherte.

Mein Gestöhne und mein gierig kreisendes Becken
schienen auch bei Peer jegliche Mauern zum Ein-
sturz zu bringen. Er zog seinen Schwanz aus mir
heraus, schnappte mich am Oberarm und drehte
mich wie bei einer Pirouette vor sich auf den Boden.
Seine Hand ballte sich um sein pralles Glied, das er
mit wenigen Handbewegungen melkte. Meine Zunge streckte sich ihm entgegen, als hätte sie ein Eigenleben. Die Augen geschlossen, spürte ich jeden
Schub und jeden Schwall, der sich pulsartig über
mein Gesicht ergoss. Genüsslich nahm ich jeden
Spritzer seines Saftes in mir auf und ergötzte mich
an seinem herrlichen Geschmack. Jetzt gehörte er
mir, wie ich ihm gehört hatte. Peer beugte sich zu
mir und küsste mit leise knallendem Geräusch meine Stirn. Er wandte sich von mir ab und verschwand in der Dunkelheit des Raums. Erst als das
Licht im Badezimmer anging, wusste ich, wohin er
wortlos abgedampft war. Als ich das Rauschen seiner Regendusche vernahm, spürte ich seine Schläge
auf meinem Hintern, auf dem ich mich niederließ.
Wieder einmal ließ er mich einfach so allein. Ich
hatte das Empfinden, mich im freien Fall zu befin-
den. Dieses ständige Wechselbad der Gefühle war
mir zu viel. Da saß ich nun. Alleine. Im Halbdun-
keln. Tränen füllten meine Augen und vernebelten
mir die Sicht. Erneut überschattete ein bitterer Bei-
geschmack die ekstatischen Höhen, in denen ich

vorhin noch geschwebt hatte. Er verlieh mir Flügel und sorgte dennoch für meinen Absturz. Warum war er so gemein?

»Arschloch!«, murmelte ich in mein lockiges Haar und stand auf.

Ein Kloß des Bedauerns bildete sich in meinem Hals. Ich schnappte mir die dünne Bettdecke und wischte seine Reste, die noch in meinem Gesicht klebten, einfach ab. Frustriert ließ ich mich aufs Bett fallen und federte anteilnahmslos ein paarmal auf und ab. Alles in mir war taub. Am liebsten wollte ich mich sofort in Luft auflösen, weil ich keine Ahnung hatte, wie ich mich ihm gegenüber jetzt verhalten sollte. Morgen Vormittag stand meine Abreise bevor und was sollte ich sagen, ich war froh darüber. Dieses ständige warm – kalt war mir zu viel. Er sollte sich ja auch nicht in mich verlieben oder mich gleich heiraten. Trotzdem brauchte er sich nicht wie der größte Arsch verhalten und mich wie ein benutztes Spielzeug links liegen lassen. Wo waren sein Mitgefühl, sein Respekt? Zugegeben, ich war nicht besonders erfahren in Dom-Sub-Beziehungen, aber Vertrauen und Respekt waren immer Grundvoraussetzungen. Seine Worte von vorhin hallten immerzu in meinen Gedanken wider.

»Ich weiß, du bist zu mir gekommen, weil du meine Kleine sein wolltest. Du bist zu mir gekommen, um dich und deine devote Seite zu erleben und auszukosten. Aber ich möchte dich eben auch als Maria erleben und spüren. Ich möchte dich auch auf mir haben. Zärtlich, wild und hemmungslos. Ohne Einschränkungen. Ohne Gebote oder Verbote. Sag, willst du das auch, Maria?«

So etwas sagte man doch nicht, wenn man für jemanden keine Gefühle hegte. Oder?! Je mehr ich über das alles nachdachte, umso mehr Verwirrung machte sich in mir breit. Lag es an mir?
Traurig suchte ich den Blickkontakt mit ihm, ja starrte ihn an, als er sich aus dem Bad bemühte. Frisch geduscht wirkte er dennoch verschlossen, fast unglücklich. Er würdigte mich keines Blickes. Wie immer, wenn er in sich gekehrt oder wütend war, pulsierten seine Schläfen aufgebracht. Doch mehr konnte ich aus seinem abweisenden Verhalten nicht ablesen. Dafür kannte ich ihn zu wenig. Seine Ablehnung glich einem Gnadenstoß mit tausend Schwertern. Er wirkte auf mich auch nicht wie ein Mann, der gerade fantastischen Sex hatte. Unsicher zog ich die Bettdecke zu mir und klammerte mich an ihr fest. Verzweifelt versuchte ich, irgendwo Halt zu finden.
»Geh dich duschen und dann komm zu mir nach unten. Vielleicht möchtest du ja noch eine Kleinigkeit essen. Heute Abend spielen sie ein paar gute Filme.«
Seine Worte waren für mich wie ein Schlag ins Gesicht. Ob ihm das bewusst war? Ohne darauf zu reagieren, ging ich erhobenen Hauptes, aber mit gebrochenem Herzen ins Bad, um mir diese Schmach abzuwaschen. Meinen heiß geliebten Nylon-Catsuit streifte ich wenig zimperlich ab. Mit einem Fuß katapultierte ich ihn in die Ecke. Innerlich vollkom-

men leer stand ich eine Ewigkeit unter der Dusche und starrte auf die mattschwarze Fliesenwand. Alles floss von meinem Kopf über meine Schultern und den Rumpf hinunter zu meinen Beinen, um schließlich in den Abfluss und von dort aus in Abgründe der Kanalisation zu verschwinden. Alles, sogar meine Verbundenheit zu Peer, ebenso wie meine ungezählten Orgasmen und all die zärtlichen Küsse, seine liebevollen und dominierenden Blicke. Auch seine Stimme zerfloss in meinen Ohren und wurde ebenfalls aus mir herausgeschwemmt. Die Bilder seines heißen Körpers und seines schönen Schwanzes wollte ich am liebsten mit Essigreiniger aus meinem Gedächtnis scheuern. Obwohl ich zutiefst gekränkt war, reagierten meine Nippel und meine Klitoris wie fiese kleine Verräter mit lustbringenden Impulsen. Nix da! Entschlossen stapfte ich auf die Badematte und trocknete mich so wütend ab, dass meine Haut sogar unter dem weichen Frottee schmerzte. Meine langen Haare kämmte ich lieblos. Anschließend schlüpfte ich nur in ein schlichtes weißes Longshirt, das ich eingepackt hatte. Beeindrucken musste ich an diesem Abend ja niemanden mehr und das wollte ich auch nicht.

Unten kauerte ich mich ans andere Ende der riesigen Couch und hüllte mich in die weiche Decke, auf der wir schon einmal ein jähes Ende gefunden hatten. Doch mir war kalt. Er war kalt. Keine Ahnung, wie spät es war, aber ich war ohnehin viel zu aufgewühlt, um schlafen zu können. Also bediente ich mich an dem Teller mit Snacks, die er angerichtet hatte. Mit gespielter Gelassenheit mampfte ich leckere, mit Knoblauch gefüllte grüne Oliven, dazu ein paar Stück würfelig geschnittenen würzigen Käse und frisch aufgebackenes Baguette. Erst jetzt merkte ich, wie hungrig ich war und wie schnell ich den Teller geleert hatte. Peer hatte eine Hand vor seinen Mund geschoben und stützte sich an der Armlehne ab. Angestrengt und als wäre er an dem Spielfilm interessiert, starrte er in die Glotze. Als er jedoch bemerkte, wie schnell ich alles verputzt hatte, musste er versöhnlich schmunzeln. Etwas vorwurfsvoll, aber ebenfalls mit einem Schmunzeln auf den Lippen, neigte ich meinen Kopf zur Seite, als unsere Blicke sich kreuzten. Wusste er eigentlich, wie sehr ich ihn begehrte?

Ohne noch ein einziges Wort miteinander zu wechseln, endete der Abend für mich vermutlich bei der Hälfte des Films. Ich schlief auf der Couch ein.

Das Geräusch des Mahlwerks der Kaffeemaschine läutete meinen neuen Tag ein. Der Duft nach frisch-gemahlenen Kaffeebohnen schlich sich in meine Nase. Durch kleine Augenschlitze blinzelte ich in die Küche. Die großzügige offene Raumgestaltung ermöglichte von jedem Standpunkt gute Einblicke. Von der Couch aus konnte ich direkt zur Küchenzeile schauen, wo sich die Kaffeemaschine befand.

Dort stand er in makelloser Perfektion. Er trug einen tadellos sitzenden dunkelblauen Anzug ohne eine einzige Falte. Als er sich umdrehte, kniff ich blitzartig meine müden Augen wieder zu. Vor meinem inneren Auge tauchten unweigerlich Erinnerungen an gestern auf.

Stundenlanges Gefesseltsein. Seine Hände auf mir. Seine Finger in mir. Nylon auf meiner Haut. Ausgeliefertsein. Ekstatische Höhepunkte. Küsse, so saftig wie reife Pfirsiche. Ängste. Verführerische Dunkelheit. Peers Bitte. Ich auf seinem Schoß. Die Anspannung seiner Muskeln unter meinen Berührungen. Sein stahlharter Schwanz. Seine prallen, festen Hoden. Meine harten Nippel. Fensterbank. Kaltes Glas. Sein Schmatzen zwischen meinen Beinen. Ein Orgasmus in anderen Sphären. Perfekt gezeichnete Konturen durch das von der Straße einfallende Licht. Schweißperlen. Empfangen. Sein Geschmack auf meiner Zunge. Glückseligkeit. Alleingelassen.

Verschlingende Dunkelheit.

Absturz. Verwirrung. Leere.

»Guten Morgen, meine Kleine!«

Die Klangfarbe seiner Stimme hatte etwas Entgegenkommendes. Alles in mir spannte sich unwillkürlich an. Mein Körper reagierte prompt und schmolz dahin wie ein Eiszapfen in der Wintersonne. Als ich meine Augen langsam blinzelnd öffnete, kam er bereits mit einer heißen, dampfenden Cappuccinotasse näher. Sein hellblaues Hemd mit verstärktem weißen Kragen unterstrich seine himmelblauen Augen. Doch an diesem Morgen wirkten sie blass und verwässert. Er versuchte, ein freundliches Lächeln aufzusetzen, doch er war ein schlechter Schauspieler. Er reichte mir die Tasse mit dem wohlriechenden goldfarbenen Lebenselixier und seufzte, als er sich mit einer Hand durch sein kurzes dunkles Haar fuhr. Peer wirkte müde und abgespannt. Er setzte sich neben mich, schnappte sich meine Beine und legte sie über seine Oberschenkel. Mein Herz schlug sofort schneller. Verräterisch klopfte es unter meiner Brust. Seine Schultern waren angespannt und die Stirn trug tiefe Sorgenfalten.

»Gehts dir nicht gut?«, fragte ich ernsthaft besorgt. Er presste seine Lippen zusammen, bevor er antwortete.

»Blöde Migräne«, antwortete er kurz und knapp. Ich glaubte ihm. Seine Augen waren glasig und sein Blick trüb. Er starrte ins Leere, während seine Hand auf meinen Beinen auf und ab wanderte. Zärtlichkeit und Mitgefühl stiegen in mir auf. Am liebsten wollte ich mich um ihn kümmern, ihm etwas Gutes tun. Aber ich wusste nicht so recht, wie ich das anstellen sollte.

»Kann ich etwas für dich tun? In meiner Handtasche habe ich Schmerztabletten. Leider weiß ich nur zu gut, wie Migräne sich anfühlt. Dieser fiese, pulsierende Schmerz. Hast du schon etwas genommen?«

Er schüttelte den Kopf, verneinte. Schnell sprang ich auf und sprintete ins Foyer, aber dort war meine Handtasche nicht.

»Hmm ... wo hab ich sie nur hingelegt?«, überlegte ich laut.

»Sie liegt oben neben deinem Trolley.« Er sprach so leise wie möglich.

Um Zeit zu sparen, nahm ich auf dem Weg nach oben gleich zwei Stufen auf einmal. Eilig und gehetzt kramte ich in meiner Handtasche und drehte dabei alles um. Ich war selbst immer wieder verblüfft, was alles in so ein kleines Ding aus Leder passte. Nur mit dem Inhalt meiner Handtasche hätte ich im Notfall akut das Land verlassen können. Da waren sie! Das waren richtige Migränetabletten. Die hatte ich mir von meinem Hausarzt verschreiben lassen. Aspirin und Co waren ja ganz nett, aber die hätte ich futtern können wie TicTacs, ohne auch nur annähernd Erleichterung zu verspüren. Bestimmt konnten sie auch Peer schnelle Abhilfe verschaffen.

Gerade als ich wie von der Tarantel gestochen wieder lossprinten wollte, hielt ich inne. Warum fühlte ich mich gleichzeitig verletzt und glücklich? Verwundert über mich selbst und nachdenklich ging ich im normalen Tempo nach unten. Er sollte auch nicht das Gefühl haben, das von gestern wäre vergessen oder verziehen. Doch solche Kopfschmerzen hatte ich ihm dennoch nicht vergönnt. Mein Weg führte zuerst noch in die Küche, wo ich ein Glas Wasser holte.

Im Versuch, kalt zu wirken, reichte ich ihm das Glas Wasser mit der Tablette.

Mit einem kurzen knappen Nicken nahm er beides entgegen. Nachdem er fast das ganze Wasserglas geleert hatte, lehnte er sich stöhnend zurück und schloss die Augen. Mitleidserregend hob er seine Beine und legte sie auf dem Couchtisch ab. Das Glas hielt er umklammert, es ruhte in seinem Schoß.

Gerade als ich mir meinen Kaffee geschnappt hatte und nach oben gehen wollte, machte er mit einem tiefen Seufzer auf sich aufmerksam.

»Maria, ich wollte dich heute eigentlich persönlich zum Bahnhof fahren. Allerdings weiß ich nicht, ob mir das möglich sein wird. Darf ich dir auch ein Taxi bestellen? Wann, sagtest du, geht dein Zug?«, sprach er mit geschlossenen Augen und toter Mimik.

Erstens hatte ich noch gar keine Zeit erwähnt und zweitens konnte ich mir mein Taxi auch selbst rufen.

»Kurz nach zwölf. Klar doch, bitte«, entgegnete ich fast übertrieben freundlich.

Meinen Cappuccino genoss ich, während ich mich im Bad für den Tag und die Abreise fertigmachte. Relativ zügig hatte ich mich aufgehübscht, angezogen, die paar Sachen wieder in meinen Koffer gepackt und schon war ich bereit, nach Hause zu fahren. Noch eine Stunde, bis ich losmusste. Beim Check der Uhrzeit auf meinem Handy hatte ich gesehen, dass meine Freundin schon vierzehn Nachrichten gesendet hatte. Vermutlich hatte sie schon die Befürchtung, ich sei einem Serienkiller ins Netz gegangen. Sie war ohnehin sehr ängstlich und bemutternd.

»Hallo Süße, mach dir keine Sorgen, mir gehts gut. Ich erzähl dir alles, wenn ich wieder zu Hause bin. Bis spätestens morgen. hdl«
Prompt kam eine Antwort.

»Ja, ja … Woher weiß ich, dass du es bist, die mir antwortet und nicht irgendein Psycho, der dich längst in seinem Garten verscharrt hat?«

»Würde der Psycho wissen, dass du eine Vorliebe für buntes Toilettenpapier hast?«

»Naja, schon irgendwie, weil das ist ja ein bisschen Psycho! hahaha …«

»lol«

»Bis morgen. hdal«

Boah … Ich hatte keine Ahnung, wie ich Anna von all den Geschehnissen erzählen sollte. Sie war immer für mich da, hörte mir immer zu, aber wirklich verstehen konnte sie meine Fantasien noch nie. Doch dieses Wochenende sprengte sämtliche ihrer Vorstellungen. Meine beste Freundin musste damit leben, wenn ich ihr alles – und ich meine wirklich alles – brühwarm erörtern würde. Die Bombe musste platzen, denn wenn ich es niemanden erzählen konnte, würde ich platzen.
Mein Bauchgefühl sagte mir, zuerst würde noch ein schwieriger Abschied bevorstehen. So, wie er sich immer wieder verhalten hatte, war ich auf der einen Seite froh, wieder nach Hause zu fahren. Doch bekanntlich gab es ja immer zwei Seiten einer Medaille. Die andere Seite war nämlich, dass ich noch nie zuvor so explosiven, alles durchdringenden, sinnli-

chen, spannungsgeladenen Sex hatte. Und dafür war ich Peer mehr als dankbar.

Etwas schwermütig und gedanklich in mich versunken trottete ich die knarrende Holztreppe herunter. Mit jedem Schritt wurden meine Beine schwerer und der Klang der Holztreppe dumpfer. Fast so, als würde sie meine Schwere und Wehmut mit mir teilen. Mit bleiernen Füßen stand ich wie angewurzelt unter dem großzügigen Durchgang vom Foyer zum Wohnzimmer. Vermutlich war hier der Eingang vergrößert worden, um der offenen, fließenden Wohnraumgestaltung mehr Weite zu verleihen. Er saß noch immer an derselben Stelle. Seine Augen waren geschlossen, weshalb ich mir nicht sicher sein konnte, ob er eingeschlafen war. Falls er schlief, war es kein entspannter Schlaf. Sein Gesicht war mattweiß, seine Stirn in Falten gelegt und die Augenbrauen zeichneten seine Zornesfalten nach. Doch selbst jetzt brachte mich sein Anblick zum Schmelzen. Wieder und wieder blitzten Gedankenfetzen vor meinem inneren Auge auf. Kleine elektrische Impulse schienen durch die Rückschau durch meinen Körper zu pulsieren. Sofort spürte ich, wie sich zwischen meinen Schenkeln eine Nässe anbahnte. Diese Seite an mir war mir bis dato gänzlich fremd. Durch bloße Gedanken bereitete mein Körper sich auf ihn vor. Er hatte in dieser kurzen Zeit all meine Sinne für sich erobert.

Während ich so dastand und Peer beobachtete, überlegte ich, was ich jetzt tun sollte. Eine unerträgliche, schwere Stille hatte sich wie eine seltsame Atmosphäre über das ganze Haus gelegt. So, als würde sich im Inneren ein Sturm zusammenbrauen. Gerade als ich mich wegdrehen wollte, um mir in der Küche ein Glas Orangensaft zu holen, hörte ich seine Stimme.

»Na, meine Kleine. Unsere letzten gemeinsamen Stunden hatte ich mir etwas anders vorgestellt.« Er setzte zwar ein Lächeln auf, das seine Augen aber nicht erreichte. Sein Blick blieb leer und kalt.

»Da kann man nichts machen. Migräne kommt selten in einem günstigen Moment«, lächelte ich etwas gleichgültig und mit einem Schulterzucken.

»Du bist böse auf mich. Nicht wahr?«

Diese Frage streifte mich wie ein Blitz und ließ mich in null Komma nix mit weit geöffneten Mund und großen Augen wie angewurzelt stehenbleiben. Mein Herz krampfte sich zusammen. Peer war aufgestanden, blieb aber eine Armlänge vor mir stehen. Mit dem rechten Arm zog er mich zu sich und ich prallte gegen seinen warmen, trainierten Oberkörper. Mein Blick war gesenkt. Was sollte ich ihm bloß als Antwort geben? Eigentlich wollte ich so kurz vor meiner Abreise keinerlei Diskussion beginnen. Ich wollte mir die schönen Augenblicke im Gedächtnis behalten und beim Gedanken daran meiner Nässe jederzeit freien Lauf lassen.

»Lass gut sein, Peer. Ich möchte so kurz vor der Abreise nicht darüber reden. Wir hatten eine schöne Zeit. Nein, wir hatten eine wundervolle Zeit.«

Diese Worte kamen mit einer Ruhe und Gelassenheit über meine Lippen, die mich selbst überraschte. Zum Glück sah er meine rechte Hand nicht. Sie zitterte, als hätte Schüttelfrost sie befallen.

»Du verstehst nicht, meine Kleine«, versuchte er, zu beschwichtigen.

»Du hast recht. Ich verstehe nicht. Ich verstehe dich nicht. Vielleicht war ich einfach zu naiv. Manchmal hatte ich das Gefühl, ich sei mehr für dich als nur eine Wochenend-Sub, mit der du eben mal Spaß hattest. Aber genau das hatten wir von Anfang an ausgemacht. Also alles gut.«

Peer drehte sich zur Seite und wischte mit einer Hand über sein Gesicht. Sogar in diesem Moment spürte ich, wie sehr er sich quälte. Doch ich tappte völlig im Dunkeln. Sein Verhalten war mir schleierhaft. Obwohl ich sonst ein gutes Gespür für Menschen hatte, wurde ich aus diesem Mann nicht schlau.

»Nein, du verstehst wirklich nicht ...«, versuchte er einen weiteren Anlauf, mir etwas zu sagen.

Meine Augenbrauen hoben sich voller Neugier und Erwartung, während sich meine Arme wie eine Schutzmauer vor meiner Brust verschränkten.

›Na los, sag schon, ich bin gespannt, du Arsch‹, fauchte ich ihn in Gedanken an. Tatsächlich sagte ich jedoch: »Bitte, wenn es dir ein Bedürfnis ist. Ich ...«

»Ich bin sexsüchtig«, fiel er mir lauthals ins Wort.

Er starrte zu Boden, als hätte er sein Geständnis gerade auf die Holzdielen gespuckt. Mit einer Hand rieb er sich den Nacken, dabei murmelte er etwas in sich hinein.

»Was sagtest du noch?«, fragte ich etwas irritiert und unsicher.

»Ich sagte Scheiße! Verstehst du nicht? Ich bin unfähig, eine Beziehung zu führen. Meine letzte Ehe ist erst vor einem halben Jahr geschieden worden. Das war schon die zweite Ehe, die mir in die Brüche gegangen ist. Und ja, alles nur, weil ich nicht genug bekomme. Keine Frau konnte mir das geben, was ich brauchte. Aber du, du bist so anders. Deine Hingabe, dein Appetit, dein Vertrauen ... all das macht mich ... Du machst mich verrückt«, schnaufte er aufgeregt, während er in kurzen Abständen vor mir auf und ab ging.

Das war's also? Das war sein Geständnis? Das quälte ihn so? Deshalb ließ er mich nach dem Sex meines Lebens so abstürzen? Aus Angst vor Nähe? Irgendwie war ich amüsiert und irritiert zur gleichen Zeit. Ich setzte mich auf den kleinen verschnörkelten Hocker vor dem Sekretär. Meine Hände ruhten unaufgeregt in meinem Schoß, in meinen Ohren hörte ich jedoch mein Blut rauschen.

»Was mache ich jetzt mit dieser Information?«, fragte ich und sah ihn fragend an. »Deshalb hast du mich jedes Mal nach einer Session verhungern lassen? Das war der Grund für deine Kälte und Abweisung? Weißt du, wie ich mich jedes verdammte Mal gefühlt habe? Du hast mich danach fallen gelassen. Sollte ein Dom seine Sub nicht auch auffangen, nachdem sie ihm alles gegeben hat?«

»Verdammt, du hast recht!«

Er packte mich am Arm und zog mich hoch. Seine Finger gruben sich am Hinterkopf zwischen meine Locken. Unsere Lippen zogen sich an wie zwei Magnete, bis sie nur einen Hauch voneinander entfernt schwebten.

»Wenn ich es ungeschehen machen könnte, dann würde ich es tun« ,sagte er ganz sanft, während unsere Nasenspitzen sich streichelten.

»Das kannst du aber nicht. Dieses Wochenende, diese Begegnung mit dir war für mich etwas ganz Neues. Zum ersten Mal habe ich einen Geschmack davon bekommen, wozu ich fähig bin, was wirklich in mir schlummert. Schade nur, dass du das Gefühl hattest, nicht aufrichtig zu mir sein zu können.«

»Bleib noch ein paar Tage, meine süße Kleine! Ich kann ein paar Termine absagen, sodass wir noch ein bisschen Zeit hätten. Da wären noch ein paar Fantasien, die wir ausleben könnten«, versuchte er, sich mir mit einem spitzbübischen Grinsen und leuchtenden Augen zu verkaufen. Dabei kniff er mir in den Po und drückte seine Hüfte kreisend gegen meine.

Als ich leicht rückwärts taumelte, prallte ich unversehens gegen den alten Sekretär. Alles, was ich tun konnte, war, ihn anzustarren. Der Rest von mir schien wie gelähmt. Als hätte ich schlagartig verlernt, wie man blinzelte oder atmete. Der Blick, den er mir zuwarf, brachte mich offensichtlich aus der Fassung. Ein Feuerwerk aus Stresshormonen und unbändiger Lust brodelte in jeder Faser meines Körpers. Was zur Hölle machte dieser Mann mit mir?! Das Verlangen zwischen uns wuchs ins Unermessliche. Die Luft knisterte, als wäre sie elektrisch aufgeladen. Ein intensiver Drang erfasste mich, ich wollte ihm nah sein. Ich wollte ihn auf mir und in

mir spüren. Auch er schien diesen Drang zu verspüren, denn wir gingen in perfekter Harmonie einen
Schritt aufeinander zu. Mein Mund öffnete sich
und ich leckte mir über meine Lippen, als hätte ich
die Aussicht auf einen Leckerbissen. Peer legte seine Stirn auf meine. Sein heißer, nach Kaffee rie-
chender Atem peitschte mir ins Gesicht.

»Ich hab es so gemeint, meine Kleine. Bleib noch ein
paar Tage.«

Um seinen Worten noch etwas mehr Ausdruck zu
verleihen, drückte er seine Stirn noch etwas fester
gegen meine und umgriff mit beiden Händen fest
meine Hüften.

»Ich kann nicht länger bleiben, Peer. Ich muss morgen wieder in der Arbeit sein«, hauchte ich schon
völlig sextrunken zurück.

In diesem Augenblick war mir klar, wir würden es
nicht bis ins Schlafzimmer schaffen.

»Ich kann den Zug eine Stunde später nehmen«,
stöhnte ich, während er bereits wie besessen meinen Hals leckte und küsste.

»Mmhhh ... das ... wäre ... schön«, presste er mit
Atempausen zwischen seinen Lippen und meiner
Haut hervor.

»Ich möchte, dass du mein bist. Ich möchte dich besitzen.«

Er rammte seine Lippen auf meine und seine Zunge
stach zu, wie ein Dolch. Wir stöhnten beide, während wir immer tiefer in unsere Fleischesgelüste
abtauchten und wie jedes Mal alles andere zu existieren aufhörte. Peer und Maria. Dom und Sub. Seine Zunge, die wie wild um die meine kreiste, stahl

mir jeden rationalen Gedanken, den ich vor wenigen Minuten noch hatte. Eben dachte ich noch, nix wie weg hier. Das waren nicht meine Probleme und ich war nicht bereit, mich bei meinem ersten Erlebnis in eine komplizierte Beziehung zu stürzen, nur um im nächsten Moment absolut willenlos meine Beine breitzumachen.

Yolo – You only live once.

Während ich meine Hände um seine Taille schlang, und verzweifelt versuchte, sein Hemd aus der Hose zu ziehen, wurden seine Küsse und seine Berührungen immer wilder und zügelloser. Mit einem Ruck hob er mich auf den alten Sekretär. Die Oberfläche des alten Möbelstücks war so glatt poliert, dass ich mit meinen Hintern wie auf einer Eisfläche nach hinten schlitterte. Doch Peer packte mich bei meinen Hüften und zog mich wie ein brünstiges Tier wieder an sich. Meine Hände wanderten zu seinem Gürtel, meine Augen suchten Blickkontakt. Mit geschickten, flinken Fingern öffnete ich zuerst die Gürtelschnalle, die laut gegen den Schreibtisch knallte. Ungeduldig versuchte ich, den Knopf und den Reißverschluss zu öffnen, um die pochende wilde Bestie zu befreien, die in seiner Hose lauerte. Doch seine heftigen Küsse erschwerten mein Unterfangen. Gerade als ich meine Lippen von ihm befreien wollte, fing ich einen Blick von ihm ein. Dieser Blick hatte eine Bedeutung, doch mir war es nicht möglich, ihn zu entschlüsseln. Auch wenn sein Gesicht mir nichts verriet, so sprach sein Körper doch Bände. Der Stoff seiner Hose spannte und erschwerte mir zusätzlich meine Befreiungsaktion.

Er bemerkte meine Bemühungen und konnte wohl selbst nicht mehr länger warten. Mit zwei Handgriffen hatte er seine Hose geöffnet. Seine Erektion schnellte mir entgegen. Seine glasigen, von Migräne geplagten Augen hatten sich in flammende, glühende kleine Sonnen verwandelt, die bereit waren, alles zu verbrennen, was sie begehrten.

Peers Nähe ließ mich jede Vernunft vergessen. Mein ganzer Körper fühlte sich fiebrig an, als wäre Peer ein Virus, der von mir Besitz ergriffen hatte. Dieses Wochenende war ein Dauerzustand der lodernden Lust, in der mein Verstand wohl verbrannt war. Eine quälende Ewigkeit hielten unsere Augen sich gefangen und obwohl wir nichts sagten, schrien unsere Körper vor Verlangen. Hastig zog ich mein Kleid hoch. Meine Höhle triefte durch mein Höschen vor Nässe. Mit meinen Armen stemmte ich mich ein Stück hoch, damit Peer meinen Slip abstreifen konnte. Als ich ihm mein Becken entgegenschieben wollte, blieb meine Haut kurz an der glänzenden Oberfläche des Sekretärs kleben. Meine geschundene Haut reagierte sehr empfindlich und erinnerte mich damit an unsere Ekstasen der letzten Tage. Mein Herzschlag beschleunigte sich und nahm jetzt richtig Fahrt auf. Jeglicher Schmerz steigerte mein Verlangen, das wie eine pulsierende Welle nach einem Höhepunkt jagte. Ich schüttelte wimmernd meinen Kopf von einer Seite zu anderen, als er mit seiner Eichel an meinen Schamlippen auf und ab glitt.

»Bitte erlöse mich! Fick mich!«, brummte ich lusttrunken aus meiner überstreckten Kehle.

»Wie heißt das, meine geile Kleine?«, entgegnete er mir mit einem Spitzmund und hatte sichtlich Spaß daran, meine Lust auf ihr Maximum zu steigern.

»Bitte, mein Herr! Bitte! Bitte!«, flehte ich ihn an, wie ein kleines Mädchen, das seine Süßigkeit einforderte.

Peer hörte auf zu atmen, als er Zentimeter für Zentimeter genüsslich in mich eindrang. Er leckte sich mit nasser Zunge über die Lippen, als würde er gleichzeitig auch mit ihr in mich eintauchen. Seine Augen brannten sich in meine entblößte Haut, dabei kreiste sein Daumen sanft über meine empfindliche Perle. Mir wurde schwindelig, heiß und kalt, alles drehte sich und ich schloss meine Augen, während ich mit genüsslicher Hingabe lauthals stöhnte. Lange würde es bei mir nicht dauern, bis mich ein Orgasmus ins Nirwana befördern würde. Mit meinen Beinen umklammerte ich fest seine Hüfte, um ihm noch näher zu sein und ihn noch tiefer in mir zu spüren. Ich schnappte ihn mit beiden Händen an seinem Hemdkragen, wodurch er für einen Moment sein Gleichgewicht verlor und mich fast zwischen sich und dem Möbelstück zerdrückte. Doch ich konnte diese Gelegenheit nutzen, um ihm meine Zunge in seinen Mund zu rammen. Er verlor nun fast seine Beherrschung und brummte wie ein wildgewordener Bär. Er richtete uns beide wieder auf, schob seine Hände unter meinen Po und hob mich an. Ohne unsere Verbindung zu verlieren, ging er so zwei Schritte zurück und setzte sich mit mir auf den Hocker.

»Du brauchst mich jetzt nicht mehr anbetteln, meine Kleine. DU darfst mich jetzt ficken«, grinste er süffisant, während er sich mit beiden Armen hinter seinem Rücken abstützte.

Diesmal war es nicht Peer, der den Ton und den Rhythmus angab, sondern ich verlor die Kontrolle. Meine Fingernägel krallten sich in seine Haut und kratzten gierig, während ich ihn bestieg und hemmungslos ritt. Der Stoff musste weg. Ich wollte seine nackte Haut auf der meinen spüren. Im gleichmäßigen Tempo ritt ich weiter seinen harten Schwanz. Währenddessen versuchten meine flinken Finger, eilig einen Knopf seines Hemds nach dem anderen aufzuknöpfen. Jeder Zentimeter meines Körpers kochte und wenn wir uns küssten, schien auch der letzte Hauch Sauerstoff aus meinem Körper zu entweichen. Diese Gier, vermischt mit purer Verzweiflung, ließ mich immer wilder werden.

Als kleine Warnung für meinen Übermut biss mein Herr mir in die Lippen. Gleichzeitig umschlang er mich so fest mit seinen Armen, richtete sich auf und drückte mich so fest an sich, dass ich das Gefühl hatte, mein Busen würde zerquetscht. Jeden Zentimeter Spielraum nutzte ich aus, um mit meiner Hüfte weiterhin auf seinem Schoß zu wippen. Er umklammerte mich zunehmend fester. Bei einem Blick in sein verzerrtes Gesicht und als ich sein immer lauter werdendes Stöhnen hörte, erahnte ich, weshalb ich langsamer machen sollte. Doch ich war selbst kurz davor, zu kommen, und hatte nicht die Absicht, mein Tempo zu drosseln. Bebend vor Lust lehnte er sich erneut zurück. Er krallte sich so fest an der Kante des Hockers fest, dass seine Finger ganz weiß wurden.

»Fuck! Ich bekomme einfach nicht genug von dir!«, keuchte er mit verzweifelter Miene bei geschlossenen Augen.

Mein Herr ließ mich tatsächlich agieren. Ich war entschlossen, in meinem Tempo weiterzumachen und ihn zu melken bis ich ebenfalls vor lauter Zuckungen nicht mehr konnte. Das hier war so animalisch und ich liebte es. Mit jedem Stoß drückte ich mich ihm noch fester entgegen. So tief, dass es auch mir manchmal einen Schmerzimpuls verpasste, weil er gegen meine Gebärmutter stieß. Meine Lunge und meine Oberschenkel kamen langsam an ihre Grenzen. Peer schien sich einen Orgasmus mit aller Macht zu verwehren. Seine Gesichtszüge waren alles andere als entspannt. Er sah eher so aus, als würde er gerade Höllenqualen durchleiden. Verdammt! Gleich konnte ich mich nicht mehr beherrschen. Meine Muschi schwoll jetzt an und meine Beine zuckten unter dieser heftigen Intensität, die sich wie eine Monsterwelle aufbaute. Ganz fest kniff ich meine Augen zusammen, um das Verlangen, zu kommen, zu unterdrücken. Doch diese Bemühung war vergebens. Der Orgasmus türmte sich immer höher auf und schien nur noch auf einen einzigen Reiz zu warten, um sich gänzlich in mir ergießen zu können. Peer, dem es genauso zu ergehen schien, bemerkte meinen inneren Kampf. Auch er wollte und konnte nicht länger warten. Also richtete er sich erneut auf und schlang seine Arme um mich.

Eng umschlungen bog und wand ich mich auf seinem Schoß. Als ich meinen Oberkörper nach hinten und meinen Kopf in meinen Nacken fallen ließ, nutzte er diese Gelegenheit und biss durch den dünnen Stoff hindurch in meine Brustwarze. Genau dieser süße, alles durchdringende Schmerz ließ meinen Körper endgültig kapitulieren. Wie von einem Geist besessen, ergriffen mich pulsierende Wogen. Ein tiefer Schrei aus meiner Brust entwich meinen Lungen. Ich konnte spüren, wie sein heißes Sperma in mein Innerstes pumpte und spritzte. Mein Verstand ertrank unter der Welle des Höhepunkts. Indessen fand mein Körper durch diese unerbittliche Erschütterung meines Innersten Erlösung. Peers Oberschenkelmuskeln lösten ihre Anspannung. Mein Körper schien diesem Impuls zu folgen und wurde vollkommen schlaff. Jetzt lastete mein ganzes Gewicht auf ihm und ob er wollte oder nicht, jetzt musste er mich auffangen. Bei diesem Gedanken musste ich lachen. Dafür erntete ich einen skeptischen Blick. Egal. Ich fühlte mich wie neugeboren.

»Verrätst du mir, warum du eben gelacht hast?«
Seine Stimme klang wackelig und verzerrt, als müsse er sich selbst zum Sprechen zwingen. Ohne ihm eine Antwort zu geben, gab ich ihm einen flüchtigen Kuss und wollte mich erheben. Doch seine Instinkte waren hellwach. Blitzartig ergriffen seine Hände meine Oberarme. Er hinderte mich daran, aufzustehen. Sein Glied war noch hart und verweilte immer noch in meiner nassen, heißen Höhle. Lediglich sein Sperma bahnte sich seinen Weg nach

draußen, zumal es sich wie eine warme Quelle über unsere Schenkel ergoss. Er blickte mir tief in die Augen, als würde er in ihnen eine Antwort auf seine Frage suchen. Seine Mundwinkel verzogen sich vor Konzentration und ich musste ihn erneut küssen. Diesmal so richtig, innig, zärtlich und liebevoll. Peer war ein unglaublich toller Mann. Für diesen kurzen Augenblick spürten wir beide eine emotionale Verbundenheit. Die sexuelle Spannung hatten wir gerade entladen. In diesem Moment waren wir auf einer viel tieferen Ebene vereint.

Doch schon als er sich aus meinem Kuss zurückzog, seinen Blick von mir abwandte und mir zu verstehen gab, ich solle aufstehen, war der ganze Zauber wie weggeblasen. Er tat es schon wieder. Wieder verschloss er sich vor seinen Gefühlen. Seine Dämonen übernahmen das Zepter. Sein Blick wurde abweisend. Seine Körperhaltung ging auf Abwehr und in Windeseile war die unüberwindbare Mauer wieder errichtet. Mir trieb es die Tränen in die Augen und ich wandte mich schnell ab. Keinesfalls wollte ich ihm meine Zerrissenheit und meine Traurigkeit zeigen.

Mit schwerem Herzen und einem tiefen Seufzer setzte ich mich in Bewegung und suchte zum ersten Mal die Toilette im Erdgeschoss auf. Ich schloss die Tür, ließ mich mit dem Rücken dagegen fallen und glitt an ihr langsam zu Boden. Meine Knie waren noch ganz weich, deshalb plumpste ich das letzte Stück hart auf meinen Allerwertesten. Als sich in mir ein dumpfer Schmerz ausbreitete, konnte ich meine Tränen nicht länger zurückhalten. Leise, ohne ein Wimmern, perlten die Tränen über meine Wangen, sammelten sich an meinem Kinn und tropften von dort auf mein Kleid. Genau so, wie der berühmte Tropfen, der das Fass zum Überlaufen brachte, ließ Peers erneute Abweisung mich verzweifeln. Ich verstand die Welt nicht mehr. Allein der Gedanke an den besten Sex, den ich jemals hatte, konnte mich über sein Verhalten hinwegtrösten. Die kühlen schwarzen Bodenfliesen brachten meinem aufgeheizten Körper zwar eine willkommene Abkühlung, meinen Verstand und meine Gefühle konnten sie jedoch nicht erleichtern. Hastig wischte ich mit meinem Handrücken über mein Gesicht, um den letzten Rest meiner Traurigkeit zu entfernen, und rappelte mich auf. Ich ging kurz zur Toilette und blieb danach wie paralysiert und völlig leer vor dem Waschbecken und dem Spiegel stehen. Das Wasser hatte ich aufgedreht und mit ihm plätscherten meine Gedanken in den Abfluss. Ebenso zerrannen auch meine Fantasien und Vorstellungen, die ich mir in den letzten Tagen mit diesem außergewöhnlichen Mann erträumt hatte. Wenn ich dieses Haus erst verlassen hatte, würde es kein Zurück mehr geben. Ein Abschied für immer. Das konnte ich fühlen.

Plötzlich klopfte es an der Tür. Mit einem Schlag war ich wieder ganz im Hier und Jetzt. Mein Herz raste wie wild, weil ich mich so erschreckt hatte.

»Alles gut bei dir?«

»Ja, ich komme gleich.«

»Ich bin in der Küche«, hörte ich noch, als er sich bereits wieder von der Tür entfernte.

Als wäre ich gerade wieder hier auf der Erde gelandet, wusch ich mir noch meine Hände, streifte mit den Fingern die verschwommene Wimperntusche weg, schüttelte meine Mähne und setzte wieder mein »Alles-ist-gut-Lächeln« auf.

Peer war wieder tipptopp gekleidet, stand in der Küche und bereitete gerade frisch gepressten Orangensaft vor.

»Ich dachte mir, dass würde uns jetzt gut tun«, grinste er, als könnte er kein Wässerchen trüben. Lediglich an der Intensität, mit welcher er die Orangen auspresste, konnte ich seinen inneren Dialog erkennen. Er stellte uns zwei Gläser auf den Tisch und setzte sich. Ich tat es ihm gleich. Noch einmal wollte ich ihn nicht so nah an mich heranlassen, zumindest nicht emotional. Sexuell waren wir kompatibel, doch gefühlsmäßig waren wir meilenweit voneinander entfernt.

»Da meine Kopfschmerzen jetzt nicht mehr der Rede wert sind, werde ich dich selbst zum Bahnhof fahren«, tönte er fast überschwänglich happy.

»Ja, bitte, das wäre schön«, antworte ich vorgetäuscht fröhlich. Mein Magen krampfte sich zusammen, während in meinen Schädel ein Vakuum herrschte.

»Wenn wir in 15 Minuten losfahren, erreichst du locker deinen Zug.«

Er stürzte das Glas Orangensaft mit einem Mal hinunter, als könnte er es nicht erwarten, mich loszuwerden.

»Trink in Ruhe deinen Saft und mach dich dann für die Abfahrt fertig«, warf er mir ohne Emotionen quasi vor die Füße.

Erstaunt, als hätte ich meinen Körper verlassen, beobachtete ich seine Bewegungen, sah seinen Mund auf und zu gehen, konnte auch seine Worte akustisch verstehen, doch begreifen konnte ich sie nicht.

»Ja, ja, klar.« Mehr vermochte ich nicht zu antworten.

Ohne ein weiteres Wort verschwand Peer im Hausflur.

In mir herrschte ein innerer Dialog zwischen Wut und Vernunft:

W: »So ein verdammter Mistkerl! Arschloch, blödes! Ich hatte tatsächlich gedacht, da wäre mehr zwischen uns. Doch so verhält man sich nicht, wenn das Gegenüber einem etwas bedeutet.«

V: »Sei nicht so hart mit ihm. Du wolltest ein geiles Wochenende erleben und das hattest du auch. Der Sex war doch mega und um was anderes ging es auch nicht. Deine Wünsche wurden mehr als erfüllt.«

W: »Einen Scheiß! Ein Dom hat seine Sub auch emotional aufzufangen. Guter Sex hin oder her.«

V: »Du siehst doch, dass er irgendwo ein Problem hat. Er hat dir sogar gestanden, dass er sexsüchtig ist.«

W: »Ja, ja, ja ... trotzdem verhält er sich wie ein Arsch. Das wars. Ab nach Hause!«

Während die Wut das letzte Wort behielt, half Peer mir – ganz Gentleman – in meine leichte Strickweste und nahm meinen Trolley. Er öffnete mir die Tür und bedeutete mir mit einer eleganten Handbewegung, ich solle vorgehen. Da gab es keine herzliche Umarmung mehr, keinen Kuss, keine Zärtlichkeit. Ich ging den Weg der Schmach, blickte mich auch nicht mehr um. Die imposanten Säulen des Stiegenaufgangs links und rechts schienen mich zu verhöhnen. Die Nachbarn, ein sehr adrettes älteres Paar von nebenan, die ebenfalls gerade im Begriff waren, in ihr Auto einzusteigen, lächelten freundlich und grüßten uns. Selbst die etwas ältere Dame konnte ich in meinen Gedanken spotten hören.
›Schon wieder neuer Damenbesuch bei unserem sexsüchtigen Nachbarn. Wieder ist eine auf seine Masche hereingefallen. Armes Ding.‹

Ich schüttelte meinen Kopf, als wollte ich diesen Gedanken von mir abschütteln. Wir gingen einen schmalen Weg, der links hinters Haus führte. Dieses Fleckchen war mir beim Ankommen gar nicht aufgefallen. Hier versteckte sich unter einem schattigen Altbaumbestand ein Nebengebäude mit zwei Garagentoren. Sein Grundstück war auf den zweiten Blick größer, als es von vorne erschien. Monoton ratterte der Trolley hinter Peer über die Pflastersteine, dazu klapperten meine Absätze den perfekten Takt. Obwohl es unter den Schatten spen-

denden Linden märchenhaft schön war, konnte ich
das alles nicht mehr genießen. Peer verhielt sich
nicht mehr wie der Mann, mit dem ich stundenlang
hemmungslosen Sex hatte. Er war mir gegenüber
kühl und distanziert, fast als würde er sich vor seinen Nachbarn für mich schämen. Bilder der bild-
hübschen Frau auf dem Foto, welches ich entdeckt
hatte, blitzten vor meinem inneren Auge auf. Wahrscheinlich war sie hier mal zu Hause und die alte
Dame von vorhin hatte mit ihr bestimmt am Gar-
tenzaun über dies und das ganz nett geplaudert.
Womöglich vermied er es deswegen, mir nah zu
sein. Wer war ich dann wohl in seiner Erklärung,
wenn jemand ihn darauf anreden würde? Seine
Cousine, der er die Stadt gezeigt hatte? Oder Olga,
seine Putzfrau, die er netterweise zum Bahnhof
brachte, weil er ja so ein Gentleman war?!
In mir brodelten Vorstellungen und Hirngespinste,
die meine Verzweiflung in aufschäumende Wut
verwandelten. Plötzlich fühlte ich mich hier so fehl
am Platz. Ich fühlte mich wie eine Närrin, die sich
in ihren Träumereien verstrickt und sich in ihnen
verirrt hatte.
»Welches Tor soll ich öffnen?«
Da ich so in meinem Gedankenstrudel versunken
war und sämtliche Bilder wie eine Zusammenfassung nach dem Motto, »was bisher geschah« in mir
abliefen, reagierte ich nicht auf seine Frage.
»Maria?«, hörte ich Peer fragen. »Peer an Maria! Wo
bist du gerade?«, hörte ich ihn etwas besorgt.
»Alles gut, ich war nur eben in Gedanken«, antworte
ich mit einem aufgesetzten Lächeln.

Beide standen wir wie angewurzelt vor einem der beiden Garagentore und hatten ein großes, rotes, in Neonfarben leuchtendes und dazu blinkendes Fragezeichen über unseren Köpfen. Beide spürten wir die riesengroße Kluft, die sich zwischen uns aufgetan hatte. Nur noch ein kaltes Wort, eine abweisende Geste von ihm und ich wäre in diesen Canyon gestürzt. Stattdessen sagte er etwas Unerwartetes.

»Es tut mir leid.«

Für diesen einen Moment konnte ich spüren, dass er es ehrlich meinte. Seine Augen wurden glasig und traurig. Sein Blick fiel auf den Boden, als würde er sich wie ein kleiner Junge für etwas schämen.

»Schon gut. Das Wochenende war intensiver, als ich es mir ausgemalt hatte. Vielleicht hatte ich mir zu viel erträumt.«

Uff, das purzelte mir einfach so aus meinem Mund. Am liebsten hätte ich wie beim Scrabble die Buchstaben nochmal eingesammelt und anders gelegt. Aber gesagt war gesagt. Wie man bei uns so schön ausdrückt, was liegt, das pickt. Also ergänzte ich noch schnell mit: »Danke für die schöne Zeit bei dir, mein Herr« und versuchte, mit einem versöhnlichen Lächeln die Stimmung wieder etwas anzuheben.

Sein Lächeln wirkte aufgesetzt und verzwickt. Beide konnten oder wollten wir die Kluft nicht mehr überwinden.

Er öffnete das rechte Tor und zu meiner Überraschung befand sich dahinter ein VW Sharan, eine richtige Familienkutsche. In diesem Moment hätte mich ein anderes, sportlicheres, vielleicht auch protzigeres Auto besser aus meinem Tief geholt. Schließlich hatte ich eine Schwäche für schöne, PS-starke Autos.

»Ahh, das war das falsche Tor«, grinste er und warf mir von der Seite einen siegessicheren Blick zu.

Die Garagentore waren schon in die Jahre gekommen, denn sie mussten noch mit der Hand geöffnet werden. Der mattgrüne Lack war an manchen Stellen bereits abgesplittert und das quietschende Geräusch der Führungsschienen war ohrenbetäubend. Doch der Anblick seiner Oberarmmuskeln, die sich unter dem Hemdärmel abzeichneten, ließ mich im Handumdrehen wieder spitz werden. Mit Schwung und sichtlicher Kraftanstrengung zog er das Garagentor wieder zu. Und während er mir mit tanzenden Augenbrauen einen Blick zuwarf, wandte er sich dem zweiten Tor zu. Er sog scharf die Luft ein, während er wie ein Zauberkünstler mit beiden Händen fuchtelte. Mit einem leichten Ruck ließ er das Tor nach oben an die Decke gleiten, das ebenso ein unangenehmes Quietschen von sich gab, welches mir vor Unbehagen Gänsehaut bescherte. Reflexartig zog ich meine Schultern zu meinen Ohren hoch und verzog mein Gesicht, als würde ich in eine Zitrone beißen. Dieses Geräusch erinnerte mich irgendwie an die unliebsame Zeit in der Schule, wenn unserer Lehrerin mit den Fingernägeln über die Tafel kratzte, um wieder unsere Aufmerksamkeit zu erlangen. Peer zuckte mit den Achseln.

»Mit diesem Schätzchen werde ich dich zum Bahnhof bringen. Das Wetter ist herrlich, also lass uns die Fahrt genießen. Was meinst du?«

Das gefiel mir schon viel besser. Hinter Tor Nummer zwei verbarg sich nämlich keine Niete, sondern der Hauptgewinn. Ein ziemlich schnittiges Mercedes Cabrio Coupe präsentierte hier seine schwarze Schönheit.

»Du hast Black Beauty in deiner Garage stehen und das hast du mir vorenthalten?«, scherzte ich.

»Ich war zu sehr mit einer anderen Beauty beschäftigt!«, sagte er mit versöhnlicher Stimme, während er zu mir kam.

Mein Herz schmerzte, selbst das Atmen tat weh. Gleichzeitig fing es zwischen meinen Beinen an, heftig zu pulsieren, ja zu pochen. Dieser Mann hatte Dinge mit mir gemacht, von denen ich niemals gedacht hätte, sie mit mir machen zu lassen. Nicht einmal kam das Safe-Word zum Einsatz. Obwohl es schon seinen Platz gehabt hätte. Nämlich jedes Mal, wenn er mich emotional verhungern ließ. Jedes verdammte Mal, wenn er mich nach dem Sex ignorierte, wegstieß und so tat, als wäre alles in Ordnung. Trotzdem wollte ich mich immer wieder in seine Arme werfen, wenn er nur irgendwie in meine Nähe kam. Seine Stimme drang in jede Ecke meiner Seele. ›Nein! Ich will hier nicht weg. Ich will noch ein bisschen hierbleiben, ihn besser kennenlernen.‹

In mir tobte ein innerlicher Sturm, von dem er nichts wusste. Ich schrie stumme Schreie, von denen er nichts ahnte. Und so kam es, dass er sagte: »Komm jetzt, wir müssen los, sonst sind wir nicht pünktlich am Bahnhof.«

War das denn so wichtig? War es für ihn so wichtig, dass ich ja pünktlich in meinem scheiß Zug saß?

In meinem Kopf und meinem Herz herrschte ein heilloses Tohuwabohu. Ich war traurig, wütend, geil, glücklich und das alles zur selben Zeit. Damit war ich sowas von überfordert. Mir drehte sich der Magen um, während ich versuchte, meinen rasenden Herzschlag zu ignorieren. Ich war die perfekte Schauspielerin. Peer merkte nicht, was sich hinter meiner Fassade abspielte. Der Vorhang war gefallen.

»Ja, du hast recht, wir sollten uns beeilen. Ich möchte heute nicht zu spät zu Hause ankommen.« Diese Worte kamen mir so selbstbewusst über die Lippen, dass ich sie sogar selbst glaubte und mich im Handumdrehen beruhigte.

Ich kauerte mich also in den weinroten Ledersitz. Während er das Verdeck öffnete, blickte ich leer und orientierungslos in den zartblauen Himmel, der zwischen den sattgrünen Baumwipfeln hervorblitzte. Der Wind umspielte fast schon zärtlich meine Lockenmähne. Schweigend verließen wir die Auffahrt und rollten auf die Straße. Ich warf einen letzten wehmütigen Blick auf seine gediegene Villa. Alles erschien so surreal. Wir fuhren denselben Weg zurück, auf dem das Taxi mich doch gerade erst hergebracht hatte. Vor ein paar Minuten stand ich Peer an seiner Haustür doch zum ersten Mal gegenüber. War dieses Wochenende tatsächlich schon vorbei?

Mit geschlossenen Augen nahm ich einen tiefen Atemzug und inhalierte die Wiener Frühlingsluft. Ein Lächeln huschte über meine Lippen. Ich hatte es tatsächlich getan. Mutig hatte ich mich dem Undenkbaren gestellt. Meine Fantasien wurden real, manche Strieme und mancher blaue Fleck waren meine stillen Zeugen. Sie würden verblassen, doch ich spürte, diese Begegnung mit Peer hatte etwas in mir befreit. Dornröschen war aus ihrem Schlaf erwacht. Stolz schwoll meine Brust. Daran konnte auch seine Distanziertheit nichts mehr ändern. Wir sprachen fast die ganze Autofahrt kaum ein Wort miteinander. Da gab es auch keine Berührung oder einen liebevollen Blick mehr. Unsere kurze, dafür aber sehr intensive Geschichte schien in Stein gemeißelt zu sein. Während ich alles nochmals auf mich wirken ließ, zogen die Häuser, Ampeln, Kreuzungen, die Menschen auf den Gehsteigen, die Einkaufszentren und jede Menge Dönerläden an mir vorbei. Mein Blick hielt an nichts fest. Alles, was im Außen passierte, schien mir nicht mehr wichtig zu sein. Stattdessen beobachtete ich mein Innenleben und genoss die Fahrt im offenen Cabriolet. Bis zu dem Moment, in dem Peer mich flüchtig an meinem Knie antippte.

»Wir sind gleich da und ich habe noch eine Bitte an dich.«

»Ja, die wäre?«

»Wenn wir gleich am Bahnhof sind, begleite ich dich noch bis zu deinem Bahnsteig. Helf dir tragen.«

»Ja, okay. Und deine Bitte?«

Gespannt, was jetzt wohl kommen würde, hob ich fragend meine linke Augenbraue.

»Wir machen dann kein Drama oder so. Also, ich meine, keine dramatische Abschiedsszene mit Tränen und so!«

Hatte er das tatsächlich gerade gesagt? Was glaubte er von mir? Dass ich mich wie ein verletztes Weibchen um seinen Hals schmeißen würde und nicht mehr ohne ihn leben konnte? Dass ich ihm eine Szene machen und heulen würde wie ein Schlosshund? Pahhh! Ich glaubte, es hackte ein bisschen bei Sir Peer. Er selbst verzog dabei keine Miene, sein Blick blieb vollkommen konzentriert auf der Straße.

»Nein, keine Sorge, so bin ich nicht«, antwortete ich verdutzt, als wäre mir mein Gesicht eingeschlafen. Mit diesem Satz machte er mir den Abschied ohnehin ganz leicht. Peer hatte zwei Gesichter. Das eine mochte ich sehr gerne, denn es war durchaus zum Verlieben. Doch das andere, kalte, abweisende Gesicht spiegelte seine Dämonen wider. Natürlich hatte ich keine Ahnung, mit welchen Geistern er sich herumschlug oder was er durchgemacht hatte, sodass er sich von jetzt auf gleich wie ein Arschloch verhielt. Dieses Spiel aus Nähe, Distanz, Nähe und Distanz war mir eindeutig zu anstrengend. Ab diesem Zeitpunkt nahmen auch meine Gefühle Abstand von Peer. Dieses ständige Wechselbad der Emotionen wollte ich nicht länger. Darum verabschiedete ich mich von meinen Träumereien, die an diesem Wochenende immer wieder mal aufgelodert waren. Und der Abschied von Peer war ebenfalls in Sichtweite. Wir rollten dem Hauptbahnhof entgegen. Die Sonne schien und da Sonntag war, gab es auch nicht das geschäftige Treiben wie an anderen Wochentagen. In mir herrschte eine Entschlossenheit, aber auch Frieden mit den Ereignissen der letzten Tage. Ein etwas anderes Märchen ging zu Ende. Ohne Happy End? Nein. Ich war an diesem Wochenende von einer unerfahrenen, etwas schüchternen jungen Dame zu einer starken Frau herangewachsen. Einer Frau, die ihre Begierden und ihre sexuellen Wünsche mit offenen Armen empfing, und die dazu stand.

Peer hielt in einer Kurzparkzone, die dafür gedacht war, Reisende aus- oder einsteigen zu lassen. Noch bevor er den Motor abstellen konnte, schnallte ich mich ab, lehnte mich zu ihm und drückte ihm einen Kuss auf die Wange. Einmal noch spürte ich seine stoppelige Haut auf meinen Lippen. Einmal noch inhalierte ich seinen einzigartigen, nach frischen Nadelwäldern riechenden Duft ein. Als würde meine Seele einen Screenshot von ihm machen, nahm ich ihn, ein letztes Mal mit allen Sinnen wahr.

»Danke für alles, Peer! Ab hier komme ich gut alleine zurecht.«

Ich stieg aus und ließ ihn mit einem erstaunten Gesichtsausdruck zurück. Er war absolut baff und wusste nicht, was er sagen sollte. Jetzt war es ohnehin zu spät, irgendwelche Reden zu schwingen. Ein eigenartiges Glücksgefühl durchflutete mich, das Traurigkeit keinen Platz erlaubte. Alles ging so schnell. Dennoch schien für einen kurzen Augenblick die Zeit stillzustehen. Ich schnappte mir meinen Koffer von der Rückbank und ging ein letztes Mal zur Beifahrertür. Mit einer Hand klopfte ich auf die weinrote Innenverkleidung, zwinkerte ihm mit einem milden und nicht nachtragenden Lächeln zu. Seine Lippen öffneten sich, als wollte er noch etwas sagen, deshalb hielt ich kurz inne. Doch er blieb stumm. Seine Augen hingegen sprachen Bände. In diesem kurzen Zeitraffer sah ich seinen Hilferuf. Als wäre hinter diesen Sehorganen jemand gefangen, der sich nach Erlösung und Freiheit sehnte.

»Ciao«, huschte uns beiden gleichzeitig über die Lippen und wir mussten schmunzeln.

Ohne mich einmal umzudrehen, schritt ich mit stolzer Brust aufrecht und leichtfüßig in Richtung Haupteingang. Ich tauchte ab in der Anonymität einer Großstadt.

Etwas müde und hungrig entschied ich mich, mir noch einen kleinen Snack und einen Energydrink zu gönnen. Bei einem kleinen Laden war alles schnell gekauft und so hatte ich noch genügend Zeit, gemütlich zu meinem Bahnsteig zu trotten. Mein Zug stand bereits am Gleis. Also stieg ich ein und schon war der erstbeste Sitzplatz am Fenster gesichert. Ich musste stets in Fahrtrichtung sitzen, sonst wurde mir immer wieder einmal flau im Magen. Das Schöne war, dass nicht viele Fahrgäste in meinem Waggon waren. So konnte ich meinen Kornspitz mit Tomate-Mozzarella genüsslich essen, ohne permanent von anderen beäugt zu werden. Um es mir gemütlich zu machen, schlüpfte ich aus meinen Schuhen und legte meine Beine auf den gegenüberliegenden Sitzplatz hoch. Mit einem tiefen Atemzug lehnte ich mich zurück und schloss für einen kurzen Augenblick meine Augenlider. Dieses Wochenende war so unglaublich krass, dass ich es gar nicht in Worte fassen konnte. Ein Lachen huschte über mein Gesicht, während ich meine Hände betend vor meinem Gesicht faltete und meine Zehen vor Entzücken tanzten. Irgendwie wusste ich nicht, wohin mit diesen vielen Emotionen und Eindrücken. Deshalb schnappte ich mir mein leckeres Gebäck, von dem ich einen großen Bissen nahm. Genau in diesem Moment setzte sich der Zug in Bewegung, weshalb mir durch das anfängliche Ruckeln des Waggons gleich ein Stück Tomate in den Schoß fiel. Ich kramte in meiner Handtasche nach einem Taschentuch, um mich sauber zu machen. Als ich das Tuch in den kleinen Eimer unter der Fensterbank fallen ließ, hielt ich beim Blick aus dem Fenster inne. Meine Gedanken ratterten genau so schnell an mir vorbei, wie die Lärmschutzwände entlang der Strecke. Plötzlich kam ein Streckenabschnitt ohne diese Wände und gaben den Blick in eine Landschaft mit hunderten Grüntönen frei. Auf wundersame Art und Weise wurden nun auch meine Gedanken ganz weit. Das Rattern in meinem Kopf hörte auf. Ein Moment der Klarheit, Zufriedenheit und Dankbarkeit ergriff mich und erfüllte mein ganzes Sein. Erfasst von diesem wohligen Glücksgefühl starrte ich aus dem Fenster und ...

»Ihre Fahrkarte bitte!«, ertönte eine freundliche, tiefe Männerstimme. Erschrocken zuckte ich zusammen. Der Schaffner hatte meine Gedankenversunkenheit bemerkt und wartete geduldig auf meine Fahrkarte. Mit einem kurzen milden Kopfnicken entwertete er mein Ticket und setzte seine Ar-

beit eine Reihe weiter, mit den Worten »Ihre Fahrkarte bitte!«, fort.

Gerade als ich meinen Energydrink mit einem erfri-
schenden Zischen geöffnet hatte, ertönte in meiner
Handtasche ein »Bing«. Zuerst dachte ich an meine
beste Freundin, die wahrscheinlich schon ungeduldig auf Einzelheiten wartete. Doch ich sollte mich
irren, es war eine Nachricht im Messenger.

»Hallo, mein Mädchen! Deine Augen sprechen Bände. Ich gebe dir, wonach du dich sehnst. Sir Christopher.«

Zwischenspiel

Mein erster Morgen wieder zu Hause war total verregnet. Beruhigend prasselten die Regentropfen gegen mein Schlafzimmerfenster und trommelten auf die Fensterbank. Das Fenster in meinem Schlafzimmer war zu jeder Jahreszeit gekippt. Je kühler es war, desto besser war mein Schlaf. Meine Freundin Anna schimpfte mich immer einen Frischluftfanatiker. Wenn wir ein paar Gläschen zu viel getrunken hatten und uns in stundenlangen Gesprächen über Gott und die Welt verloren, übernachtete sie manchmal bei mir. Anna und ich kannten uns schon ewig. Seit dem Kindergarten waren wir unzertrennlich. Die Freundschaft mit ihr war ein Segen. Obwohl wir grundverschieden waren, hörten wir uns immer zu. Auch wenn wir den anderen nicht verstanden, so werteten wir uns gegenseitig nicht. Wir konnten einander so lassen, wie wir waren, und das war wahrscheinlich das Geheimnis unserer langen Freundschaft. Annas Freund Robert war ein richtiger Nerd. Er arbeitete für einen Software-Entwickler und studierte nebenbei noch Geschichte und Mathematik. Seine geistigen Ergüsse und Belehrungen nervten mich immer. Robert konnte mit mir und meinem Sarkasmus ebenfalls nichts anfangen, weshalb Anna und ich uns immer bei mir zu Hause trafen. Anna und er liebten sich aus tiefsten Herzen und Robert würde alles für sie tun. Deshalb akzeptierte ich ihre Liaison und freute mich für die beiden. Wir wollten beide nicht, dass

Anna zwischen zwei Stühlen saß. Das schätzte ich sehr an ihm.

Gestern, während der Heimfahrt von Peer, hatte ich noch meiner Kollegin geschrieben, dass ich einen freien Tag bräuchte, um etwas zu erledigen. Urlaubstage und Zeitausgleich hatte ich genügend. Zu erledigen hatte ich nichts, doch ich hatte das dringende Bedürfnis, ganz gechillt in den Tag zu starten.

Ich saß also im Schneidersitz in meinem Bett, starrte aus dem Fenster und beobachtete die Regentropfen, die wie Tränen an der Scheibe herabliefen. Meine Wohnung lag sehr stadtnah, gerade noch im ländlichen Bereich. Mein Blick ins Grüne fiel auf einen Altbaumbestand von Apfelbäumen. Im Frühling konnte ich mich an den wundervollen, zartrosafarbenen Blüten gar nicht sattsehen. Wenn es stürmte, dann verteilten sich die seidigen Blütenblätter überall wie Konfetti. Hier, in diesem privaten Vierparteienhaus gab es zwei ältere Paare, die bereits in Pension waren, ein Paar mit einem Baby, das nachts manchmal weinte, und mich. Ohne meine Augen von dem Ausblick abzuwenden, griff ich links zu meinem Nachtkästchen, auf dem ich so lange herumtastete, bis ich endlich mein Handy greifen konnte. Mir war nicht genau bewusst, warum, aber ich war mir sicher, dass Peer sich nicht mehr gemeldet hatte. Vermutlich hatte er bemerkt, wie ich mich innerlich von ihm entfernt hatte. Ich spürte, als hätte unsere Konstellation sich verändert. Unzählige Male hatte ich den Chat auf Whatsapp geöffnet und begonnen, ein paar Worte zu tippen.

Doch jedes Mal löschte ich meine Zeilen und war immer verärgerter, dass ich mich anstrengen musste, um überhaupt noch wahrgenommen zu werden. Auf der anderen Seite ließ mir die Nachricht von »Sir Christopher« keine Ruhe. Was glaubte er, wer er war?

»Mein Mädchen ... bla, bla, bla, deine Augen ... bla, bla, bla.« Und dann noch das ›Sir Christopher‹!

Irgendwie fand ich das total schräg, andererseits aber auch sehr interessant. Doch fand ich es so interessant, ihm zu antworten und mich auf ihn einzulassen? Schulterzuckend warf ich mein Handy aufs Kissen. Was ich jetzt brauchte, waren ein starker Cappuccino, eine ausgiebige warme Duschsession sowie einen Orgasmus. Bei der Reihenfolge war ich mir noch nicht sicher. Gut, es gab zwei Fliegen, die ich mit einer Klappe erledigen konnte. Dusche und Orgasmus. In der Zwischenzeit konnte die Kaffeemaschine sich auf Betriebstemperatur bringen.

Meine eigene Betriebstemperatur war bei den vielen heißen Gedanken an das vergangene Wochenende schnell erreicht. Da brauchte es nicht viel eigene Handarbeit. Die Vorstellung von Peers Gesicht zwischen meinen Schenkeln, als ich nachts auf der Fensterbank gesessen und fast den Verstand verloren hatte, genügte völlig, um in Rekordzeit über die Ziellinie zu schießen. Vielleicht sollte ich beim nächsten Mal die Zeit stoppen, quasi eine Bestzeit-Liste mitschreiben?

Schnell huschte ich tropfnass aus meiner Dusche, wickelte zuerst einen Turban um mein Haar und

dann ein großes, flauschiges Handtuch um meine
Kurven. Mit einer Haarspange fixierte ich das
Handtuch im Dekolleté. Ich schnappte mein Handy
von der Spiegelablage und schrieb Anna:
»Hast du schon mal deine Orgasmus-Bestzeit ge-
stoppt?«
Als hätte sie nur auf diese Nachricht gewartet, kam
prompt Annas Antwort.
»WAAAS? Ist das jetzt dein Ernst?«
»Ja, sicher. Das wird meine neue Lieblingssportart.
Das ist wie Hochleistungssport, nur geiler.«
»Ich glaube, dein Herr hat dich etwas zu oft gegen
das Kopfteil seines Bettes gestoßen. You know what
I mean?«
»LoL«
Danach lieferten wir uns nur noch ein wirres und
lustiges Wortgefecht mit Emojis. Ich liebte diese
Frau! Für Anna wäre ich durchs Feuer gegangen.
Sie sprach fließend sarkastisch und den schwarzen
Humor teilten wir ebenfalls. Manchmal verstrick-
ten wir uns so sehr in unseren sarkastischen Aussa-
gen, dass wir am Ende selbst nicht mehr wussten,
was wir ernst und was wir im Spaß gemeint hatten.
Nachdem ich mich abgetrocknet hatte und ein ge-
mütliches weißes Longshirt, welches mit Emojis be-
druckt war, mühsam über meinen Turban ge-
zwängt hatte, setzte ich mich auf die Couch. Die
Fensterbank hinter dem Sofa diente immer als Ab-
lage für meine Cappuccino-Tasse. Auf dem weißen
Kaffee-Häferl stand in schwarzen Blockbuchstaben
»Kaffee, weil es für Wein zu früh ist«. Das war ein
Geschenk von meiner Mutter. Ich hatte schon ver-

standen, was sie mir damit sagen wollte. Sie bekrittelte manchmal meinen Lebensstil, aber eigentlich machte sie sich nur Sorgen. Da mir etwas kühl war, zog ich meine Beine an und stülpte das Shirt über meine Knie bis runter zu meinen Knöcheln. Wieder öffnete ich den Chat von Sir Christopher. Diese Nachricht war so anders als all die anderen. Neugierig, wer er war, versuchte ich, in seinem Profil irgendetwas Stichhaltiges über ihn zu erfahren. Die Bilder über Doms und Subs, die er auf seiner Seite gepostet hatte, waren sehr geschmackvoll und keineswegs vulgär oder gar anstößig. Zwischendurch fanden sich immer wieder Beiträge über Kunst, Gemälde, Skulpturen etc.

›Sir Christoper, wer bist du?‹, grübelte ich vor mich hin, während mein Blick nachdenklich nach oben wanderte. Als könnte ich an der Decke eine Antwort finden.

War ich überhaupt schon wieder bereit für ein neues Abenteuer? Peer hatte mich und meine Gefühlswelt durch Sonne und Mond, Himmel und Hölle katapultiert. Doch ich hatte Blut geleckt. Erst durch ihn hatte ich den Hauch einer Ahnung bekommen, was mir gefiel und mich in orgastische Höhe aufsteigen ließ. Also beschloss ich, diesem »Sir« zu schreiben.

»Guten Tag, Sir Christopher. Was sagen meine Augen denn so? Und was könnte das sein, was du mir geben könntest? Du kennst mich ja gar nicht.«

So, jetzt hieß es warten. Auf diese Antwort war ich echt gespannt. Und er ließ mich warten.

An jenem Abend kam Anna vorbei. Sie besaß einen Schlüssel zu meinem kleinen Reich. An diesem Tag hatte ich es nicht mehr aus dem Longshirt geschafft. Der Turban war irgendwann abgefallen, als ich mich gebückt hatte, aber eine Haarbürste hatten meine Haare nicht mehr zu Gesicht bekommen.

Anna stapfte, während sie mit einer Flasche Wein freudig winkte, in mein Wohn-Esszimmer, vollführte einen Tanz mit viel Arschgewackel und rief: »Ich will alles wissen, jedes kleine schmutzige Detail – und wenn es die ganze Nacht dauert!«

»Also, das Detail war nicht so klein, erst recht nicht schmutzig und es hat tatsächlich die ganze Nacht gedauert«, grinste ich über beide Backen.

Schon waren wir mittendrin. Anna holte gleich Weingläser und während ich begann, von Anfang an akribisch zu erzählen, bereitete sie auch noch einen kleinen Snack zu. Ein paar Dinge hatte ich immer zu Hause. Oliven, Fetakäse, getrocknete, in Öl eingelegte Tomaten und Chips. Sie richtete alles ganz ordentlich in mundgerechten Stücken auf einem großen Teller an. Dazwischen fuchtelte sie mit weit aufgerissen Augen mit dem Messer in der Luft herum, als würde sie gegen einen unsichtbaren Feind kämpfen. Immer wieder mal rief sie dazwischen: »Boah, echt jetzt?! Waaaas? Geh leck!« Oder auch: »Du bist mir nimmer wurscht, das habt ihr gemacht?!«

So ging es die halbe Nacht lang. Wir redeten, okay, wahrscheinlich redete ich viel mehr, wir tranken Lambrusco, unseren Lieblingswein aus Italien, wir lachten und die Zeit verging wie im Flug. Mit jedem

Detail, das ich ihr erzählte, wurde mir leichter ums Herz. In einem schweigsamen Moment, als wir gerade unsere Gläser zum Anstoßen klirren ließen, sah Anna mich ganz ernst und nachdenklich an. Immer wenn sie das machte, streifte sie ihre kinnlangen braunen Haare auf einer Seite hinters Ohr. Dann wusste ich immer schon, jetzt kommt was.

»Du hast dich in ihn verliebt? Stimmts?!«

Mir war es unmöglich, zu antworten. Diese Frage hatte ich bis zu diesem Augenblick gut verdrängt. Mein Glas Wein leerte ich auf ex. Mit der Zunge leckte ich über meine Mundwinkel und die Lippen. Ich hatte das Glas wohl zu schnell gekippt und hatte Mühe gehabt, mich nicht anzupatzen. Früher war es ein Bart von der Schokomilch, heute war es Rotwein. Beides war lecker.

»Übernachtest du heute eh bei mir? Oder? Ich muss morgens übrigens zur Arbeit. Vielleicht sollten wir im Bettchen noch etwas weiterplaudern. Ehrlich gesagt bin ich schon hundemüde«, gähnte ich voller Inbrunst.

»Ja, sicher. Ich kann dich doch nicht alleine lassen, so betrunken wie du bist«, lachte sie, als sie aufstand und erstmal einen Schritt zur Seite machte, weil sie das Gleichgewicht zu verlieren drohte.

»Ja, unbedingt. Du bist immer so gut zu mir. Was würde ich nur ohne dich machen«, scherzte ich, meinte es aber auch bitterernst.

»Du hast eine Nachricht in deinem Chatdingsda bekommen«, lallte sie, als sie sich über den Couchtisch beugte und auf mein Handydisplay schaute.

»Von wem ist sie?«

187

»Da steht sowas wie Sir Christopherus?! Wer zum Teufel ist Christopherus? Ist das nicht so ein Schutzheiliger?«

Sie warf sich zurück auf die Couch und musste über ihre eigenen Worte so lauthals lachen, dass sie sich dabei richtig schüttelte.

»Du bist wahrlich sehr leicht zu unterhalten, liebe Anna.«

Manchmal machte Anna während ihrer Lachflashs grunzende Geräusche wie ein kleines Schweinchen. Das war so herrlich ansteckend.

»Christopheruuuus. Grunz, grunz.«

»Er heißt Christopher. Sir Christopher«, entgegnete ich übertrieben ernst und salutierte bei Sir Christopher.

Jetzt konnte auch ich mich vor Lachen nicht mehr halten. Wir hielten uns die Bäuche, rangen japsend nach Luft und wiederholten wie kleine Soldaten immer wieder »Sir Christopher«. Die Tränen kullerten über unsere Wangen. Vor lauter Lachen hatten wir uns gegenseitig von der Couch geschubst. Jetzt lagen wir auf dem Parkettboden mit Blick zur Decke. Wir drehten einander die Köpfe zu und schauten uns schmunzelnd in die Augen. Unser Atem beruhigte sich. Ein wundervoller, friedlicher Moment. Unscheinbar. Für andere nicht von Bedeutung. Für mich mehr wert als jedes Geld auf dieser Welt. Annas Brustkorb hob und senkte sich ganz sanft. Ihre Wangen waren rot, das fiel mir auf.

»Du passt immer gut auf dich auf!? Versprichst du mir das, Maria?«, fragte sie ganz plötzlich mit Sorge in ihrer Stimme.

»Warum denn jetzt auf einmal so ernst?«

»Versprich es mir, du Dummdödel!«

»Ja klar, ich verspreche es dir. MAMA!«

»Ja, nix Mama, du kennst diese Typen nicht. Was, wenn du mal an den Falschen gerätst? Jetzt ohne Scheiß?« Ihr Blick verfinsterte sich, das verriet mir, sie meinte es bierernst.

»Du hast mit Sir Christopherus doch schon wieder den nächsten am Start? Und lüg mich nicht an! Du weißt, ich bemerke, wenn du flunkerst.«

»Ich verspreche dir hoch und heilig, immer gut auf mich aufzupassen. Du wirst jedesmal wissen, wann, wo und mit wem ich unterwegs bin. Versprochen!« Ich griff nach ihrer Hand und drückte sie.

Mit einem milden, bestätigenden Augenzwinkern raffte sie sich auf und half mir, mich ebenfalls zu erheben.

»Sir Christopherus«, spottete sie noch, während sie schwerfällig ins Schlafzimmer wanderte.

»Ja, ja«, murmelte ich.

Für einen Moment war ich versucht, seine Nachricht noch zu lesen. Aber da war es bereits zwei Uhr und in vier Stunden war Tagwache. Also beschloss ich, es Anna gleichzutun. Mit klitzekleinen Schlitzaugen dackelte ich ebenfalls zu meinem Bett, stellte mich ans Fußende und ließ mich rückwärts fallen. Das ganze Bett wackelte, aber Anna schlief bereits tief und fest.

»Ich hab dich lieb, du verrückte Nudel«, nuschelte ich noch, dabei tätschelte ich im Blindflug ihren Rücken. Wenig später gingen auch bei mir die Lichter aus.

Als mich morgens um sechs Uhr das fiese Gebimmel meines Weckers wachrief, schlief Anna noch immer tief und fest. Sie zuckte nicht mal mit einer Wimper. Sicherheitshalber prüfte mein Blick, ob sich ihr Brustkorb hob und senkte. Sie atmete. Ihren festen Schlaf hätte ich auch gerne gehabt.

In dieser Nacht war ich schweißgebadet unter meiner Decke aufgewacht. Wirre Träume ließen mich kaum schlafen. Ich konnte mich nur schemenhaft an die Ausgeburten meiner Fantasie erinnern, aber Peer und Sir Christopher spielten darin eine nicht unwesentliche Rolle. Beide hatten eine Leine in Händen, die mit meinem Halsband verbunden war. Sie zerrten an mir. Jeder erhob seinen Besitzanspruch und während die Herren diskutierten, bekam ich durch das ständige Ziehen an den Leinen kaum noch Luft. Dieses beklemmende Gefühl war vermutlich auch dafür verantwortlich, dass ich aus dem Traum aufgewacht war. Überprüfend griff ich an meinen Hals. Da war kein Halsband. Dennoch war ich desorientiert. Irgendwie konnte ich für mich nicht ausmachen, ob ich in meinem Bett lag oder mich noch in Peers Schlafzimmer befand. Erst als meine Augen sich an die Dunkelheit gewöhnt hatten und das Fenster sich wieder links von mir befand, bekam ich auch wieder das Bewusstsein für meine Position. Bei Peer hatte sich das Fenster rechts des Bettes befunden. Beim Gedanken an »diese« Fensterscheibe lief es mir augenblicklich kalt über den Rücken. Mein verschwitzter Rücken, der über das kalte Glas quietschte, während er versunken zwischen meinen Schenkeln kniete. Ich

schloss meine Augen wieder und ließ mich zurück
auf mein Polster gleiten. Meine rechte Hand wanderte zu meiner Vulva, auf die sie sich mahnend legte, als würde ich mir quasi den Mund zuhalten.
Dafür war ich echt zu müde. Mit der Hand zwischen meinen Oberschenkeln war ich wohl wieder
eingeschlafen, denn als der Wecker erneut klingelte, konnte ich meinen rechten Unterarm gar nicht
spüren. Ganz schlaftrunken schüttelte ich meinen
Arm, um ihm wieder Leben einzuhauchen. Nach ein
paar Sekunden begann das Blut wieder zu zirkulieren und ich hatte das Gefühl von tausenden Feuerameisen auf und in meiner Hand. Ich warf noch
einen neidischen Blick zu Anna, die von meinem
Dilemma nichts mitbekommen hatte. Mit Schwung
schob ich meine Beine aus dem Bett. Kurz bevor ich
wieder einschlafen konnte, schaffte ich es, aufzustehen und meinen müden Körper bis zum Badezimmer zu schleppen. Dort lehnte ich mich gegen
die Badezimmertüre und schlug meinen Kopf dreimal gegen das Türblatt. Die bleierne Müdigkeit
wollte einfach nicht aus meinen Gliedern verschwinden.

Plötzlich hörte ich das »Bing« meines Handys. Und
schon fiel es mir wie Schuppen von den Augen. Da
war eine Nachricht, die auf mich wartete. Und mit
diesem Gedanken kehrten meine Lebensgeister zurück. Eben noch im Bewegungsmodus eines Faul-
tiers fühlte ich mich jetzt wie Speedy Gonzales.
Flink schnappte ich mir mein Handy vom Couchtisch.

»Echt jetzt?!« Sagte ich laut und genervt, da mein Handy mir erklärte, *Gesicht nicht erkannt*.

»Ja, verdammt! Dann eben der Fingerabdruck, du charmantes Ding!«

Eigentlich wunderte ich mich nicht, dass die Gesichtserkennung mich nicht erkannte. Erst vor ein paar Jahren verschwand der Polsterabdruck in meinem Gesicht nach weniger als fünf Minuten. Jetzt hatte ich an manchen Tagen das Gefühl, dass mein Kissen mich bis in die Arbeit begleitete. So war es, wenn man älter wurde. An diesem Tag spürte ich allerdings, wie verschwollen meine Augen waren. Der salzige Snack, der Wein und der Schlafmangel hatten ihre Jobs zuverlässig getan.

Als würde ich mit Blinzeln meine Sehschärfe einstellen können, zwinkerte ich auf mein Handydisplay, um die Chat-Nachrichten zu lesen.

»Gerald ... nee ... Romana ... nee ... Andi ... neeee ... Sir Christopher ... ahhhh, jetzt bin ich richtig«, bestätigte ich mir selbst.

»Was schreibt er mir Schönes?«, lächelte ich mit geschwollenen Augenlidern in mein Handy.

»Hallo mein Mädchen, schön von dir zu lesen. Ich möchte deine Fragen gerne beantworten. Deine Augen verraten mir, dass du die Verantwortung und die Kontrolle gern mal abgeben möchtest.

Du brauchst eine starke Hand, die dich führt, stützt und hält, dir aber bei Gelegenheit auch mal deinen süßen Hintern versohlt. Womit wir gleich bei deiner zweiten Frage sind. Genau diese starke Hand kann ich für dich sein. Das braucht natürlich Vertrauen, darum stell mir jede Frage, die dich beschäftigt. Du kannst mir alles sagen und ich versprechte dir, alles ist absolut vertraulich.

Diese Nachricht mag dich jetzt etwas irritieren oder verwundern, aber ich bin mir sicher, du wirst dich bei mir sicher und geborgen fühlen. Eines stimmt, ich kenne dich noch nicht persönlich. Ich weiß aber, wir werden uns kennenlernen. Sir Christopher«

Na bumm. Dieser Mann fackelte nicht lange. Er hatte eine etwas andere Art, das Herz einer Frau zu erobern. Ob er damit schon Erfahrung hatte und deshalb so eine Nachricht rausballerte? Schließlich sehnten devote Frauen sich nach dieser Art Mann. Ein Mann, der nicht zögerte, der selbstsicher agierte, die empfindsame Seele einer Frau respektierte und dennoch ihre Dämonen streichelte. Also mich törnte das an. Obwohl ich NICHTS von ihm wusste, weder wer er war, noch wo er lebte und schon gar nicht, wie er aussah, hatte er es geschafft, mein Interesse zu wecken. Nachdem ich seine Nachricht noch zwei, dreimal gelesen hatte, kam Anna mit halb geöffneten Augen aus dem Schlafzimmer gedackelt.

»Muss Pipi«, raunte sie und tätschelte im Vorbeigehen meine Schulter.

»Aua!«, fauchte ich sie an.

»Was denn aua, du Memme?!«

»Ein Mitbringsel von Peer«, grinste ich stolz.

Sie schob meinen Ärmel hoch und schüttelte ihren Kopf.

»Toll! Ein riesengroßer blauer Fleck mit grünen Sprenkeln und violetter Umrandung. Wenn das kein schönes Souvenir ist«, sprach sie perfekt sarkastisch.

»Du bist doch nur neidisch«, sagte ich und streckte ihr meine Zunge entgegen.

Während sie Richtung Badezimmer ging, zeigte sie mir mit einem Schulterblick noch den Vogel. Jetzt musste ich mich aber beeilen, um in die Gänge zu kommen.

Auf Arbeit hatte ich überhaupt keinen Bock. Ich war viel zu müde, viel zu abgelenkt, viel zu sehr mit mir selbst beschäftigt. Dieweil stapfte Anna wieder an mir vorbei mit Kurs ins warme Bettchen. Nun war ich echt neidisch.

Während ich in meinem Kleiderkasten nach einem bequemen, aber bürotauglichen Outfit kramte, sah meine Freundin mir zu. Als ich mein Shirt ausgezogen hatte und halbnackt im Zimmer stand, legte Anna ihre Hände auf ihr Gesicht und verdeckte sich die Augen.

»Oh mein Gott, da gibts ja noch ein paar Mitbringsel von deinem Date.«

Ich wusste genau, was sie meinte. Sie hatte auf meinem Rücken ein paar Striemen gesehen. Obwohl sie schon verblasst waren, war meine Erinnerung an ihre Entstehung noch sehr frisch. Vor dem Spiegel drehte und bewunderte ich mich von allen Seiten.

In mir flammten alle Erinnerungen auf und prompt reagierte mein Körper. Mir lief ein heiß-kalter Schauer über den Rücken, während sich die Haare auf meinen Armen elektrisiert gen Himmel streckten. Jeder einzelne Peitschenhieb war wie ein wilder, heißer Kuss, der sich in mein Fleisch eingebrannt hatte. Gedankenversunken umgriff ich mit meiner linken Hand meine Taille und versuchte, mit meinen Fingerspitzen über eine der sanften Erhebungen zu streicheln.

»Anna an Maria. Du kommst zu spät, du Träumerin.«

An jenem Tag las ich seine Nachricht ziemlich oft, antwortete aber nicht. Ich musste mir eingestehen, dass ich insgeheim immer noch auf eine Nachricht von Peer gehofft hatte. Er stellte mich kalt, obwohl ich noch immer seine Handschrift auf meinem Körper trug. Mir bedeuteten seine Zeichnungen auf meiner Haut etwas. Ihm schienen sie jedoch nicht wichtig zu sein. Damit musste ich jetzt leben. Dennoch war er quasi mein »Erster« und wie es eben so war mit den »Ersten«, sie blieben meist ein Leben lang in den Köpfen. Manchmal ertappte ich mich bei dem Gedanken, dass ich mir eine sichtbare Narbe von Peer wünschte. Manche ließen sich ein Tattoo stechen, um sich an etwas zu erinnern. Mein Wunsch war eine Narbe von der Peitsche, vielleicht auch ein kleines Wundmal von seinen Bissen. Irgendetwas, dass ich berühren und ansehen konnte, um mich in die Zeit mit ihm zurückzuversetzen. Zurück in ein Wochenende, das mich verändert hatte. Für andere unsichtbar, doch für mich ganz tief in jeder Faser meines Körpers spürbar.

Anna würde mich dafür niemals verurteilen, auch wenn sie mit meiner Vorliebe so gar nichts anfangen konnte. Sie sah und fühlte, wie sehr es mich beflügelte. Deshalb würde sie mir immer wieder zuhören und aus der Ferne über mich wachen. Zur Not würde sie mich auch retten, wenn ich in eine unangenehme Situation geraten würde.

Als ich an jenem Abend nach einem langen, zähen Tag nach Hause kam, war nur noch Brei in meinem Köpfchen. Ich konnte mich während der Arbeit überhaupt nicht konzentrieren. Zu sehr rotierten meine Gedanken um Peer, Sir Christopher, Sex und wie ich mich verhalten sollte. Konnte ich Peer soweit loslassen, um mich auf ein neues Abenteuer einzulassen? War Sir Christopher der Richtige dafür, meine Reise in die Welt des SM und der Unterwerfung fortzusetzen? Irgendwie fühlte es sich an, als würden meine Gedanken in einem Kreisverkehr vergnüglich ihre Runden drehen. Mir war schon ganz schlecht und schwindelig.
Auf dem Spiegel im Schlafzimmer fand ich ein Post-it von Anna.
Darauf stand: »Hallo Süße, mach dein Ding. Hab dich selten glücklicher gesehen :-). Bussal.«
Ich blieb vor dem bodentiefen Spiegel stehen und sah mir lange in die Augen. So lange, bis die Konturen ineinander verwischten und mein Gesicht wie ein Aquarell aussah. Tränen füllten meine Augen. In mir waren so unsagbar viele Emotionen. Weder gut noch schlecht. Traurigkeit war es auch nicht. Eher das überwältigende Gefühl, mich selbst so intensiv zu spüren. Noch nie zuvor hatte ich mich so bewusst in einem Spiegel betrachtet. Ja klar, man schminkte sich, wusch sich, frisierte sich die Haare oder betrachtete sein Outfit, ob es stimmig war.

Doch in diesem Augenblick sah ich mich. Ich sah die Frau, die ich geworden war. Langsam und Stück für Stück streifte ich meine Kleidung ab, bis ich ganz nackt vor meinem Spiegelbild stand. Zum ersten Mal betrachtete ich mich, ohne mich zu verurteilen. Über die Sanftheit meines Blicks war ich selbst ganz verwundert. Meine Finger wühlten durch meine lange Lockenmähne und ich schüttelte meine Haare in den Nacken. Die Haarspitzen kitzelten meine Pobacken. Dann streifte ich meine Haare zu gleichen Teilen nach vorne, einmal links und einmal rechts. Meine Brüste wurden sanft von ihnen bedeckt, nur die Brustwarzen ragten hervor wie zwei kleine rosafarbene Knospen, die um Aufmerksamkeit buhlten. Meine Hände und Fingerspitzen streichelten sanft über meine Stirn, über die Augen, die Wangen, meine Lippen, mein Kinn. Dann glitten sie weiter über meinen Hals, mein Dekolleté. Dort verweilten meine Hände für einen winzigen Augenblick, bevor sie die Haare zur Seite strichen und beide Zeigefinger synchron meine harten Brustwarzen umkreisten. Ich beobachtete die Frau im Spiegel und spürte, wie sich ein warmes, wellenartiges Gefühl von meinen Brüsten über meinen ganzen Körper ausbreitete. Wie ein Stein, der ins stille Wasser geworfen wurde, das nun seine Kreise zog. Nun legte ich meine Haare über die linke Schulter und beobachtete mich seitlich. Da waren diese wunderschönen Zeichnungen, die immer mehr verblassten. Sie hinterließen nur noch eine Ahnung von diesem überwältigenden Wochenende bei Peer. Meine Silhouette war weich, kurvig, fraulich. Mich so zu bestaunen, mich selbst wie ein kleines Kunstwerk zu betrachten, löste einen tiefen Frieden in mir aus. Ich konnte nicht mehr verstehen, warum wir Frauen uns immer so verurteilten und uns selbst schlechtredeten. Was für ein bewegendes Gefühl, endlich in seinem eigenen Körper angekommen zu sein! Emotionen überkamen mich. Dankbarkeit. Mein Atem durchströmte mich und er strömte über meinen Körper hinaus. Als würde er den engen Grenzen trotzen, die Chance nutzen, mich gänzlich zu erfüllen. Tränen der Freude kullerten wie einzelne Perlen über meine Wangen. Meine Arme verschränkt, streichelte ich meine Oberarme, um mich selbst in Geborgenheit zu wiegen. Um ganz in diesem Gefühl zu baden, schloss ich meine Augen. Wie von Zauberhand begann ich, durch einen Impuls aus meinem tiefsten Inneren, mich zu bewegen, zu tanzen. Obwohl keine Musik spielte, tanzte ich zu einer imaginären Melodie. Oder besser gesagt, die Musik tanzte mich. Völlig nackt und wie in Trance wirbelte ich durch meine Zimmer. Ich fühlte mich befreit, losgelöst und zum ersten Mal in meinem Körper angekommen, ja in ihm zu Hause. Meine Tanzeinlage endete abrupt auf meinem Bett, als durch etwas zu viel Schwung der Lattenrost knarrte und schließlich zu Boden krachte.

Flüchtig erschrocken fiel ich auf die Knie und musste herzhaft lachen. In Gedanken hörte ich meine Mutter schimpfen: »Auf dem Bett hüpft man nicht. Du wirst dir noch wehtun oder das Bett wird zusammenkrachen.«

So unrecht hatte sie gar nicht. Nur dass es manchmal einfach emotional notwendig war, aus sich herauszugehen. Ein paar Augenblicke hielt ich inne, bis mein Atem sich beruhigt hatte. Dann griff ich nach meinem Handy, welches auf den Fußboden gepurzelt war, und öffnete den Chat mit Sir Christopher.

»Du siehst mich? Du siehst mein tiefstes Begehren, welches ich selbst erst an mir entdecke? Wenn ja, dann lass mich dich auch sehen. Wer ist dieser Sir Christopher? Ich möchte ihn gerne kennenlernen.«

Zu meiner Überraschung war er gerade online. Die beiden Häkchen bestätigten mir, dass er meine Nachricht gesehen hatte. Gespannt starte ich auf das Wort ›Schreibt ...‹

Da mir inzwischen kalt geworden war, schnappte ich mir aufgeregt meine Decke, die ich mir bis zum Kinn zog. Im ersten Moment war die Decke noch kühler auf der Haut, daher begann ich zu zittern. Vermutlich tat die Aufregung ihr Übriges.

Wie die Maus vor der Schlange starrte ich auf mein Smartphone.

Endlich! Eine Antwort.

»Ja, ich sehe dich, mein Mädchen. Du wirst mich kennenlernen, wenn die Zeit reif ist, du mir dein Vertrauen schenkst und mich als deinen Herrn anerkennst. Wir haben Zeit. Aber ich habe jetzt eine erste Aufgabe für dich. Schick mir ein Foto von deinen Lippen.«

Mein Herz schlug mir bis zum Hals. Im Handumdrehen war mir heiß geworden. Wie von meinen Lippen? Ich hatte noch gar keine Ahnung, wie er aussah, wer er war. Er sollte mir mal ein Foto von sich schicken. Während ich so hin und her überlegte, war das Selfie auch schon gemacht. Wirklich nur eine Nahaufnahme von meinen Lippen. Nicht mehr und nicht weniger.

»Bitteschön, Sir Christopher. Ich hoffe, meine Aufgabe ist zu deiner Zufriedenheit ausgefallen. Darf ich bitte auch ein Foto von dir haben? Ich weiß ja noch gar nicht, wie du aussiehst, wer du bist!«

»Deine heutige Aufgabe hast du erfüllt. Danke, mein Mädchen.«

Ein bisschen schräg fand ich das Ganze ja schon, aber auf eine positive Art und Weise. Irgendwie gefiel es mir. Plötzlich poppte noch eine Nachricht auf. Gespannt wie die Sehne eines Bogens, kurz bevor der Pfeil losgelassen wird, öffnete ich unseren Chat und siehe da, ich sah ein Foto von ihm. Doch es war anders, als ich gehofft beziehungsweise gedacht oder gewollt hatte. Da war ein Mann mit einer schlichten schwarzen Karnevalsmaske zu sehen. Als Allererstes fielen mir seine strahlend hellblauen Augen auf. Durch das Schwarz der Maske kamen sie wahrscheinlich noch viel besser zur Geltung. Doch sie strahlten klar wie ein Aquamarin. In Griechenland hatte ich mir einen Anhänger gekauft. Dieser Aquamarin war ganz filigran in einen Hauch aus Silber gefasst. Diesen Anhänger hatte ich schon länger nicht mehr getragen, doch jedenfalls erinnerte sein Augenpaar mich auf Anhieb daran. Auf dem Rücken liegend hielt ich mein Telefon andächtig in beiden Händen vor meinem Gesicht, während ich sein Bild studierte. Seine Nase war groß, aber nicht zu groß. Ein langer, gerader Nasenrücken mit einer dezenten Nasenspitze. An den Wangen, unterhalb der Augen, konnte ich schon deutliche Lachfältchen sehen. Was mir besonders gefiel, war seine Augenpartie, die freundlich lächelte. Menschen, bei denen die Augen nie mitlächelten, waren mir schon immer etwas suspekt. Das wirkte auf mich immer so starr und kalt. Unecht. Sein Gesicht, auch wenn ich nicht alles davon erkennen konnte, wirkte freundlich, sympathisch und auch attraktiv. Obwohl er bestimmt deutlich älter war. Sein silbergraues Haar, das er relativ lang, bis zum Kinn durchgestuft trug, verriet ebenfalls, dass er ein älteres Baujahr war. Sein Gesamtbild fand ich sehr ansprechend und interessant. Die einzige Frage, die ich mir stellte, war, warum er so ein Geheimnis um seine Person machte. Oder gehörten Rollenspiele und Verkleidungen zu seinen Vorlieben? Jedes noch so kleine Detail betrachtete ich akribisch. Auf mein Bauchgefühl konnte ich mich immer verlassen, also spürte ich in mich hinein, während ich ihn weiter unter die Lupe nahm.

Peer hatte mich von Anfang an sofort geflasht, vor allem optisch. Darum hatte er vermutlich ein leichtes Spiel mit mir und benötigte nicht viel Überzeugungskraft. Sir Christopher war ein ganz anderes Kaliber Mann. Er wirkte selbstsicher, gestanden, angekommen und ruhte in sich. Bei ihm hatte ich sofort das Gefühl, dass er wusste, was er wollte. Und ebenso wusste er, was er nicht wollte. Dessen war ich mir sicher. Je länger ich sein Foto betrachtete, desto faszinierender fand ich ihn.

Dazu seine selbstsicheren und bestimmenden Nachrichten. Nicht zu aufdringlich und doch mit einer Klarheit formuliert, die ich selbst von Peer nicht kannte.

»Danke, Sir Christopher«, schrieb ich zwischendurch mal zurück, um nicht unhöflich zu wirken. Er hatte meine volle Aufmerksamkeit. Angeregt von Fantasien und Vorstellungen, wie ich mich einem älteren Mann hingab, betrachtete ich weiterhin dieses alles durchdringende Augenpaar, als ich begann, mich zu streicheln. Da kam auch schon eine Nachricht von ihm.

»Na, mein Mädchen, berührst du dich gerade? Stellst du dir gerade vor, wie es wäre, wenn du dich in meine Hände begibst?«

Das war echt unheimlich. Schnell setzte ich mich hoch und sah mich um. Ein mulmiges Gefühl in meiner Magengegend beschlich mich. Wie konnte er das jetzt wissen? War er vielleicht ein Stalker, der Kameras in meiner Wohnung installiert hatte? Gut, das schien mir etwas weit hergeholt, vielleicht hatte ich doch schon zu viele Serien auf Netflix gesehen. Dennoch verunsicherte mich seine Nachricht. Skeptisch blickte ich auf mein Display und las seine Worte. Vielleicht war ja meine Handykamera gehackt worden? Ginge so etwas überhaupt? Ratlos blickte ich auf die vordere und die hintere Kamera. Langsam überkam mich das Gefühl, dass er als Dom einfach echt gut war. Er schien vielleicht wirklich zu verstehen, wie ich tickte? Also gut, ich beschloss, mich darauf einzulassen und mitzuspielen.

»Erwischt, Sir Christopher!« Prompt kam eine Antwort.

»Du wirst dich jetzt nicht befriedigen, mein Mädchen. Du wirst dich ab jetzt nur noch anfassen, wenn ich es dir gestatte. Heute Abend wirst du eine neue Aufgabe erhalten. Hat mein Mädchen das verstanden?«

Wie aus der Pistole geschossen antwortete ich:

»Ja, Sir.«

»Braves Mädchen«, lobte er und mir war, als würde ich seine Stimme hören.

Eigenartig, sehr eigenartig, das Ganze. Meine innere Rebellin wurde laut und wehrte sich gegen diese Art der Fremdbestimmung. Für einen winzig kleinen Augenblick wollte ich meine Hand wieder zwischen meine Beine schieben. Unsicher sah ich mich nochmals um, ließ es schließlich aber bleiben. Er würde es zwar nicht erfahren, aber dieser Gedanke, die Kontrolle abzugeben, kickte mich dermaßen, dass ich auf der Stelle nass wurde. Irgendwie erinnerte ich mich an einen Zeitpunkt bei Peer, als ich erst kommen durfte, nachdem er es mir erlaubt hatte. Dieser Nervenkitzel war für mich zum Zerbersten und kaum auszuhalten. Verzweifelt hatte ich versucht, mit Körperbeherrschung, Atemtechnik und abturnenden Gedanken das Unausweichliche hinauszuzögern. Bis er endlich die erlösenden Worte sprach und ich in tausend Einzelteile zersprang, nur um mich anschließend wieder wie neugeboren zu fühlen.

Gegen einundzwanzig Uhr lag ich ziemlich geschafft und müde auf der Couch. Im Fernsehen lief eine Tierdoku über Eisbären. Den Ton hatte ich ausgemacht. An Tagen wie diesen, wo mir hunderte Gedanken durch den Kopf sausten, mochte ich es, mich einfach von beruhigenden Natur- oder Tierbildern berieseln zu lassen. Das war so herrlich entspannend und unaufgeregt. Nur als der kleine Babyeisbär seiner Mama nicht nachkam und ständig wieder und wieder von dem steilen weißen Monstrum von Eisberg abrutschte, überkam mich eine kurze Gefühlsbewegung. Großes Aufatmen, als er seiner Mama so nah kam, dass sie ihn am Nacken packen konnte und sie wieder vereint waren. ›Mahhhh so schön‹, dachte ich bei mir.

Ich lag halb auf dem Sofa und halb auf dem Boden. Mein linker Arm und mein linkes Bein baumelten über die Kante. Mein Handy, das am Boden lag, hob ich immer wieder mal hoch, um zu checken, ob Sir Christopher geschrieben hatte. Er hatte mir ja mitgeteilt, dass ich am Abend eine neue Aufgabe von ihm bekommen sollte. Insgeheim hoffte ich, das wäre irgendetwas mit einem Orgasmus. Tatsächlich verhielt es sich so, dass wenn man etwas nicht tun sollte, man ständig genau an dieses Eine denken musste. Mein Womanizer war aufgeladen und bereit, mir Erleichterung zu verschaffen. Doch weit und breit keine verdammte Nachricht von Sir Christopher. Meine Lider waren bereits schwer wie Blei. Nur mit Mühe konnte ich meine Augen noch offenhalten. Doch keinesfalls wollte ich die Nachricht und meine Aufgabe verpassen. Also setzte ich mich hoch und tätschelte mich mit beiden Händen fest an meinen Wangen, um mir wieder etwas Leben einzuhauchen. Doch das half herzlich wenig. Aus der Küche holte ich mir ein Glas kaltes klares Wasser. Doch auch der Versuch, mein Gesicht mit kühlem Wasser zu erfrischen, vermochte die Schwere um meine Augen nicht zu vertreiben. ›Na gut‹, dachte ich mir. Die letzte Nacht war viel zu kurz und was ich viel dringender brauchte als einen Höhepunkt, war eine Mütze voll Schlaf. Deshalb beschloss ich, es gut sein zu lassen, nahm mein Handy, stapfte ins Schlafzimmer und schaltete das Licht ab. Der Vollmond strahlte so hell in meine Wohnung, dass ich überlegte, die Vorhänge zuzuziehen. Doch er wirkte so beruhigend auf mich. Außerdem hatte ich eine bessere Orientierung, wenn ich nachts wach wurde und zur Toilette musste. Bei Mondlicht konnte ich immer im Blindflug und Halbschlaf ins Badezimmer watscheln und hatte danach keine Mühe, wieder einzuschlafen.

Gerade als ich mich so richtig in mein Kissen gekuschelt hatte und mein Handy auf lautlos drehen wollte, erhielt ich überraschenderweise doch noch eine Nachricht von Sir Christopher. Eigentlich war ich schon viel zu müde, sie zu lesen. Eben deswegen zögerte ich, ob ich sie mir noch ansehen sollte. Ich musste nicht dreimal raten. Mit kleinen, vom hellen Display geblendeten Augenschlitzen versuchte ich, mich an das Licht zu gewöhnen, als ich nach seiner Nachricht blinzelte.

»Guten Abend, mein Mädchen. Ich weiß, du warst folgsam und hast auf meine Nachricht gewartet. Als

Belohnung habe ich folgende Aufgabe für dich. Du wirst dich gleich für mich befriedigen und dabei von hundert rückwärts zählen. Wenn du bei null angekommen bist, darfst du deinen Höhepunkt genießen. Aber eben nur dann. Wenn du dich verzählst, beginnst du wieder von vorn. Natürlich wirst du das Geschehen aufnehmen (nur Ton, kein Video) und mir anschließend als Beweis deiner Folgsamkeit schicken.«

Diese Nachricht brachte mich von null auf hundert. Ich musste meine Oberschenkel fest aneinanderpressen, weil sich alle Energie genau in meinem Schritt zu sammeln schien. Total fasziniert von seiner Bestimmtheit und seiner Aufgabe wälzte ich mich unruhig hin und her. Konnte ich mich trotz meiner Müdigkeit noch zu dieser doch sehr anspruchsvollen Aufgabe überwinden? Wenn diese Aufgabe schon so speziell war, was würde dieser Mann sonst noch mit mir anstellen? Zum ersten Mal wurde mir so richtig bewusst, Dom war nicht gleich Dom. Da ich eine App für die Aufnahme von Memos hatte, dachte ich mir, warum nicht. Wahrscheinlich würde ich jetzt bestimmt nicht einschlafen können, ohne mir Erleichterung zu verschaffen. Darum drückte ich auf Aufnehmen, positionierte mich bequem und begann mich langsam zu streicheln, während ich von hundert rückwärts zählte. Das gestaltete sich schwieriger, als ich mir gedacht hatte. Entweder ich verlor den Fokus aufs Zählen und wenn ich richtig zählte, dann konnte ich meiner Klitoris nicht die notwendige Aufmerksamkeit schenken.

Zu Beginn war ich noch mucksmäuschenstill. Zu wissen, dass jemand sich mein Gestöhne anhören würde, war mir unangenehm. Zwischen sechzig und fünfzig verzählte ich mich zwar, war aber nicht mehr gewillt, wieder von vorn zu beginnen. Jetzt hatte mein Lustknopf das Kommando übernommen. Ich vergaß das Handy und meine Aufgabe, stattdessen schob ich mein Becken vor und zurück, als würde Sir Christopher sein Gesicht zwischen meinen Schamlippen vergraben. Keine Ahnung, ob ich noch richtig zählte. Alles passierte einfach, ohne nachzudenken. Irgendwo bei zehn verlor ich endgültig die Orientierung. Meine verkrampften Zehen gruben sich ins Leintuch und mein Rücken wölbte sich nach oben. Der bisher verwehrte Orgasmus bahnte sich an und mein Herz begann, wie wild zu klopfen. Unter meinem Po bildete sich ein nasser Fleck und ein langer, ausgedehnter, nicht überhörbarer Seufzer verließ meinen Körper. Mein Kopf war ganz heiß geworden, als mein Körper erschöpft und friedvoll wieder zurück auf die Unterlage sank. Da lag ich nun, atmete schwer und hatte ein Grinsen im Gesicht. Mit seinem sanften Licht umspielte der Mond meine gespreizten Beine. Die Nässe auf meinen Fingern glitzerte durch das silberfarbene Licht wie Feenstaub. Allmählich hörte mein Körper auf zu pulsieren, langsam kam er zur Ruhe. Ich drückte nur noch schnell die Stopptaste, drehte mich befriedigt zur Seite und schlief den Rest der Nacht tief und fest.

Am nächsten Tag verschlief ich und kam auch zu spät zur Arbeit. In meiner Hingabe hatte ich ganz vergessen, meinen Wecker zu stellen. In der Mittagspause schickte ich nach langem Zögern Sir Christopher meine Voice-Nachricht. Nachdem ich auf Senden gedrückt hatte, kribbelte es in meiner Magengegend und ich wurde total unsicher. Die restliche Pause starrte ich ruhelos auf die beiden Häkchen im Chat, die bestätigen sollten, dass er die Nachricht erhalten hatte. Nichts. Er war nicht online. Vermutlich war er genau wie ich in der Arbeit, dachte ich mir.

Der Nachmittag verging ebenfalls wie im Flug. Ein paar Kundengespräche verschafften mir die nötige Ablenkung. Nach Feierabend sauste ich noch schnell in ein Geschäft, um ein paar Lebensmittel einzukaufen. Zu Hause kochte ich mir eine Misosuppe und hörte mir einen interessanten Podcast über sexuelle Vorlieben an. Das Gefühl, nicht ganz richtig zu sein, beschlich mich immer wieder mal. Deshalb suchte ich nach Bestätigung, doch der Podcast stellte sich dann als sehr oberflächlich heraus. Ich igelte mich mit Kissen und Decke auf meiner Couch ein, im Schoß die wärmende Suppe, während im Fernsehen eine Tierdoku ohne Ton lief. Das Handy war auf einem Polster zu meiner Rechten positioniert. Mein Ritual nach einem langen Arbeitstag. Was das betraf, war ich sehr vorhersehbar. Während ich die heiße Suppe laut schlürfte, scrollte ich durch Insta und Co und öffnete immer wieder den Chat mit Sir Christopher. Mittlerweile hatte er meine Nachricht gesehen. Aber weshalb hatte er sich noch immer nicht gemeldet? Bestimmt, weil ich meine Aufgabe nicht recht erfüllt hatte. Oder fand er mein Gestöhne vielleicht nicht erotisch? Oder war es, weil ich die Nachricht erst heute Mittag abgeschickt hatte? Höchstwahrscheinlich hatte er die halbe Nacht darauf gewartet und war jetzt sauer auf mich. Unartige Sub! Ein ungutes Gefühl beschlich mich. Da dieser Mann mich mehr faszinierte, als ich mir zu Beginn eingestehen wollte, überlegte ich scharf, wie ich das wieder geradebiegen konnte. Mein Bauchgefühl sagte mir, dass ich mit Sir Christopher ein neues Kapitel als Sub aufschlagen würde. Er würde mir Dinge zeigen, die ich nicht mal zu erträumen wagte. Aus diesem Grund stellte ich meine Suppentasse zur Seite, entwirrte mich aus der Decke und ging ins Schlafzimmer. Dort kramte ich in meiner geheimen Lade im Kleiderschrank nach meinem Lieblingsspielzeug, dem Womanizer. Ich nannte meinen Womanizer Karl.

Wie er zu diesem Namen kam, war wieder so eine Rauschaktion mit Anna. Nachdem ich mir das tolle Teil im Sexshop gekauft hatte, erzählte ich ihr ganz euphorisch von diesem Wunderding. Vor allem, wie schnell und unkompliziert Frau damit ihr Ziel erreichen konnte. Darauf meinte sie, dass ich davon erzählte, als hätte ich mit dem Ding eine Beziehung. Damit hatte sie nicht ganz unrecht. ER und ich hatten sogar fast jeden Tag ein sehr intimes Techtelmechtel. Also hatten wir meinem Spielzeug einen Namen gegeben, um jederzeit ganz unauffällig darüber reden zu können. Warum die Wahl auf Karl fiel, weiß ich nicht mehr so genau. Aber seitdem ist

Karl mein treuer Begleiter. Jetzt sollte Karl mein
Verbündeter werden, um Sir Christopher zu beeindrucken. Ich wollte die gestellte Aufgabe nochmals
zu seiner Zufriedenheit zu Ende bringen. Aus diesem Grund wollte ich die Sache einmal mehr mit
dem nötigen Ernst in Angriff nehmen. Ich legte
mich ganz nackig ins Bett, zog aber die dicke Dau-
nendecke bis zum Nabel. Schließlich sollte Sir
Christopher nur mich und meine Ekstase hören,
keinesfalls aber Karls Surren. Die Aufnahmetaste
war gedrückt und ich begann zu zählen, während
Karl mich mit seiner sanften Vibration verwöhnte.
Bei zweiundsiebzig verzählte ich mich zum ersten
Mal und begann erneut von hundert rückwärts zu
zählen. Verdammt! Das war gar nicht so einfach.
Beim zweiten Anlauf schaffte ich es bis neunund-
vierzig. Meine Klitoris war bereits geschwollen und
ganz hart. Mir wurde klar, wenn ich mich noch öfter
verzählte, dann würde mein Höhepunkt bereits vor
der null sein Debüt feiern. Deshalb wählte ich nun
die niedrigste Stufe, die Karl zu bieten hatte, und
begann nochmals von vorn. Dieses Mal atmete ich
zu Beginn ganz tief und ruhig. Die Zahlen kamen
mir ganz leicht über meine Lippen. Die Augen geschlossen und auf die Zahlen fokussiert zählte ich
ohne große Mühe runter bis zwanzig. Jetzt konnte
ich es schaffen. Dreimal drückte ich auf den Knopf
von Karl, um dessen Intensität zu erhöhen. Unser
Zusammenspiel funktionierte jetzt tadellos. Bei
zehn spürte ich bereits, wie all meine Energie sich
in meiner Mitte sammelte. Nun konnte ich die Zahlen nur noch hauchen, während sie vor meinem

geistigen Auge zu tanzen schienen und ineinander verschmolzen. Genau so, wie ich jetzt mit Sir Christopher verschmolz. Bei vier sagte ich: »Für dich, Sir Christopher.« Bei drei stöhnte ich »Fuck«. Bei zwei ließ ich die Welle wie einen reißenden Fluss durch meinen ganzen Körper rauschen. Eins. Null. Die Welle schlug wild und hoch, bis in meine Haarspitzen konnte ich sie verspüren. Dieser Orgasmus dauerte ungewöhnlich lange, bis das Ziehen in meinem Unterleib so stark wurde, dass ich die Decke zwischen meine Knie presste und mich auf dem Bett hin und her wälzte. Seufzend, stöhnend und vor Überwältigung kichernd blieb ich schließlich auf dem Bauch liegen. Mit meiner rechten Hand tastete ich nach meinem Handy, um die Stopptaste zu drücken. Plötzlich fing ich an zu lachen, ich strampelte mit den Beinen so fest gegen die Matratze, dass das ganze Bett wackelte. Wie ein Nachbeben jagten Glücksgefühle und Emotionen durch mich hindurch und ich wusste nicht, wohin damit. In freudiger Erregung war ich augenblicklich bereit, diese Voice-Nachricht mit ein paar Worten an Sir Christopher zu schicken.

»Guten Tag, Sir Christopher. Gestern war ich schon viel zu müde, deshalb war meine Aufgabe wohl nicht zu deiner Zufriedenheit. Stimmts?! Zumindest deute ich dein Schweigen so. Um dir zu zeigen, dass ich durchaus interessiert bin, schicke ich dir noch eine Voicemail und hoffe, damit bist du milde gestimmt. Dein Mädchen.«

Meine Hände zitterten, als ich die Nachricht abgeschickt hatte. Am liebsten hätte ich jetzt Anna angerufen, doch sie war mit Robert spontan verreist. Die beiden liebten Städtetrips. Dabei wollte ich auf gar keinen Fall nerven. Anna hätte bestimmt nichts dagegen gehabt, aber ich respektierte Robert. Inzwischen war es ein unausgesprochenes Gesetz, dass ich mich ausklinkte, wenn sie verreist waren. Folglich musste ich mich anderwertig ablenken, bis Sir Christopher mir antwortete. Und ich hoffte so sehr, dass er das auch tun würde. In der Zwischenzeit nutzte ich die geladene Energie, um meine Wohnung auf Vordermann zu bringen. Ich putzte wie ein kleiner wildgewordener Teufel zuerst mein Bad, dann die Toilette und dann noch alle Türen und sogar die Küchenfronten. Dazwischen checkte ich gefühlt alle zwei Minuten mein Handy auf Nachrichten. Nichts. Wieder hatte er meine Nachricht gelesen, vermutlich auch angehört, aber ich bekam keine Antwort. Das machte mich fast wahnsinnig.

An diesen Abend war es bereits spät geworden, doch auf einen Weihnachtsputz hatte ich mitten im Frühling keine Lust. Deshalb versuchte ich, die ganze Sache etwas entspannter anzugehen, indem ich mir einredete, dass er sich schon melden würde, wahrscheinlich gerade keine Zeit hatte und überhaupt lag es bestimmt nicht an mir. Die ganze Wohnung roch scharf nach Essigreiniger, weshalb ich ein paar Duftkerzen mit Rosenduft angezündet hatte. Die beiden Duftnoten waren jedoch inkompatibel, sie rochen gemeinsam nach abgestandenem Salat, weswegen ich schnell alle Fenster zum Lüften öffnete. Als wäre ich dem Erstickungstod nahe, streckte ich meinen Kopf ganz weit aus dem

Fenster, um meine Nase vor dem beißenden Geruch zu retten. Gerade, als ich den zweiten tiefen Atemzug durch meine Nase nahm, war mir, als hätte ich den Nachrichtenton meines Handys gehört. Somit sog ich nochmals ganz viel frische, kühle Abendluft in meine Lungen, hielt den Atem an, sprintete schnell in die Küche, schnappte mir das Handy, um dann wieder zurück zum Fenster zu stolpern. Und ich stolperte wirklich, wobei ich mir meine rechte kleine Zehe an der Couchecke stieß. Fluchend und mit einer Atmung, als hätte ich Wehen, setzte ich mich unter das geöffnete Fenster. Plötzlich wurde mir schwer ums Herz. Bei Peer hatte ich mir nachts auch so heftig meine Zehen gestoßen. Schon war ich wie der Geist der Weihnacht wieder bei Peer und ging gedanklich durch sein Haus. Sein schiefes, verschmitztes Lächeln, seine Finger auf und in mir, seine feste Umarmung, sein schöner, harter Penis und überhaupt alles konnte ich vor meinem geistigen Auge sehen. Mein anderes Augenpaar füllte sich jedoch mit Tränen. Wie konnte er mir das antun? Mich einfach so zu ignorieren?! Manchmal hatte er so verliebt gewirkt. Seine Nachrichten vor unserem Treffen waren so wundervoll versaut, aber auch warm und herzlich. Und jetzt? Aus der Traum. Als wäre nie etwas gewesen. Das war nicht fair. Zu allem Überdruss ghostete mich nicht nur Peer, sondern auch Sir Christopher, für den ich mir bei meiner Aufgabe so viel Mühe gegeben hatte. Ich griff nach meiner kleinen Zehe, an der ich vorsichtig wackelte. Alles noch dran. Langsam stand ich auf und blickte aus dem Fenster.

Die Sterne waren in dieser Nacht besonders schön zu sehen.

»Das war's! Nie wieder lass ich das mit mir machen! Peer, Sir Christopher, ihr könnt mich mal!«, schrie ich in meiner Verzweiflung laut in die Finsternis hinaus.

»Habt ihr gehört! Das war's!«, verlieh ich dem Ganzen noch mal theatralischen Nachdruck.

Bing. Bing. Gleich zwei Nachrichten waren eingegangen.

»Ohhh nein, ohhh nein«, lachte ich, während ich etwas hysterisch meine Haare raufte. Das war nicht euer Ernst! Eine Nachricht von Peer und eine von Sir Christopher. – Hatten die beiden sich gegen mich verbündet? Kannten sie sich etwa? War das ein Test? Oder standen beide unter meinem Fenster und hatten meine Botschaft gehört, die an sie gerichtet war? Kopfschüttelnd stand ich mit verzerrten Lippen wie angewurzelt und ratlos im Raum. Wieder und wieder blickte ich auf das grelle Display. Gerade eben hatte ich mir noch ein Lebenszeichen von den beiden gewünscht und schon war ich damit überfordert. Langsam ließ ich mich an der Wand zu Boden gleiten, denn zum Lesen musste ich mich setzen. Meine kleine Zehe war inzwischen gruselig dick geschwollen und blau, aber das war mir gerade herzlich egal. Grübelnd saß ich mit einer Hand vor dem Mund völlig geflasht da. Unabhängig von meiner endgültigen Entscheidung war klar, am liebsten hätte ich beide Nachrichten auf der Stelle gelesen. Aber die Frage war, ob das taktisch klug war. Außerdem war ich auf Peer wirklich richtig sauer. Insge-

heim hatte ich jedoch Angst davor, dass er mir etwas Liebes geschrieben hatte und ich wieder ange-
rannt kommen würde. Er wusste genau um seine
Wirkung auf mich. Abgesehen davon hatte er sich
für immer in mein Hirn gebrannt. Allein seine
Stimme hätte mich in andere Dimensionen befördern können. Nicht auszudenken, was passieren
würde, wenn ich seine Hände auf meinem Körper
spüren könnte. Gedanklich schweifte ich schon wieder total ab. Peer hatte sich mir gegenüber wie ein
Arsch verhalten. Punkt. Mein Körper schien hingegen nicht dieselbe Sprache zu sprechen. Sofort fing
meine Mitte an zu kribbeln. Meine Zunge leckte
über die Lippen und meine Nippel standen parat
wie ein Paar Stiefel für den Ausritt. Mir wurde klar,
Peer hatte sich in jeder Faser meines Seins verewigt.
Vielleicht war es an der Zeit, meine Zellen mit neuen
Erfahrungen zu speisen? Deshalb öffnete ich als
Erstes die Nachricht von Sir Christopher.

»Schönen guten Abend, mein Mädchen. Du hast
deine Aufgabe wirklich sehr gut gemacht. Ich habe
gemerkt, dass du dich bemüht hast. Deshalb darfst
du ab jetzt beginnen, bei fünfzig rückwärts zu zählen. Bis morgen Mittag erwarte ich wieder deine
Nachricht. Sir Christopher«
Mein ganzer Körper wurde warm, heiß und
schmolz einmal mehr dahin. Gut, ich hatte mir
zwar etwas mehr erhofft, seine Nachricht wirkte
doch etwas nüchtern auf mich. Seine Worte klan-
gen in meinem Inneren ein bisschen unnahbar, fast
distanziert. Möglicherweise war aber genau diese

Distanz ganz gut, um mich nicht gleich wieder in ein Gefühlschaos zu stürzen. Mit Peer war es gleich steil bergauf gegangen. Er machte mir Komplimente, wollte alles von mir wissen und wir schrieben oft stundenlang, manchmal sogar über den ganzen Tag verteilt. Trotzdem hatte Sir Christopher etwas an sich, das mich faszinierte. Daher wollte ich auf jeden Fall dranbleiben und schauen, wie sich das entwickeln würde.

Über der Nachricht von Peer schwebte mein Zeigefinger lange. ›Draufklicken oder warten lassen‹, grübelte ich eine gefühlte Ewigkeit. Doch was machte ich mir vor? Klar war, ich konnte nicht länger warten, ihn also nicht länger zappeln lassen. Ich hätte in dieser Nacht sonst selbst kein Auge zugemacht. Also tippte ich auf unseren Chat.

»Hallo Maria, ich werde für die nächsten sechs Monate verreisen und nicht im Land sein. Du hast im Badezimmer Ohrringe liegenlassen, die werde ich dir per Post schicken. Kannst du mir bitte nochmals deine Adresse geben?Ich hoffe, dir gehts gut. LG Peer«

Ausnahmsweise törnte mich diese Nachricht von Peer nicht an.

»What a fuck!«, schrie ich lauthals durchs Zimmer. Er nannte mich Maria und nicht seine Kleine. LG Peer – was sollte das heißen? Sonst schrieb er immer »dein Herr« – das war's wohl?! Aus und vorbei! Scham und Schuldgefühle saugten mich förmlich in den Abgrund. Wie hatte ich nur glauben können, er könnte der Eine für mich sein?! Wenn schon nicht als Liebespaar, doch zumindest als Dom und Sub?!

Wütend und fassungslos bahnten sich Tränen ihren Weg. Gegen die Nachricht von Peer klang Sir Christophers Nachricht wie eine Liebeserklärung. Peer stieß mich mit einer so ungeheuren Wucht von sich weg, dass meine Seele einen Purzelbaum machte.

Mit einer kurzen, fuchsteufelswilden Bewegung wischte ich mit meinem Ärmel die Tränen aus meinem Gesicht. Jetzt fühlte ich mich wirklich erniedrigt und wie ein ungeliebtes Kleidungsstück von ihm fallen gelassen. In Rage tippte ich eine Antwort.

»Viel Spaß bei deiner Reise! Die Ohrringe kannst du wegwerfen, sind nicht echt.
LG Maria«

Am liebsten hätte ich geschrieben, die kannst du wegwerfen, so wie du mich weggeworfen hast. Aber im Grunde wollte ich jetzt nur noch meine Ruhe, denn ich fühlte mich wie betäubt. So viele Emotionen und Erlebnisse in so kurzer Zeit. Ich holte tief Luft und rappelte mich hoch. Im Raum war es bereits ziemlich kühl geworden, daher schloss ich zuerst die Fenster. Nachdenklich stapfte ich in die Küche, wo ich mir ein Glas Rotwein einschenkte, dazu eine Schüssel Chips. Jetzt wollte ich es mir nur noch gemütlich machen und eine Serie auf Netflix schauen, mich berieseln lassen und vergessen. Danach galt es noch, die Aufgabe von Sir Christopher zu erfüllen. Insgeheim hoffte ich, er würde mich überspielen, wie damals Kassetten überspielt werden konnten und mir beim Überspielen eine neue

Lieblingsmelodie verpassen. Denn im Moment kannte mein Körper nur die Melodie von Peer.

Mit Sir Christopher lief es immer besser, wie ich fand. Da seine Aufgaben spannend waren, beschlich mich das Gefühl, dass er mich langsam zu seiner Sub erziehen wollte. Er war nicht der große Redner, aber alles, was er sagte, war wohl überlegt und von einer Klarheit, die keine Fragen oder Zweifel übrig ließ. Auf seine ganz eigene Art gab er mir zu verstehen, dass ich ihm immer wichtiger wurde, ja, dass er mich mochte. Und auch ich war dankbar, dass er mich gefunden hatte. Obwohl wir nie miteinander telefonierten, sondern uns nur vom Chat kannten, fühlte ich mich bei ihm sicher. Sonst hätte ich ihm meine tiefsten Sehnsüchte, Fantasien nicht verraten können. Überhaupt erzählte ich ihm viel von meiner Vergangenheit und vertraute mich ihm an. Über sein Alter hatten wir nie gesprochen, aber die Fotos, die ich von ihm bekam, verrieten mir, dass er über fünfzig sein musste. Im Schätzen von Altern war ich nicht die Beste, deshalb hielt ich mich lieber zurück. Sir Christopher sah auf den Bildern groß und sportlich aus. Sein Haar war hellgrau, ebenso seine Augenbrauen und auch sein Bart, den er wie einen Henriquatre trug. Er war ein attraktiver Mann, der sehr viel Wert auf sein Erscheinungsbild legte und dasselbe auch von seiner Sub erwartete. Mir fiel auf, dass er an jeder Hand Edelstahlringe trug, genau wie eine schwere, auffällige Armbanduhr. Alles in allem war er ein toller, verlässlicher und sehr einfallsreicher Dom. Mit jeder Woche, die verging, fühlte ich mich immer wohler. Er hingegen genoss mein absolutes Vertrauen. Und auch er schien Vertrauen in mich gefasst zu haben, denn schließlich gab er mir nach und nach Einsicht in sein Privatleben. Nachdem er mir gesagt hatte, dass er verheiratet war, verstand ich seine Zurückhaltung. Ehrlich gesagt hatte ich deswegen auch Skrupel. Meine innere kritische Stimme wurde deswegen ziemlich laut und hielt einen Dialog mit meiner Mutter.

Innere Stimme: »Mit einem verheirateten Mann kann ich das doch nicht machen, das fühlt sich falsch an.«

Mutter: »Ja, mein Kind. Eine glückliche Familie zu zerstören ist schäbig.«

Innere Stimme: »Genau. Hör auf deine Mutter, du kleines Luder.«

Ich: »So, jetzt seid mal ganz leise, ihr zwei. Er ist ein erwachsener Mann und trägt für sein Handeln alleine die Verantwortung. Die trage nicht ich. Und überhaupt, wer weiß, ob er glücklich ist? Schließlich wollen wir nur unsere gemeinsamen Sehnsüchte ausleben.«

Mutter: »Du kannst dir das so schönreden, wie du willst. So etwas macht man nicht.«

Ich: »Und aus! Ich will eure Meinung nicht hören. Schließlich hab ich auch ein bisschen Glück verdient.«

Mutter: »Ttzzz. Du hast dir doch immer schon genommen, was du wolltest, ohne Rücksicht auf die anderen zu nehmen.«

Ab diesem Zeitpunkt erklärte ich die Diskussionsrunde für beendet. Und ich schmollte.

Trotz dieser Kritik, die mir auch begreiflich war, schrieben Sir Christopher und ich über die Sommermonate munter weiter. Wir hatten täglichen Kontakt und wurden immer intimer. Der Wunsch, uns zu treffen, wurde in uns beiden immer lauter. Also wurde die Idee geboren, uns in Regensburg zum ersten Mal gegenüberzustehen. Er hatte das Hotel ausgesucht, das unweit zur Donau und dem Stadtkern gelegen war. Jeder hatte sein Zimmer selber gebucht, um auf Nummer sicher zu gehen. Schließlich sollte sich jeder zurückziehen können, falls es – aus welchen Gründen auch immer – mit uns doch nicht so klappen sollte, wie wir uns das vorstellten. Freudig, aufgeregt und nervös fieberte ich diesem Tag entgegen.

Sir Christopher

Bereits ein paar Tage vor unserem Treffen spürte ich eine innere Unruhe und Unsicherheit, die sich mit einem Kribbeln in meiner Magengegend bemerkbar machte. Selbst mein Appetit, den ich normalerweise nur schwer zügeln konnte, schien verschwunden zu sein. Nicht, weil ich mich nicht auf ihn freute. Nein, sondern eben gerade, weil ich dem Wochenende freudig und neugierig entgegenfieberte. Nicht nur das Wetter, das ich täglich checkte, schien vielversprechend zu werden. Auch Sir Christopher war nochmal ein ganz anderes Kaliber von Dom, als Peer es war. Vielleicht lag das an seinem reiferen Alter? Viel eher vermutete ich jedoch, dass Sir Christopher durch und durch ein wahrer Dom war. Für ihn gab es nicht nur sexy Schreibereien, vielmehr noch waren ihm Disziplin, Gehorsam und Verlässlichkeit wichtig. Außerdem waren seine Ideen und seine Aufgaben für mich der pure Wahnsinn. Mit manchen Aufgaben fühlte ich mich sogar überfordert. Doch wenn ich ihm meine Ängste oder Sorgen offen schilderte, dann hatte er dafür immer Verständnis. Meistens gab er mir dann eine abgeschwächte Variante der Aufgabe oder überhaupt eine neue. Doch an eine seiner Anweisungen erinnerte ich mich gerne. Dabei musste ich einen Bleistift an beiden Enden so spitz wie nur irgend möglich anspitzen und ihn im Stehen zwischen meinen Oberschenkeln platzieren. Die spitzen Mienen bohrten sich bei der kleinsten Bewegung tief in meine Haut. Freilich war das noch nicht alles, denn wo bliebe da die Herausforderung? Während ich also im Stehen den Bleistift zwischen meinen Schenkeln fixieren musste, hatte ich die Instruktion, mich bis zum Orgasmus zu streicheln. Für den Fall, dass mir der Stift zu Boden purzeln würde, erwartete mich eine Strafe.

Den Stift hatte ich nicht fallen gelassen, allerdings hatten sich die Mienen während meines Höhepunkts so fest in mein Fleisch gebohrt, dass ich jetzt wohl für immer zwei tätowierte Punkte von Sir Christopher besaß. Auf die genauere Begutachtung dieses Überbleibsels freute er sich schon in höchstem Maße. Und ich erst.

Wenn ich mir nur vorstellte, wie seine Finger über die Innenseiten meiner Schenkel glitten ... wie seine Zunge die beiden Punkte berührte ... Ohh ja, dann befand ich mich sofort auf Wolke Sieben im Sub-Himmel. Falls es den gab.

Trotz meiner Euphorie hatte ich auch irgendwie Bammel. Zum einen hatte ich wirklich einen mega Respekt vor ihm und zum anderen beschlich mich dieses unsichere Gefühl, dass das kein nullachtfünfzehn Dom-Sub-Wochenende werden würde. Eher wohl ein mich an meine Grenzen bringendes Ereignis, nicht nur körperlich. Um ehrlich zu sein, ich hatte zu diesem Zeitpunkt tatsächlich überhaupt keinen Dunst, wie weit dieses intensive Spiel von Dominanz und Unterwerfung gehen konnte. Wer weiß, ob ich in dem Fall meine Komfortzone verlassen hätte.

Zwei Tage vor meiner Abreise hatte ich mir noch ein Paar schöne Strümpfe und Strapse gekauft. Außerdem gönnte ich mir ein schlichtes, dunkelblaues Negligé aus Satin mit Spaghettiträgern. Es endete etwa eine Handbreit über dem Knie und schloss mit einer wundervollen filigranen Spitze ab, die auf den ersten Blick wie kleine Sterne aussah. Das glatte, seidige, kühle Gefühl des Satins auf der Haut hatte etwas Betörendes und Unwiderstehliches.
Sir Christopher sollte die Hände nicht von mir lassen können. Das war mein Plan.

Am Abend vor meiner Abreise war ich mit Anna noch beim Italiener köstlich essen. Zumindest ich hatte etwas Köstliches, Annas Lieblingsessen waren Schnecken in Knoblauchsauce. Obwohl wir regelmäßig zu unserem Lieblingsitaliener gingen, konnte und konnte ich mich nicht an diesen Anblick gewöhnen. Beim Essen waren wir beide nicht sehr experimentierfreudig. Für mich gab es wie gewohnt Pizza mit Büffelmozzarella, Kirschtomaten und Rucola. Natürlich durfte ein Gläschen Lambrusco nicht fehlen. Giuseppe, der Kellner, schien immer zu arbeiten. Egal wann wir hier aufschlugen, er war immer da. Er war ein sehr liebenswerter, höflicher und freundlicher Mensch, der stets ein Kompliment auf den Lippen hatte. Das waren jedoch nicht einfach irgendwelche Floskeln. Er war sehr aufmerksam und überraschte uns jedes Mal mit seiner Beobachtungsgabe. Giuseppe war ein Mann, dem es auffiel, ob man die Haare frisch gefärbt oder geschnitten hatte. Ob man ein Kleid zum ersten Mal trug und sogar ob man gut oder schlecht gelaunt war. Er sah uns das alles an der Nasenspitze an. Daher war es nicht verwunderlich, dass wir unseren Stammtisch hatten und er uns das Gläschen Lambrusco schon servierte, bevor er uns höflichkeitshalber fragte, was wir essen wollten. Meist genügte ein kurzes Nicken, um zu bestätigen, was wir sowieso alle wussten. Eklige Schnecken, gleiche Pizza. Welche Überraschung!

Während Anna in den Schneckenhäuschen herumpulte, rümpfte ich bei jedem ihrer Bissen die Nase. Meine Pizza war ohnehin schon kalt geworden, weil ich so viel erzählte und quatschte. Erst als sie die übrige Knoblauchsauce mit dem Brot auftunkte, war ich so weit, mit meinem Essen zu beginnen. Also tauschten wir die Rollen und so hatte nun meine beste Freundin das Wort. Auf der einen Seite war sie fasziniert von meinen Erlebnissen und Erzählungen. Sie freute sich für mich. Auf der anderen Seite hatte sie immer große Sorge, ich könnte an einen Perversen oder Serienkiller geraten. Dieses Mal war sie etwas beruhigter, weil ich Sir Christopher in einem Hotel begegnen sollte. Für sie war ein öffentlicher Ort viel sicherer als ein Häuschen irgendwo in Wien. Dennoch gab ich ihr wieder alle Daten von Sir Christopher, die ich hatte, und nannte ihr den Namen des Hotels. Zur Feier des Tages tranken wir ein zweites Gläschen dieses süffigen Weines. Keinesfalls wollte ich mir anmerken lassen, dass ich selbst schon ziemlich rastlos war. Tief in meinen Eingeweiden spürte ich, dass ein Wochenende der Superlative vor mir lag.

Als ich zur Toilette ging, bedeute ich Giuseppe, dass ich zahlen wollte. Anna hasste es, wenn ich die Rechnung übernahm, aber manchmal wollte ich ihr einfach eine Freude machen und ihr meine Dankbarkeit für ihr offenes Ohr ausdrücken. Giuseppe war ebenfalls in Spendierlaune und verkündete, der Wein ginge aufs Haus. Dafür gab ich ihm so viel Trinkgeld, dass ich den Wein hätte gleich selber bezahlen können. Er bedankte sich mit einem breiten und strahlenden Lächeln und für einen kurzen Augenblick legte er seine Hand auf meine. Nebenbei meinte er im Flüsterton: »Bella, passen Sie gut auf sich auf. Grazie.« Er tätschelte nochmals meine Hand und schon im nächsten Augenblick wieselte er wieder flink zwischen den Tischen umher. ›Irgendwie seltsam‹, dachte ich bei mir. Als wäre er mehr als nur ein netter Kellner, der trotz seines Alters immer noch schwarze Haare trug. Zurück am Tisch umarmte ich Anna von hinten und drückte ihr einen dicken Schmatzer auf die Wange.

»Du hast schon wieder bezahlt! Das sollst du doch nicht tun«, versuchte sie mit ernster Miene zu sagen. Ganz gelang ihr das aber nicht. Ich wusste, dass sie sich insgeheim freute.

»So bin ich eben. Unverbesserlich.«

»Ja, ja, dein Sir Christopher wird dir die Flausen schon noch austreiben.«

Wir lachten beide laut und ernteten dafür ein paar genervte Blicke vom Nachbartisch. Die waren uns allerdings herzlich egal. Wir schnappten unsere Jacken, verabschiedeten uns von Giuseppe und auch die Sitznachbarn bekamen ein besonders freundliches Lächeln.

Am Parkplatz drückten wir uns nochmals ganz innig, als würden wir uns für eine Ewigkeit nicht sehen. Wir warfen uns noch einen stummen Blick zu. Keiner sagte mehr ein Wort und so verschwanden wir in unseren Autos.

Gerade als ich losfahren wollte, wurde mir richtig bewusst, dass ich morgen um dieselbe Zeit wahrscheinlich mit Sir Christopher im Bett liegen würde.

Schlagartig stieg eine fiese Panik in mir hoch. Mein Herz trommelte förmlich bis in meinen Hals. Auf einmal hatte ich richtig Schiss. Obwohl mir wie aus heiterem Himmel alle nur möglichen Horrorszenarien durch den Kopf schossen, war ich mir sicher, es durchzuziehen.

Am nächsten Tag für achtzehn Uhr waren wir in der Hotellobby verabredet. Unser Abenteuer sollte mit einem gemeinsamen Abendessen beginnen. Er stellte mir überraschenderweise auch keine Aufgabe. Nur – und das schienen alle Doms gemeinsam zu mögen – sollte ich kein Höschen tragen. Das war's.

Die Zimmer konnten ab vierzehn Uhr bezogen werden, weshalb ich beschlossen hatte, zwischen vierzehn und fünfzehn Uhr anzureisen, um mich dort zu akklimatisieren und nochmal frisch zu machen. Dieses Mal wollte ich mit meinem Auto anreisen und hoffte auf eine entspannte Verkehrslage. Um am nächsten Tag fit zu sein, ging ich früh zu Bett.

Die Anfahrt verlief ohne Probleme. Kein Stau. Keine Baustellen. Nur eine Pinkelpause. Und dank Navi war ich wie geplant gegen fünfzehn Uhr auf dem Parkplatz des Hotels. Noch war ich völlig entspannt. Meine große Aufregung von gestern hatte sich über Nacht in Luft aufgelöst. Sir Christopher hatte mir geschrieben, dass er erst knapp vor achtzehn Uhr anreisen werde. Also atmete ich tief durch, während ich mich einmal langsam im Kreis drehte, um mir einen Überblick zu verschaffen. Geschafft! Ich war da. Eine erfrischende Brise erdiger Herbstluft wehte mir um die Nase. Dadurch wurde mir kalt. Ich öffnete die Beifahrertür, um mir meine dunkelbraune Raulederjacke zu schnappen. Sie passte perfekt zu meinem Lieblingskleid für diese Jahreszeit. Ich trug ein seidiges knielanges Herbstkleid mit einem Muster aus bunten Blättern. Als ich es mir damals in meiner Lieblingsboutique gekauft hatte, war Anna mit. Sie meinte, damit könnte ich mich in jeden x-beliebigen Laubhaufen legen und niemand würde mich je finden, außer einem Igel vielleicht. Mir gefiel das Kleid, ich hatte diesbezüglich schon immer meinen eigenen Kopf. Außerdem überzeugte mich der tiefe, sexy V-Ausschnitt des Kleides, der zwar nicht zu viel verriet, aber definitiv Lust auf mehr machte. Mit meinem Dekolleté war ich noch nie geizig gewesen.

Meine Oma sagte immer: »Wenn eine Frau einen schönen Balkon hat, dann darf sie die Aussicht präsentieren.« Und immer kam ihr Nachsatz: »Und halte deine Nieren schön warm, sonst erlischt dein Feuer.«

Damit hatte ich nie was anfangen können. Die Erkenntnis erreichte mich erst, als ich zum ersten Mal bei einer TCM-Ärztin in Behandlung war. Die redete auch von Nieren und Feuer und Holzelement und was weiß ich noch alles. So ganz schlau bin ich auch daraus nicht geworden. Aber ich musste an meine liebe Oma denken. Sie war eine ganz eigenwillige, feine alte Lady, die das Herz am rechten Fleck hatte. Nur ihr Hang zur Dramaturgie war den meisten Menschen in ihrer Umgebung etwas zu anstrengend.

Damit ich es schön warm hatte, trug ich außerdem meine schwarzen Lederstiefel. Davon hatte ich zwei Paar. Eines hatte flache Absätze für den Alltag und Spaziergänge, während das andere Paar hohe Hakken hatte. Anna sagte dazu immer »Fick-mich-Stiefel«. Zugegeben, sie waren schon sehr extravagant, dafür sahen sie aber megasexy aus.

Folgenden Plan hatte ich spontan geschmiedet. Regensburg hatte zweifelsohne Charme. Nach der langen Autofahrt belebte die frische Luft meine müden Geister und ich wollte mir auch meine Füße vertreten. Deshalb beabsichtigte ich, nur schnell einzuchecken und meine Sachen aufs Zimmer zu tragen. Danach wollte ich Regensburg erkunden und ein gutes Kaffeehaus aufspüren. Also schnappte ich mir meinen Trolley aus dem Kofferraum und ging zielstrebig Richtung Hoteleingang.

Von außen erschien dieses Hotel etwas unscheinbar und nichtssagend. Dafür überraschte bereits die Hotellobby mit einer Größe und hohen Decken, die mich sogleich mit leuchtenden Augen staunen ließen. Modernes, zeitloses Design, dazu gaben warme, erdige Farben mir trotzdem ein heimeliges Gefühl.

Hinter der Rezeption stand eine ältere Dame, die sich gerade angeregt mit einem Pärchen unterhielt, dem sie eine Wegbeschreibung gab. Ebenso stand hinter dem Rezeptionstresen ein fescher junger Mann, der bereits mit einem freundlichen Grinsen im Gesicht auf mich wartete. Er fragte ganz höflich und mit einem leicht bajuwarischen Slang, was er für mich tun könne, bevor er meine Reservierung überprüfte. Während ich das Gästedatenblatt ausfüllte, fragte er mich, wie meine Anreise war, ob ich eine Anwendung im hoteleigenen Wellnessbereich buchen wollte, und betrieb höflichen Smalltalk. Als ich ihm das Datenblatt über den Tresen schob, reichte er mir meine Zimmerkarte und einen Lageplan.

»Wir heißen Sie sehr herzlichen willkommen. Falls Sie Wünsche haben oder irgendetwas benötigen, dann lassen Sie uns das bitte wissen. Ihr Zimmer erreichen Sie am besten über den Lift gleich hier rechts neben der Rezeption. Bitte steigen Sie im zweiten Stock aus, Ihre Zimmernummer ist die 227. Wir wünschen Ihnen einen schönen Aufenthalt! Ahja, das Frühstück sowie das Abendessen finden hier links in unserem Restaurant mit Wintergarten statt. Ich wünsche Ihnen noch einen schönen Tag!«

»Ich danke Ihnen, sehr freundlich«, antwortete ich etwas lauter, da ich bereits ein paar Schritte in Richtung Lift gegangen war.

Mir kam es fast so vor, als wäre ich über diesen auf Hochglanz polierten Steinboden geschwebt. Eine unbändige Fröhlichkeit, vermischt mit schmetterlingsgleicher Leichtigkeit schien mich zu durchfluten. Mit einem aus tiefster Erfüllung empfundenen Lächeln stieg ich in diesen Aufzug. Ab jetzt ließ ich den Alltag hinter mir. Ich war bereit, in eine Welt voller Leidenschaft und Hingabe abzutauchen, um mir die heftigsten Orgasmen bescheren zu lassen und auch, um ihm zu dienen, wie ich es zuvor noch nie getan hatte. Er würde bestimmt mehr Wert auf meinen Gehorsam und mein Verhalten legen, als Peer es getan hatte. Sir Christopher legte Wert auf Etikette und gutes Benehmen. Er war sehr belesen, schließlich war er Dozent für Germanistik an einer angesehenen Uni. Mir fiel auf, dass auch er eine Affinität zur Kunst hatte. Vielleicht war das so ein Dom-Ding? Doch ich kannte ja nur Peer und Sir Christopher, also war das wahrscheinlich Zufall. Für Sir Christopher spielte Kunst jedenfalls eine sehr wichtige Rolle. Soweit ich bisher mitbekommen hatte, sammelte er Bilder und Werke gewisser Künstler. Mein Wissen über Kunst beschränkte sich lediglich darauf, ob mir etwas gefiel oder eben nicht. Bis vor einem halben Jahr hatte ich mit Kunst noch keinerlei Berührungen gehabt.

Angekommen im zweiten Stock stieg ich aus und folgte der Beschilderung. Der lange Gang zu den Zimmern lag im Dunkeln, aber mit Betreten des Flurs ging automatisch das Licht an. Hier war alles ganz klassisch mit grünfarbenen samtigen Teppichen ausgelegt. Das fand ich ganz praktisch, so hörte man nachts oder am frühen Morgen nicht ständig die Stöckelschuhe der Gäste klappern. Mein Zimmer mit der Nummer 227 befand sich fast am Ende des Korridors. Vor der Türe angekommen stellte ich meinen Koffer ab, um mit meiner Karte zu öffnen. Als ich kurz abgelenkt war, weil plötzlich das Licht ausging, fiel mir die Zimmerkarte aus der Hand und segelte zwischen meinen Füßen zu Boden. Beim Versuch, mich danach zu bücken, verteilte ich auch noch den gesamten Inhalt meiner Handtasche auf dem Teppichboden. Zu allem Überfluss fielen mir auch noch meine Haare wie ein Vorhang vors Gesicht. Irritiert verlor ich das Gleichgewicht und zack – saß ich inmitten von Schminkzeug, Taschentüchern, Handy, Kugelschreibern, Tampons und was Frau sonst noch so alles mit sich in der Handtasche herumschleppte. Gerade als ich mit meiner rechten Hand unter meinem Gesäß nach der Zimmerkarte herumtastete, ging das Licht wieder an.

›Zum Glück‹, dachte ich mir, schnell alles einsammeln und aufstehen, bevor noch jemand mein Missgeschick mitbekommen sollte. Doch plötzlich tauchten schwarze Schuhe in meinem Blickfeld auf. Hastig versuchte ich, mir die Haare aus dem Gesicht zu streichen, aber sie waren nun mal überall. So sehr ich meine lange Mähne in gewissen Situationen liebte, so sehr war sie mir in anderen Momenten echt lästig. Bei Wind zum Beispiel oder eben gerade in diesem mehr als peinlichen Augenblick. Nervös und gestresst versuchte ich, alle Habseligkeiten in meine Tasche zu stopfen. Noch bevor ich erkennen konnte, wer sich da angeschlichen hatte, griff ich nach der Hand, die sich mir gerade entgegenstreckte. Eine sehr kräftige und große Hand, wie mir schien. Nach einem stabilen Zug nach oben stand ich schnell wieder aufrecht. Kopfschüttelnd und prustend beseitigte ich das restliche Haar aus meinem Gesicht.

Die andere Hand schien mich währenddessen nicht loslassen zu wollen, sagte aber kein Wort. Mir stokkte der Atem und mein Blut schien in meinen Adern zu gefrieren. Wie zu einer Salzsäule erstarrt blickte ich in SEINE Augen. Wahrhaftig! Er stand vor mir. Sir Christopher, wie er leibte und lebte. Viel größer, als ich ihn mir vorgestellt hatte. Und viel attraktiver, als ich mir in meinen kühnsten Träumen ausgemalt hatte. Ich bekam keinen einzigen Ton über meine Lippen. Auch er sprach kein einziges Wort. Seine stahlblauen Augen strahlten mich an und zogen mich in ihren Bann. Die Zeit und alles um uns herum schien stillzustehen. Erst als das Licht abermals ausging, nahm ich einen tiefen Atemzug. Tatsächlich hatte ich vergessen, zu atmen. Mit seiner freien Hand führte er eine ruhige Bewegung über seinen Kopf. Schon funkelten wir uns wieder an. Obwohl keiner von uns ein Wort sprach, schienen wir uns alles zu sagen. Plötzlich machte er einen großen Schritt zu mir. Aufgrund seiner Größe hob ich meinen Kopf, um ihm ins Gesicht zu blicken. Irgendwie fühlte ich mich klein. Seine große Gestalt wirkte bedrohlich, was mich innerlich sofort zum Beben brachte. Mein Blut, meine Lust, alles schien in mir zu zirkulieren und dabei mein Sprachzentrum außer Gefecht zu setzen. Einen Moment lang musste ich an meine erste Begegnung mit Peer denken, auch bei ihm waren meine Lippen zuerst versiegelt. Sir Christophers Blick hingegen wirkte sanft, vertraulich sogar, weshalb ich mich im selben Moment auch geborgen und beschützt fühlte. Als würde er leise knurren, kam er mit seinem Gesicht dem meinen so nah, dass ich seinen heißen Atem auf meiner Wange spüren konnte. Er sog ganz tief Luft durch seine Nase, als würde er mich einatmen wollen. Währenddessen donnerte mein Herz in meiner Brust wie eine Trommel. Sämtliche Härchen auf meinen Armen streckten sich ihm wie kleine Fühler entgegen. Gänsehaut überzog meinen gesamten Körper. Als er mir noch näher kam, musste ich einen Schritt zurückweichen und noch einen Schritt, bis ich vor Erregung schwer atmend an der Zimmertür lehnte. Der Griff seiner Hand lockerte sich, aber nur, um nun mein Handgelenk fest und bestimmend zu umgreifen. Mit der anderen Hand öffnete er mit meiner Karte die Zimmertür. Er musste die Karte vor mir vom Boden aufgehoben haben. Ich konnte mir das nicht erklären, denn alles ging so schnell und gleichzeitig irgendwie ganz seelenruhig. Erregt und verwirrt versuchte mein Verstand, diese Situation wie auch immer einzuordnen. Doch mein Köpfchen hatte Pause. Jetzt war mein Lustzentrum an der Macht und das hatte offenbar alle anderen Funktionen auf Standby geschaltet. Noch immer war kein Wort gesprochen. Unsere Augen kommunizierten und ich verstand jeden seiner eindringlichen Blicke, jedes Zwinkern, jedes Lächeln seiner Augen. Ebenso verriet mir sein Gesichtsausdruck, dass er mein Einverständnis wollte, bevor er mit mir in mein Hotelzimmer ging. Mit einem kurzen, sanften Kopfnicken von meiner Seite und einem demütigen Blick nach unten war auch der nächste Schritt ins Unbekannte geebnet.

Während sein fester Griff um mein Handgelenk mich führte, wurden meine Knie immer weicher. Sanft drückte er mich an die Holzpaneele des Vorzimmers. Augenblicklich wusste ich, was er jetzt von mir wollte. Genau hier sollte ich warten. Ohnehin unfähig, mich irgendwie zu bewegen, zitterte ich vor Aufregung am ganzen Körper. Durch sein charismatisches Auftreten, gepaart mit einem prickelnd frischen und verführerischen Duft nach Sandelholz und Mandarinen, tauchte ich augenblicklich ab in die Welt des Sir Christopher. Ohne mich aus den Augen zu lassen, trug er meinen Trolley ins Zimmer. Danach hob er die letzten verstreuten Dinge aus meiner Handtasche auf und legte sie auf den kleinen Tisch neben dem Fernseher, bevor er sich wieder ganz mir zuwandte. Sir Christopher war die Ruhe selbst. Jeder Schritt, jede Handbewegung war gelassen, in sich ruhend und zugleich strotze sie nur so von Selbstbewusstsein. Allein diese Beobachtungen brachten mein Innerstes in brodelnde Wallung. Er war durch und durch ein Alphamännchen, der geborene Anführer. Souverän, nicht arrogant oder stolz, aber entschlossen. Völlig paralysiert stand ich noch immer angelehnt an der Stelle der Wand, an der er mich abgestellt hatte. Mit großen Augen und schwerem Atem starrte ich ihn an. Mit jedem Schritt, den er mir näherkam, spürte ich diese ungeheure Spannung, ein gewaltiges Knistern, als würden gleich die Funken fliegen. Konnte ich mich nicht bewegen oder traute ich mich nicht zu bewegen? Diese Frage beschäftige mich, als er sich wieder groß und hautnah vor mich stellte. ›So ein schöner Mann‹, dachte ich mir noch, bevor mein Blick sich demütig senkte und sein unwiderstehlicher Duft wieder in meine Nase strömte. Mein Verstand rebellierte gegen das überflutende Verlangen, mich ihm auf der Stelle hinzugeben. Auch wenn ich das niemals gewagt hätte, hätte ich mich ihm am liebsten um den Hals geworfen und ihn wie eine hungrige Hündin bestiegen. Weshalb ließ Dominanz mich so schwach werden? Und warum hatte ich das erst so spät entdeckt?

Mit Daumen und Zeigefinger umgriff er mein Kinn und hob meinen Blick. Seine Lippen schienen vor mir zu schweben. Dabei hörte ich zwar, dass er etwas zu mir sagte, doch ich starrte ihn nur an und wollte ihn küssen.

»Hallo, mein schönes Mädchen«, strahlte er mich an.

Schon wieder konnte ich nicht sprechen. Was zum Teufel war bloß los mit mir? Warum waren meine Lippen immer wie versiegelt, wenn ich vor einem Dom stand? Ich befahl meinen Gehirnwindungen, endlich wieder ihre Arbeit zu tun. Ich schüttelte mit kurzen Bewegungen meinen Kopf, um meinen Befehl zu untermauern.

Sir Christopher musste schmunzeln.

»Alles gut, mein Mädchen? Süß, wie du neben dir stehst. Ja, ich bin es wirklich. Soll ich dich kneifen?«
»Ja«, hauchte ich wie ein kleines Mädchen aus meinem Mund, ohne ihn wirklich zu bewegen.

Ohne zu überlegen, kniff er in meine linke Brustwarze, die sich unter dem Kleid abzeichnete und sich ihm förmlich entgegenstreckte. Vom eigenen Körper verraten funkelte ich ihn mit einem finsteren Blick an.

»Aua! So war das aber nicht gemeint«, zischte ich etwas aufmüpfig.

Auch wenn es mir gefiel, fand ich es dennoch etwas frech. Wir standen uns zum ersten Mal gegenüber und er zwickte mich gleich in meinen Nippel! Ein Kuss wäre angemessener gewesen, dachte ich mir.

Meine Beschwerde löste prompt eine Reaktion aus. Mit seinem ganzen Gewicht drückte er sich nun gegen mich, sodass ich das kalte Holz der Paneele in meinem Rücken spürte. Das war jedoch nicht das Einzige, das ich fühlen konnte. Sein Oberschenkel berührte plötzlich meine Scham. Seine linke Hand wanderte von meiner Hüfte aufwärts zu meinem rechten Nippel. Doch bevor er zupackte, sagte er noch:

»Mein schönes Mädchen, ich will nachsichtig sein mit dir. Ich habe jedoch bestimmte Ansprüche, die du nach und nach kennenlernen wirst. Allerdings lasse ich lieber Taten sprechen, als lange zu erklären. Daher können manche Lektionen durchaus erfreulich schmerzlich sein. Verstehst du das?«

Verdattert und mit einem gewissen Unbehagen irrten meine Augen nach Halt suchend im Raum umher. Er bemerkte meine Unsicherheit.

»Maria, ich werde immer deine Grenzen wahren und dir nur so viel zumuten, wie ich denke, dass es angemessen ist. Du bist bei mir sicher, das verspreche ich dir. Doch du wirst einiges lernen müssen« ,schloss er mit einem sanftmütigen Lächeln und neigte seinen Kopf auf meine Augenhöhe, als würde er in meinem Gesicht etwas suchen.

»Ja, mein Herr«, antwortete ich aus einer gewissen Gewohnheit heraus.

»Ja, Sir Christopher, oder Ja, Sir, möchte ich ab jetzt bitte als Antwort hören.«

»Ja, Sir«, erwiderte ich sofort.

Allerdings musste ich mir das Lachen verkneifen. Ich erinnerte mich an den Abend mit Anna, als wir unseren Lachflash hatten und wie kleine Soldaten salutiert hatten, wenn wir »Sir Christopher« sagten. Zum Glück konnte ich mich jetzt beherrschen. Zu diesem Zeitpunkt vermochte ich ihn überhaupt nicht einzuschätzen. Schon gar nicht konnte ich ermessen, welche Folgen ein solches Verhalten gehabt hätte. Lieber nicht zu viel riskieren. Bei Peer ging es beim Sex eher um die Spielerei. In diesem Punkt wollte er seine Dominanz ausleben. Sir Christopher hingegen schien einen anderen Zugang zu haben. Welcher das war und wie sich das auf mich auswirken würde, genau das wollte ich herausfinden.

Mit Genuss zwirbelte er nun auch noch meine rechte Brustwarze zwischen seinen Fingerkuppen. Mit Mühe versuchte ich, mein Pokerface zu wahren.

Doch er drehte so lange, bis ich mir auf die Lippen biss und die Augen zukniff.

»Ich sehe schon, mein Mädchen hat Durchhaltevermögen«, grinste er amüsiert.

»Ja, Sir«, entgegnete ich keck.

»Gut, das wirst du auch brauchen, mein Mädchen.« Während er das sagte, wanderte seine Hand hinauf zu meinem Hals und dann mit Nachdruck in meinen Nacken. Sein Gesicht kam mir wieder nah, aber ohne mich zu berühren. Seinen heißen Atem konnte ich an meinem Ohr spüren. Er roch an meinen Haaren, während er zugleich seinen Oberschenkel noch etwas fester in meine Mitte drückte. Als mein Kopf in meinen Nacken fiel, machte er eine unsanfte Begegnung mit der Holzverkleidung. Genüsslich fuhr Sir Christopher sich über die leicht stoppelige Wange. Sein silbergraues Haar glänzte, während sein eisblauer Blick mein Blut in den Adern gefrieren ließ. Ich stöhnte und fiepte laut, als er mich plötzlich am Hals packte und seine Zunge wie einen Dolch in meinen Mund rammte. Mit diesem besitzergreifenden Kuss schien unsere Verbindung bekräftigt zu sein. Seine Zunge war weich und nass und schien meiner Zunge den Ton anzugeben. Unsere Spitzen umspielten sich nicht, sondern führten eher ein Ringen um die führende Rolle. Spätestens als er seinen Griff für Augenblicke lockerte und seine Finger über mein Gesicht und mein Kinn krochen, um anschließend nochmals besitzergreifend meinen Hals zu packen, war alles gesagt. Jetzt gehörte ich ihm und ich hatte zu gehorchen.

Jeglicher Widerstand war zwecklos. Allerdings lag gerade darin auch der Reiz.

Nun wurde mir schlagartig klar, bei ihm musste ich mindestens dreimal überlegen, ob es klug war, Widerstand zu leisten. Normalerweise war ein Kuss das Symbol von Romantik und Intimität. Dieser Kuss hingegen schmeckte nach Dunkelheit und Leidenschaft. Mit diesem Kuss hatte Sir Christopher mich mehr in Besitz genommen als jeder Mann vor ihm. Als er sich aus meinem Mund zurückzog, schnaubte ich nach Luft wie eine rossige Stute. Unsere Lippen glänzten, sie trugen den Geschmack von Kaffee und ein Versprechen auf mehr. Er wich einen Schritt zurück und betrachtete mich von oben bis unten wie ein Kunstobjekt. Im Unterschied zu ihm schien ich völlig außer Atem zu sein. Mein Brustkorb hob und senkte sich in kurzen Bewegungen fast hektisch. Und jetzt tat ich etwas, das ich mir nicht erklären konnte. Überwältigt von diesem Mann folgte ich einem inneren Impuls. Ich ging vor ihm auf die Knie und sagte aus voller Überzeugung: »Ich bin dein.«

Als hätte er nichts anderes von mir erwartet, stellte er sich vor mich. Als seine Hand über mein Haar streichelte, lehnte ich mich an sein Bein und als er meinen Kopf bestätigend gegen seinen Oberschenkel drückte, fühlte ich mich als seine Sub angenommen. Unerwartet ließ er von mir ab, ging in Richtung Bett und setzte sich auf die Bettkante. Nun klopfte er auf seinen Schenkel und gab mir damit zu verstehen, ich solle zu ihm kommen. Irrtümlicherweise dachte ich, ich müsse aufstehen, doch sein verneinendes Nicken veranlasste mich dazu, sofort wieder auf meine Knie zu gehen. Wie eine Katze schlich ich lasziv zu ihm und schmiegte mich an sein Hosenbein. Mein Platz war zu seinen Füßen, das hatte ich jetzt verstanden.

Fast schon anhimmelnd saß ich jetzt vor Sir Christopher auf dem Boden und strahlte ihn an. Sein Gesichtsausdruck war entspannt, so als könne er kein Wässerchen trüben. Seine Hand, die immer wieder über meinen Kopf sowie über mein Gesicht streichelte, genoss ich in vollen Zügen. Hätte ich wie eine Katze schnurren können, dann hätte ich es getan.

»Mein Mädchen, mein kleines devotes Mädchen«, sagte er zufrieden, als er mich noch enger an sich presste.

Jetzt befahl er mir, aufzustehen und mich zu ihm ans Bettende zu setzen. Mit demütigem Blick nach unten, die Hände ganz brav in meinem Schoß gefaltet, wartete ich auf seine weiteren Anweisungen.

Zu meiner Überraschung legte er nun seinen linken Arm um mich und zog mich dabei zu sich. Seine Umarmung war fest und seine Lippen ganz nah an meinem Ohr. Wenn ich ehrlich war, hatte das etwas Beklemmendes. Und immer dann, wenn ich mich bedroht oder ängstlich fühlte, genau dann wurden sämtliche Lustzentren in meinem Körper aktiv. Weshalb? Ich hatte keine Ahnung.

Sir Christopher sprach mit leiser, dennoch nicht weniger dominierender Stimme:

»Ich bin sehr erfreut über unsere Begegnung, mein Mädchen. Du bist willens, zu lernen und zu gehorchen. Wir werden eine aufregende Zeit miteinander verbringen. Allerdings werde ich dich mit auf mein Zimmer nehmen. Ich werde dich mit Argusaugen beobachten. Außerdem möchte ich die Zeit mit meinem Mädchen voll und ganz auskosten. Du wirst dich keinesfalls selbst anfassen. Du wirst nur dann kommen, wenn ich es dir erlaube. Ab jetzt gehörst du mir. Wenn du etwas sagen möchtest, dann wirst du darum bitten, sprechen zu dürfen. Wenn du zur Toilette musst, dann wirst du ebenfalls um Erlaubnis fragen. Das war das Grundlegendste für den Anfang. Alles Weitere wird sich zeigen. Wenn du alles verstanden hast, dann antworte mit Ja, Sir.«

»Ja, Sir. Darf ich bitte sprechen?«

Mir war heiß geworden. Auch wenn ich keinen Spiegel vor mir hatte, so wusste ich doch, dass mir die Röte vom Dekolleté bis ins Gesicht gewandert war.

»Nein. Wir können auf meinem Zimmer weiter reden. Jetzt packst du deine sieben Zwetschgen und kommst mit mir.« Bevor er seine Umarmung lockerte, gab er mir noch einen Kuss auf die Stirn.

Mir schossen wieder einmal tausenderlei Gedanken durch mein überfordertes Köpfchen. Begriffe wie »warm und kalt geben«, »Zuckerbrot und Peitsche« waren nur einige wenige Dinge, die gerade durch meine Windungen flitzten. Wie gelähmt saß ich da. Da ich nicht sprechen durfte, überließ ich das meinem Gesicht. Meine Augenbrauen bis zum Anschlag hochgezogen, offenstehender Mund und weit aufgerissene Augen. Genau so starrte ich ihn an. Und was tat Sir Christopher?

Er lächelte milde, kämmte mit seinen Fingern durch mein Haar und platzierte es wie bei einer Schaufensterpuppe vorne über meinen Brüsten. Völlig unbeeindruckt von meiner Gesichtsakrobatik stand er auf und klatschte dreimal schnell in die Hände. Fehlte nur noch »Hop, hop, hop!« Mein Verstand schmiedete verschiedene Fluchtpläne:

Erstens: einfach laut um Hilfe rufen. Das wäre jedoch völlig überzogen gewesen.

Zweitens: so tun, als würde ich mitkommen und dann laufen, was meine Beine hergaben.

Drittens: mit einem Lippenstift auf den Badezimmerspiegel groß »HILFE« schreiben.

Oder Viertens: einfach mitgehen und abwarten, wie es sich entwickeln würde. Die drei anderen Optionen hatte ich ja immer noch.

Plötzlich musste ich an meine Oma denken. Sie sagte immer, »die Neugier ist der Katze Tod«. Während ich meinen Kram wieder in die Handtasche packte, war es unglaublich, welche Gedanken und Dialoge sich in mir abspielten. Von »das wird sicher geil« bis zu »ich werde sterben« war wirklich alles dabei. In meinem Kopf ging es zu wie bei einem Formel-Eins-Rennen: zu schnell, zu laut, zu unübersichtlich. Um mir ein besseres Bild von seinen Aufgaben und Vorstellungen zu machen, ging ich mit Sir Christopher mit. Nur meinen chilligen Nachmittags-Spaziergang konnte ich mir in die Haare schmieren. Wenn ich mir diesen stattlichen Mann neben mir ansah, war das aber zu verschmerzen. Er ging eine Schrittlänge vor mir. Auch wenn er nichts dergleichen zu mir gesagt hatte, dachte ich mir, das

wäre angemessen. Ganz Gentleman trug er auch alle meine Habseligkeiten, ebenso meine Handtasche. Das fand ich, ehrlich gesagt, etwas ungewöhnlich. Während ich also mit Abstand hinter ihm her marschierte, beobachtete ich ihn genau. Seinen sicheren, aufrechten Gang, seinen zufriedenen Gesichtsausdruck, als hätte er gerade bekommen, was er wollte. Da ich nur auf ihn fokussiert war, hatte ich keine Ahnung, welche Hotelgänge wir zurückgelegt hatten. Plötzlich standen wir vor der Zimmernummer 310. Bevor er die Türe öffnete, warf er mir noch einen Seitenblick zu. Seinen Gesichtsausdruck konnte ich nicht deuten. Er trat ein und ich zögerte für einen kurzen Augenblick. Sir Christopher streckte mir seine Hand entgegen, die ich annahm. Sanftmütig zog er mich zu sich. Er wirkte stolz, aber so, als wäre er stolz darauf, mich bei sich zu wissen. Wir blickten uns tief in die Augen, bevor er mich leidenschaftlich küsste. Dieser Kuss half mir, mich wieder zu erden und wirkte beruhigend auf meine innere Zerrissenheit sowie Unsicherheit.
»Hab keine Angst, mein Mädchen. Deine Unterwerfung ist ein Geschenk, welches ich als Vertrauensbeweis ansehe. Ich werde dich immer respektieren«, erklärte er eindringlich, doch mit sanfter Stimme.
Ich biss mir auf die Unterlippe und kaute darauf herum.
»Ich vertraue dir, Sir Christopher«, mogelte ich überzeugend.
Innerlich zitterte ich jedoch, als wären meine Organe aus Wackelpudding. In diesem Moment war ich

einfach überwältigt von diesem vor Selbstsicherheit strotzenden Mann, von seiner Ansage in meinem Zimmer und von seinen alles durchdringenden stahlblauen Augen. Als wären diese beiden Augen seine Superkraft, wie zwei Lichtschwerter, die alles erfassten, mich scannten und zur Not auch disziplinierten.

Und gleich hätte ich meinen ersten Fehler begangen. Die längste Zeit über, die wir uns kannten, musste ich dringend zur Toilette. Gerade als ich die Türklinke zum WC drücken wollte, schoss es mir wie ein Geistesblitz ins Gehirn. Zum Glück hatte er sich gerade von mir abgewandt. So konnte ich doch noch gehorsam sein und ihn um Erlaubnis fragen. Er erlaubte es mir gnädig und überdies schien er sichtlich zufriedengestellt zu sein.

Während ich mich nun endlich erleichtern konnte, nahm mein Gedankenkarussell wieder Fahrt auf. Ging es nicht doch ein bisschen zu weit, dass ich ihn sogar fragen musste, wenn ich das stille Örtchen aufsuchen wollte? Was machte ich nachts? Sollte ich ihn dann wecken? Das mit dem selber Handanlegen oder erst kommen zu dürfen, wenn er es genehmigte, alles das war mir klar, denn es ergab Sinn. Aber nur mit Erlaubnis pinkeln? Er kannte meine Mini-Blase noch nicht. Das konnte also spannend werden. Die Ellbogen auf meinen Knien abgestützt, legte ich mein ratterndes Köpfchen in meine Hände. Vielleicht sollte ich meine Zeit hier einfach absitzen? Bei diesem Gedanken musste ich selbst schmunzeln. Geschäft war erledigt, Strumpfhose und Kleid wieder an ihren Plätzen. Ich nahm einen tiefen Lungenzug, öffnete wieder die Türe und ging wie auf rohen Eiern ein paar Schritte in das Zimmer.

»Wow! Das ist ja eine riesige Suite«, purzelte mir unversehens aus meinem Gesicht. Staunend ging ich von Raum zu Raum. Sir Christopher war währenddessen auf die Terrasse hinausgegangen. Er genoss sichtlich noch ein paar Sonnenstrahlen, die ums Eck blinzelten. Auf meiner Entdeckungsreise fand ich zwei Schlafräume, wobei einer davon sehr großzügig, ja schier herrschaftlich war. Der andere fungierte eher als gewöhnliches Schlaf- oder Kinderzimmer. Ebenso entdeckte ich zwei Badezimmer, davon war eines mit Eckbadewanne und kostbar wirkenden Marmorfliesen ausgestattet plus eigenem WC und Bidet, wo hingegen in dem anderen nur eine Dusche und ein Waschbecken vorzufinden waren. Trotzdem war auch hier alles sehr sauber, akkurat und großzügig. Noch nie zuvor war ich einem so schönen Hotelzimmer. Im Wohnzimmer ließ ich mich auf der Couch nieder, denn die vielen Eindrücke wollten ersteinmal verdaut werden. Sir Christopher bedeutete mir durch die Terrassentüre, dass er kurz telefonieren müsste.

Er schloss die Fenster, damit ich nichts hören konnte. Das störte mich auch nicht weiter. Wahrscheinlich führte er ein geschäftliches Gespräch, vielleicht auch ein Telefonat mit seiner Frau? Mir war das vorerst egal, doch mein Magen knurrte bereits. Bei einem Blick auf mein Handy sah ich, dass es bereits siebzehn Uhr war. Allerdings befand ich mich hier wohl nicht in der Position, eine Ansage bezüglich des Essengehens zu machen. Daher musterte ich den Raum, in dem ich mich befand. Eine gemütliche Sitzgruppe aus rotem Leder, genau vor der Fensterfront ein ovaler Esstisch, vermutlich aus Kirschholz, für vier Personen. Die Stühle hatten eine außergewöhnlich hohe Rücklehne, das fiel mir besonders auf. Natürlich durfte ein großer Flatscreen-TV an der Wand nicht fehlen, welchen man in jede beliebige Richtung schwenken konnte. Sir Christopher ging derweil draußen auf den paar Quadratmetern konzentriert auf und ab, während er mit der freien Hand dezent gestikulierte. Selbst als er dieses Telefonat führte, suchten seine Augen nach mir. Manchmal warf er mir ein angedeutetes Lächeln zu, nur um gleich darauf wieder vertieft und mit ernster Miene sein Gespräch fortzusetzen. Hunger, dachte ich mir und legte meine Arme um meinen knurrenden Bauch. Gedankenversunken starrte ich auf die ungewöhnlichen Stühle, die um den Esstisch standen. Deshalb erschreckte ich mich, als Sir Christopher energisch die Terrassentüre öffnete und in den Raum kam.

»Hat mein Mädchen denn schon Appetit?«, fragte er fürsorglich.

»Wenn ich ehrlich bin, ja, ich habe bereits großen Hunger. Mein Magen knurrt sogar schon demonstrativ«, antwortete ich mit einem verlegenen Lächeln.

»Gut, ich habe nämlich auch bereits einen Mordshunger«, freute er sich über meine Antwort.

»Darf ich bitte sprechen, Sir Christopher?«

»Ja, das darfst du. Bis auf weiteres darfst du frei sprechen.« Er zwinkerte mir mit einem Auge zu, während er mit der rechten Hand über seine Wange strich.

»Soll ich mich fürs Abendessen denn umziehen und hübsch machen?«

»Ja, das kannst du gerne tun, mein Mädchen. Allerdings nicht so, wie du gerade vermutest«, grinste er schelmisch.

Schon lief es mir wieder heiß und kalt vom Scheitel bis zu den Zehen. Was meinte er damit jetzt wieder? Mit einem großen Fragezeichen über meinem Kopf schaute ich ihn an.

»Du wirst dich jetzt frischmachen, nein, duschen. Danach wirst du nur mit dem Bademantel bekleidet im Schlafzimmer auf mich warten.«

»Jaaaa, Sir«, antwortete ich eher fragend, als zustimmend.

»Gut, dann werde ich dich jetzt eine Weile alleinlassen.«

Ohne Umschweife ging er schnurstracks zur Türe und ließ mich perplex auf der roten Ledercouch sitzen. Eine gefühlte Ewigkeit saß ich wie eine Statue da und rätselte, was das alles gerade zu bedeuten hatte. Irgendwie beschlich mich das ungute Gefühl, dass ich überhaupt keine Ahnung hatte, wie mein neuer Dom so tickte.

Diese Begebenheit verunsicherte mich. Doch in diesem Moment gab es nur zwei Dinge, die ich unbedingt wollte: Dass Sir Christopher mich auf alle erdenklichen Varianten nehmen und mir einen Höhepunkt nach dem anderen bescheren würde und etwas essen.

Da ich auf beides hoffte, tat ich, wie mir geheißen. Also huschte ich in den kleinen dunklen Vorraum, wo ich mir meinen Koffer holte, um mich dann gemütlich einzurichten und alles zurechtzulegen. Die Seifen und Duschgels aus den Hotels mochte ich nicht besonders, deshalb mussten es immer meine eigenen Pflegeprodukte sein. Vor allem beim Shampoo war ich wenig kompromissbereit. Innerlich spürte ich eine Unruhe, eine Nervosität, die mich alles wie in Trance erledigen ließ. Fast so, als würde ich mir von außen zusehen. Noch konnte ich mir überhaupt nicht vorstellen, was mich an diesem Abend noch erwarten würde. Genau aus diesem Grund beschlich mich in meiner Magengegend ein mulmiges Gefühl. Aufgrund dieser Anspannung bemerkte ich nicht einmal, dass ich viel zu heiß geduscht hatte. Erst als ich aus der Dusche stieg und der heiße Dampf wie Nebel im ganzen Badezimmer schwebte, wurde mir die Hitze bewusst. Meine Haut war leuchtend rot. Trotzdem war mir kalt. Ob das an dem Luftzug lag, der durch die Lüftung entstand oder an meiner Nervosität? So genau konnte ich das nicht sagen. Etwas hektisch begann ich, mich abzutrocknen und meine Haare zu frisieren. Außerdem war ich genervt, dass ich mich im Badezimmerspiegel nicht sehen konnte, weil alles so beschlagen war. Damit der Dampf sich schneller verziehen konnte, öffnete ich die Türe ganz weit. Rasch linste ich aus der Schlafzimmertüre, ob Sir Christopher bereits zurück war. Nein. Ich hatte also noch

Zeit. Mit dem mickrigen Hotelföhn versuchte ich, meine Lockenmähne in Form zu bringen. Jedes Mal wieder ärgerte ich mich, nicht meinen eigenen Haartrockner mitgebracht zu haben. Als meine Haare halbtrocken waren, konnte ich auch im Spiegel wieder etwas erkennen. In Windeseile hatte ich ein dezentes Abend-Make-up gezaubert und erst jetzt hatte ich das Gefühl, wieder richtig atmen zu können. In mir war dieser Drang, alles richtig zu machen, um ihm ja zu gefallen. Plötzlich hörte ich Stimmen im Zimmer. Schnell schlüpfte ich in den typisch weißen Bademantel, der auf dem Bett zurechtgelegt war. Er war nicht besonders kuschelig, eher etwas steif, aber auch das war mir in diesem Augenblick herzlich egal. Mein Herz pochte vor Aufregung bis in meinen Hals. Mein Magen knurrte ermahnend, obwohl mir eher etwas flau war. Ganz gespannt saß ich wie aufgefädelt am Bettrand, drapierte meine Mähne und zupfte nervös am Bademantel. Wieder einmal spielte mein Kopfkino einen oscarverdächtigen Film vor meinem inneren Auge ab. Da draußen waren definitiv mehrere Männerstimmen zu hören. Was, wenn Sir Christopher andere Männer zu einer Sexparty mit mir als Sub eingeladen hatte?! Ich sollte nur duschen und mich mit dem Bademantel bekleiden, sodass alle gleich über mich herfallen konnten? Oder was, wenn er so ein Dom war, der gerne zusah, wenn sich andere mit seiner Sub vergnügten? Mir gingen alle Möglichkeiten durch meinen Kopf. Meine Anspannung stieg ins Unermessliche, weshalb meine Beine ein Eigenleben entwickelten und wie verrückt zitterten. Plötzlich wurde es still. Um alles hören zu können, hielt ich sogar meinen Atem an. Die Zimmertüre fiel ins Schloss. Aufgrund des samtig grünen Teppichs konnte ich keine Schritte wahrnehmen. Diesem Nervenkitzel konnte ich nicht mehr lange standhalten, denn selbst die Atemluft schien wärmer und schwerer zu sein als sonst. Plötzlich klopfte es dreimal an der Schlafzimmertür. Augenblicklich stellte mein Körper das Zittern ein. Sämtliche Sinne arbeiteten auf Hochtouren und waren in Alarmbereitschaft. Dann hörte ich die Stimme von Sir Christopher.

»Mein Mädchen, ich möchte dass du jetzt deine Augen schließt und die Hände vor dein Gesicht hältst.« Um ganz ehrlich zu sein, kostete es mich mehr Überwindung als gedacht, dieses Vertrauen aufzubringen. Dennoch tat ich es.

Nun lauschte ich, wie die Türe leise über den Teppichboden kratzte. Die Luft knisterte, als würden Funken sprühen, um auf meiner Haut zu verglühen. Mit jedem Schritt, den er mir näher kam, wurde ich paradoxerweise immer ruhiger, immer gelassener. Seine Nähe gab mir wieder die notwendige Sicherheit. Ein kleines Fitzelchen schummelte ich und blinzelte vor mir auf den Boden. Daher konnte ich sehen, dass er nur noch eine Armlänge vor mir stand. Jetzt bat er mich, aufzustehen. Seine Hände umfassten zuerst meine Oberarme. Seine angenehm warmen und trockenen Hände, die er besänftigend auf und ab gleiten ließ. Man hätte die allgemein bekannte Stecknadel zu Boden fallen gehört, so leise war es im Raum. Erst als seine Hände zum Knoten meines Bademantelgürtels wanderten, wurde mein Atem zittriger. Ich konnte spüren, als er an den Gürtelenden zog, um ihn zu öffnen. Im nächsten Augenblick streifte er mir den Bademantel nach hinten über die Schultern ab. Geräuschlos glitt er zu Boden. Auch Sir Christophers Atem wurde jetzt deutlich schwerer. Vermutlich betrachtete er mich gerade von Kopf bis Fuß. Meine Nippel ragten ihm wie kleine Gipfel entgegen. Zudem war ich mir sicher, seine Blicke auf meiner Haut zu spüren. Wimpernschlag für Wimpernschlag spürte ich, wie sie mich sanft streichelten. Seine Berührungen mit den Fingerspitzen waren federleicht. Sodann streifte er meine Hände nach unten, zugleich erlaubte er mir, meine Augen zu öffnen. Ganz unschuldig blickte ich wie ein kleines Mädchen in sein vor Erregung dezent gerötetes Gesicht. Auch die Beule in seiner Hose war mir nicht entgangen.

»Du musst überhaupt keine Angst haben, mein Mädchen«, flüsterte er. Nach einer kurzen Pause ergänzte er: »Du bist wunderschön und begehrenswert. Mir wird es ein Vergnügen sein, dich heute Nacht vor Lust zum Schreien zu bringen.«

Ich glaubte ihm jedes einzelne Wort, denn die Wahrheit strahlte hell in seiner Stimme. Dann wies er mich an, stehenzubleiben, während er zu seiner Reisetasche stolzierte, aus der er eine kleine, flache schwarze Schachtel nahm. Für eine Schmuckschachtel war sie zu groß, für Kleidung vermutlich zu klein. Also wartete ich gespannt und rechnete mit wirklich allem. Sir Christopher war für mich ein Buch mit sieben Siegeln. Aber genau das machte es für mich so unglaublich aufregend mit ihm. Seine Aufgaben in den Wochen davor waren extravagant, seine minimalistische Kommunikation – kein Wort zu viel und kein Wort zu wenig. Ebenso waren seine innere Ruhe und Selbstsicherheit für mein Sub-Radar höchst attraktiv. Noch konnte ich es nicht beurteilen, aber mein Gefühl sagte mir, dass Sir Christopher mich nicht so eiskalt fallen lassen würde, wie Peer es getan hatte. Vertrauen war für ihn alles. Als er mit dieser mysteriösen schwarzen Schachtel zu mir kam, fragte ich ihn, ob ich sprechen dürfte. Er nickte bejahend.

»Sind da noch andere Männer im Zimmer?«

Meine Stirn legte sich besorgt in Falten, als er mit »Ja« antwortete. Für einen winzig kleinen Augenblick war ich darauf hereingefallen und wollte ihm schon fast sagen, dass das so nicht vereinbart war. Doch als er mit einem Auge zwinkerte, hatte ich die Gewissheit, dass er so etwas niemals ohne Absprache durchziehen würde. Deshalb richtete sich meine ganze Aufmerksamkeit nun wieder auf diese ominöse Schatulle. Seine wundervollen eisblauen Augen funkelten mich erwartungsvoll an, als er sie öffnete. Der Inhalt des Kästchens glänzte nicht weniger. Zum Vorschein kam ein zirka daumenbreites schwarzes Lederhalsband, besetzt mit wundervollen schwarzen funkelnden Strass-Steinen. Doch es war nicht nur ein Schmuckstück, sondern hatte einen dezent eingearbeiteten Edelstahlring, an dem eine Leine befestigt werden konnte. Der Verschluss war eine geläufige Dornschließe. Neben dem sorgfältig zusammengerollten Halsband lag in der

Schatulle auch die passende Leine. Die hatte einen zarten Karabiner, welcher an einer ungewöhnlich feingliedrigen Edelstahlkette befestigt war. Natürlich durfte auch die Lederschlaufe fürs Herrchen nicht fehlen, wie hätte er das wilde Kätzchen sonst zähmen sollen?! Mir war bewusst, dass das etwas mit Besitzanspruch zu tun hatte. In einem einschlägigen Forum für Doms und Subs hatte ich gelesen, dass eine Sklavin, die ein Halsband trug, für andere Doms tabu war. Außer ihr Dom erlaubte diesen Kontakt. Offenbar gab es ganz konkrete Verhaltensregeln. Doch hier, in diesem Hotelzimmer, war das ein rein symbolischer Akt, mit dem er mir zu verstehen gab, was Unterwerfung bedeutete. Andächtig nahm er das Halsband, kam damit zu mir und bat mich, zu lesen, als er mir die Rückseite des Lederbandes zeigte. Mit einem Branding war der Schriftzug »Mein Mädchen Maria« dauerhaft angebracht. Meine Augen wurden feucht und als Antwort umarmte ich ihn. Sein Hemd war angenehm weich auf meinen Brüsten.

»Danke, Sir Christopher«, hauchte ich sichtlich berührt über seine linke Schulter, während ich auf Zehenspitzen stand.

Er ließ mich gewähren.

Danach legte er mir das Lederband um meinen Hals. Als er auch die Kettenleine befestigt hatte, hielt er sie wie mein stolzer Besitzer in seinen Händen.

»Jetzt lass uns essen gehen, mein Mädchen. Du hast bestimmt schon großen Hunger. Außerdem solltest du dich für heute Nacht stärken.«

Zögerlich blieb ich wie angewurzelt stehen. Die Leine war auf Zug und Sir Christopher, der im Begriff war, vorauszugehen, wandte sich wieder an mich.

»Hast du denn keinen Appetit, mein Mädchen?«, fragte er nachdenklich.

»Ich kann doch so nicht das Zimmer verlassen. Das traue ich mich nicht«, sagte ich mit verzerrtem Gesicht.

»Na, na, meine kleine Maria. Am Vertrauen in deinen neuen Herrn müssen wir noch etwas arbeiten. Traust du mir das denn zu?«, fragte er mit hochgezogener Augenbraue.

»Ehrlich gesagt, ja Sir«, schmunzelte ich verlegen in meine rechte Schulter.

»Ich kann dich beruhigen. Dein Herr hat alles gut durchdacht und wenn du ihm vertraust, dann wirst du nicht enttäuscht sein.«

Seine Gesichtszüge wurden weich. Mit dem Handrücken streichelte er besänftigend meine Wange. In diesem Moment entspannte sich nicht nur mein Gemüt, sondern auch mein Magen, der gleich laut und munter drauflos knurrte.

»Siehst du, dein Magen kennt die Antwort«, lachte er amüsiert.

Mit weichen Knien folgte ich ihm Schritt für Schritt bis ins Wohnzimmer. Im Türrahmen blieb ich stehen und konnte nicht glauben, was ich dort sah. Gänsehaut lief mir über meinen ganzen Körper.

»Jetzt weißt du, weshalb ich vorhin telefoniert habe«, strahlte er sichtlich stolz.

Der Esstisch war, wie zu einem Galadinner, festlich gedeckt. Weiße Tischdecke, weißes Porzellan, ein dreiarmiger Kerzenständer, der im Kerzenlicht funkelte und ein riesiger Strauß bunter Rosen: Gelbe, Weiße, Rote, Pinkfarbene, Gesprenkelte.

Staunend entdeckten meine Augen noch viel mehr. Im Zimmer standen ebenfalls zwei Servierwagen. Alles war unter glänzend polierten Servierhauben versteckt. Wieder brummte mein Magen, als hätte er schon tagelang nichts zu essen bekommen. Diese wundervolle Geste von Sir Christopher berührte mich noch auf einer viel tieferen Ebene. Zudem war ich sehr erleichtert darüber, niemand anderen vorzufinden. Völlig überwältigt warf ich mich ihm erneut um seinen Hals und bedeckte seine weiche, rasierte Wange mit Küssen. Plötzlich schnappte er mich so hastig an meinem nackten Hintern, dass ich erschreckte und mir ein Quietschen entfleuchte. Mit festem Griff knetete er meine Pobacken und küsste mich so gierig, dass ich Angst hatte, seine Zunge zu verschlucken. Ohne Vorwarnung zog er sich zurück, ging einen Schritt auf Abstand und zwirbelte mit Daumen und Zeigefinger meine empfindlichen Brustwarzen. Mit einem tiefen, schweren Schnaufer, den ich durch meinen ganzen Körper jagte, versuchte ich diesen fiesen, piksenden Schmerz in den Brüsten wegzuatmen. Er hingegen hätte in jedem Casino am Tisch spielen können. Wenn er sein Pokerface aufgesetzt hatte, konnte ich nicht das Geringste darin ablesen. Einerseits fand ich das erregend, andererseits verunsicherte es mich auch, wenn ich ihn nicht einschätzen konnte. Er spannte seinen Kiefer an, senkte seinen Kopf und ließ den Blick über meinen gesamten nackten

Körper wandern. Offengestanden war mir dabei schon etwas unbehaglich. Schließlich war ich nackt. Er hingegen trug eine schwarze Anzugshose, ein blütenweißes Hemd und sogar auf Hochglanz polierte Schuhe.

Nun führte er mich mit der Leine in der Hand zu Tisch. Ganz gentlemanlike rückte er mir den Stuhl zurecht, doch bevor ich mich setzen durfte, befahl er mir, meine Beine zu spreizen. Mir war sofort klar, was jetzt folgen würde. Mit flüsterzarten Fingern fuhr er behutsam zwischen meine nassen Schamlippen. Sichtlich erfreut über meine Nässe tauchte er zwei Finger in meine glühende Höhle. Ein sanftes Stöhnen entwich meiner Kehle, als er sich erregt über seine Lippen leckte. Danach umgriff er mit seinen warmen Händen meine Wangen, dabei blickte er mir tief in meine Augen.

»Was bist du?«, fragte er mit undurchdringlicher Miene.

»Ich bin dein, Sir Christopher«, antwortete ich, weil ich wusste, das wollte er hören.

Seine Finger gruben sich fester in meine Wange. Ich konnte sein Verlangen spüren.

»Sag es noch einmal, mein wunderschönes Mädchen!«

Mein Körper begann zu zittern, ebenso meine Stimme, als ich erneut antwortete:

»Ich bin dein.«

Der Befehlston in der Klangfarbe seiner Stimme weckte in mir eine ungeheure Sehnsucht, ihm zu dienen und von ihm genommen zu werden.

Als er gehört hatte, was er hören wollte, griff er zur Stoffserviette, schüttelte sie gekonnt aus dem Handgelenk und breitete sie auf meinem Stuhl aus. Fragend blickte ich ihn an.

»Mein Mädchen ist bereits vor dem ersten Gang so herrlich nass. Wir wollen doch keine Spuren hinterlassen«, grinste er schelmisch.

Irgendwie fühlte sich die Situation surreal an. Ich nackt, mit Halsband und Leine an einem fein gedeckten Tisch mit einem Mann, dem ich heute zum ersten Mal begegnet war. Ungewöhnlich war zudem, dass er mich bediente, als er mir eine Tomatensuppe vorsetzte.

»Bon Appetit, mein Mädchen.«

Erst als er zu essen begonnen hatte, probierte auch ich diese köstlich nach Tomaten und Basilikum duftende Vorspeise. Sie war wärmer, als ich mir gedacht hatte, denn schließlich stand das ganze Essen schon eine Weile auf dem Servierwagen. Wie bei einem ganz gewöhnlichen Abendessen plauderten wir über dies und das. Nur eine Ausnahme gab es. Die Luft zwischen uns knisterte spannungsgeladen. Jeder kleine Funke der Leidenschaft hätte diesen Raum im Nu in Vollbrand setzen können. Nur unser Hunger konnte uns jetzt noch erden und von wilden Schandtaten abhalten. Meine Gedanken switchten zwischen dem Essen, dem Gespräch, das wir führten, und meiner blühenden Fantasie hin und her. Ich hatte ordentlich zu tun, damit hier kein Durcheinander entstand. Doch Sir Christopher stellte mir unentwegt Fragen, sodass ich kaum Zeit hatte, mir irgendwelche Vorstellungen über später zu machen. Außerdem hatte nicht ich die Zügel in der Hand, sondern mein Sir. An diesem Abend durfte ich endlich wieder sämtliche Verantwortung abgeben, mich gehen lassen, treiben lassen. Das Gefühl, gewollt und begehrt zu werden, erhob mich in ungeahnte Gefilde.

Bevor er den Hauptgang servierte, stellte er sich hinter mich, um mit seinen großen warmen Händen meine Brüste zu kneten. Mich beschlich das Gefühl, dass er etwas vorhatte. Und ich sollte recht behalten. Als sich ihm meine Brustwarzen ganz hart und steif entgegenstreckten, griff er in seine Hosentasche, aus der er eine Nippelkette mit Klammern herausholte. Diese Klammern erinnerten mich eher an das Starterkabel eines Autos. Ohne jede Vorsicht legte er mir diese Klemmen an. Ich sah an mir herunter, während ich wieder versucht war, den Schmerz wegzuatmen. Schließlich konnte ich mir ja nicht schon bei der ersten Herausforderung eine Blöße geben. Schmerz konnte ich schon gut aushalten, doch meine Brüste waren sehr empfindlich. Mir wäre lieber gewesen, er hätte mir den Hintern versohlt oder meinen Rücken ausgepeitscht.

Nun servierte Sir Christopher mir Fisch auf buntem Gemüse, dazu Salat. Für ihn gab es dünn geschnittenes, zartrosa gebratenes Rinderfilet, ebenfalls mit köstlichem Gemüse und Salat. Immer wieder blickte ich zu meinen schmerzenden Brustwarzen und fragte mich, wie lange ich diese Kette wohl tragen müsste. Die Nippelspitzen wurden bereits weißlich, ihre Höfe hingegen knallrot.

Sir Christopher stand auf, holte einen Weinkühler vom Servierwagen und schenkte uns ein Glas lieblichen Weißwein ein.

»Lass uns auf diesen schönen, spannenden Abend trinken, mein Mädchen. Ich genieße wahrlich deine Gesellschaft und deinen geilen Anblick«, sagte er amüsiert und schwenkte sein Weinglas andächtig, bevor er einen Schluck daraus nahm. Um mich von meinen gequälten Brüsten abzulenken, trank ich wenig ladylike mehr als die Hälfte des Weines auf einmal. Das Essen war mir inzwischen herzlich egal. Gerade als ich wieder besorgt an mir herunterblickte, ergriff Sir Christopher mit seinem Zeigefinger die Kette, die zwischen meinen Brüsten baumelte, und zog mich daran unsanft nach oben. Um dem Schmerz zu entgehen, ging ich reflexartig mit seiner Bewegung mit. Doch die Klammern saßen so fest, dass meine Brüste sich unter seinem Zug erhoben. Durch die Last meiner Oberweite wurde das Weh nur noch intensiver. Ein »Aua« kam mir über die Lippen. Er ignorierte meinen Einwand jedoch und zwang mich durch die Führung mit der Kette vor ihm auf die Knie. Zitternd vor Erregung wartete ich, was als Nächstes geschehen würde. Doch völlig entgegen meiner Erwartung passierte erstmal gar nichts.

Sir Christopher setzte sich an seinen Platz und aß, ohne mich eines weiteren Blickes zu würdigen, genüsslich sein Rinderfilet und trank seinen Wein. Auch wenn ich keinen Hunger mehr hatte, fand ich es ziemlich schade, meinen Fisch nicht mehr essen zu dürfen. Zeitgefühl hatte ich keines, dafür ging mir viel zu viel durch mein Köpfchen. Je länger ich jedoch hier vor ihm auf dem grünen, samtigen Teppich verweilte, desto mehr fraßen sich die Teppichfasern in die Haut meiner Knie. In der Hoffnung, es würde ihm nicht auffallen oder egal sein, verlagerte ich deshalb mein Gewicht nach hinten und legte meinen Hintern auf den Waden ab. Doch diese Annahme war zweifelsohne naiv von mir. Ich konnte gar nicht so schnell schauen, wie er seinen Zeigefinger wieder an meiner Nippelkette einfädelte und mich wieder in Position zog. Dabei sprach er kein Wort. Jede seiner Bewegungen war ruhig und bedacht. Nachdem er seinen Hauptgang verspeist und seine Serviette beispielhaft abgelegt hatte, wandte er sich wieder mir zu. Er bat mich ganz freundlich, ohne jegliche Kommandosprache, ihm seine Nachspeise zu servieren. Ein Positionswechsel kam mir gerade recht, denn meine Beine waren im Begriff, einzuschlafen. So elegant wie möglich versuchte ich, vom Boden aufzustehen. Rasch streichelte ich mir über meine Knie und spürte dabei die Abdrücke der Fasern in meiner Haut. Auf dem Servierwagen fand ich nur noch einen Teller, was für einen jähen Abfall meiner Stimmung sorgte. Keine Nachspeise für mich? Ich, wo ich mich doch als Schokoholic geoutet hatte? Na gut, ich versuchte das mit Fassung zu tragen und hob die Servierhaube vom letzten Teller. Augenblicklich sammelte sich der Speichel in meinem Mund. Dreierlei Schokoladenmousse – was für eine Quälerei! Die Nippelklammern waren dagegen ein Klacks. Sir Christopher fuhr nun also die harten Geschütze auf.

In unzähligen Chats hatten wir immer wieder über meinen übermäßigen Schokoladenkonsum gesprochen. Daher wusste er genau Bescheid. Seinem etwas überheblichen Gesichtsausdruck entnahm ich, welch unbändige Freude er gerade daran hatte, sich von mir ein Schokoladendessert servieren zu lassen. Kaum hatte ich den Teller abgestellt, verwies er mich wieder an meinen Platz seitlich seines Stuhls. Gerade als ich dem Löffel mit köstlichem Mousse sehnsüchtig und mit großen Augen zu seinen Lippen folgte, hielt er inne. Mit langsamer Bewegung legte er den Löffel wieder auf den Teller, öffnete seinen Gürtel und den Knopf seiner Hose, lehnte sich zurück und sagte: »Möchte mein Mädchen vielleicht auch einen Nachtisch?«

Natürlich wollte ich auch ein Dessert, am liebsten jedoch beides. Mit einem Fingerzeig deutete er unter den Tisch. Was für eine geile Vorstellung! In einem unserer Gespräche hatte ich ihm davon erzählt, wie aufregend ich es finden würde, in einem noblen Restaurant genau so etwas abzuziehen. Er hatte sich das gemerkt und gab mir nun die Möglichkeit, meine Fantasie in einem sicheren Rahmen Wirklichkeit werden zu lassen. Erst jetzt wurde mir bewusst, wie aufmerksam und toll er war. Mit dieser Erkenntnis schnurrte ich stolz wie eine Katze an seinen Beinen vorbei, krabbelte unter den Tisch und blickte zwischen seinen Oberschenkeln hindurch in sein erhitztes Gesicht. Unsere Augen fixierten einander, während meine flinken Finger den Reißverschluss seiner Hose öffneten. Zu meiner Überraschung trug Sir Christopher nichts darunter, was alles erleichterte. Fast schon hastig und gierig ergriff meine Hand sein halbsteifes Glied, das sie aus der Enge befreite. Meine Augen funkelten ihn an. Für einen Moment stellte ich mir diese Szene aus einer Vogelperspektive vor. Dieses Bild, diese Vorstellung wirkte wie ein Brandbeschleuniger auf meine Lust. Ich leckte von seinen prallen Hoden hinauf bis zur Spitze und umkreiste seine Eichel mit nasser Zunge. Plötzlich sagte er »Stopp«. Und für einen Moment dachte ich, etwas falsch gemacht zu haben. Doch jetzt hatte er mich endgültig geködert. Er platzierte nämlich etwas von dem dunklen Schokomousse auf seinem Schwanz. Ich öffnete meinen Mund ganz weit und nahm seinen köstlichen Steifen bis zum Schaft in meiner Kehle auf. Erst jetzt umschlossen ihn meine Lippen ganz fest und glitten Zentimeter für Zentimeter über seine Härte.

Hörbar angestrengt flüsterte er: »Das Dessert ist selbstverständlich für mein Mädchen. Ich weiß doch, wie sehr du Schokolade liebst. Und ich liebe es, wie sehr du die Kombination meines Schwanzes mit der Schokolade genießt.«

Ohne von ihm abzulassen, blickte ich gierig und dankbar zu ihm hinauf. Aber Sir Christopher hatte seinen Kopf in den Nacken gelegt und presste seine Lippen fest aufeinander, während meine Zunge sein Glied mit Speichelfäden umgarnte. Seine Hände streichelten synchron über meinen Rücken, bis sich eine Hand in meinen Haaren festkrallte. Als er nun seine Hand mit meiner Mähne umwickelte, spürte ich die Spannung auf meiner Kopfhaut. Jetzt gab er das Tempo meiner Auf- und Ab-Bewegungen vor und auch, wie weit ich sein beachtlich großes Glied aufnehmen sollte. Sein Penis hatte eine dezente Linksneigung, weshalb er in meiner Kehle immer wieder einen empfindlichen Punkt stimulierte. Er drückte mich ganz fest an sich und raunte: »Du bist mein Mädchen und du machst das sehr gut.«

Ich stand auf Lob. Diese Art Aufmerksamkeit und Zuneigung machten mich immer heiß. Allerdings kämpfte ich zu diesem Zeitpunkt mit Würgereiz, Atemnot und Tränen, die über meine Wangen liefen. Mein neuer Dom reizte es bis zum letzten Moment aus. Erst als ich versuchte, mich mit meinen Händen von ihm wegzudrücken und einen knallroten Kopf hatte, lockerte er seinen Griff. Verzweifelt schnappte ich nach Luft. Die Wimperntusche war mir verlaufen, so stark tränten meine Augen. Ehrlich gesagt war ich froh, mich nicht übergeben zu haben. Mir war jedoch nicht entgangen, wie sehr es ihm gefallen hatte, wenn es mich würgte. Deshalb gab er mir nur eine winzig kleine Verschnaufpause. Im Handumdrehen führte er meinen Mund wieder zu seinem Schwanz, der wie ein Dolch in meine Kehle eindrang, um mir den Atem zu rauben. Bis zum Äußersten versuchte ich durchzuhalten. Dabei erinnerte ich mich an meinen Zahnarzt, der mir immer sagte: »Atmen Sie immer schön durch die Nase, dann gehts leichter.«

Dieser Satz hallte in meiner Erinnerung immer und immer wieder nach. Tatsächlich erleichterte die Nasenatmung die ganze Sache, doch Sir Christopher füllte mit seiner Härte meinen gesamten Mund und

Rachen und das war alles andere als einfach. Wenn er mir eine kurze Atempause gewährte, dann nur, um etwas vom Schokoladenmousse auf seiner Eichel zu platzieren. So gern ich Schokolade auch hatte, in diesem Fall erschwerte sie mir meine Aufgabe. Schlucken wurde zu einer Herausforderung und genau aus diesem Grund lief mir der schokobraune Speichel aus meinen Mundwinkeln, von wo er auf seine Hoden und seine Leiste tropfte. Je mehr ich um Luft rang, desto schwerfälliger wurde sein Atem. Diesem schweren Atem entnahm ich, dass er sich dagegen wehrte, zu explodieren, um meinem Schokomäulchen auch noch ein Sahnehäubchen zu verpassen. Auf diese Geschmackskombination wäre ich sündhaft gespannt gewesen. Allerdings beschloss er, abrupt aufzuhören, indem er meinen Kopf aus seinem Schoß unsanft zurückzog.

Den Anblick meines Gesichts, der sich ihm nun bot, hätte ich gern selbst gesehen. Schokomund, roter Kopf, verlaufenes Make-up. Bei diesen Gedanken musste ich schmunzeln und grinste Sir Christopher über beide Ohren an. Seine Hand löste sich aus meinen Haaren. Meine rotblonde Lockenmähne fiel nach vorn, wo sie mein verschmiertes Gesicht umrahmte.

»Das war wundervoll, mein Mädchen. Du darfst jetzt wieder hervorkrabbeln und deine Position an meiner Seite einnehmen. Du hast dir deine Schokolade verdient.«

Etwas benommen schlich ich auf allen vieren unter dem Tisch hervor und nahm wie angeordnet meine kniende Position an seiner Seite ein. Ganz angetan und amüsiert von meinem Anblick fütterte er mich mit dem restlichem Mousse, ohne ein Wort zu sprechen. Angesichts des weichen Ausdrucks seiner wundervollen blauen Augen fühlte ich mich jetzt wohl und sicher. Die ganze Energie des Raumes schien sich ihm anzupassen, hüllte mich ein und wiegte mich in Sicherheit. Er hatte mein absolutes Vertrauen. Dennoch gab es einen Teil in mir, der an Peer dachte und sich nach ihm sehnte. Das wiederum bescherte mir ein schlechtes Gewissen gegenüber Sir Christopher. Schließlich verwöhnte er mich, war in seinen Ansagen immer klar und gab mir dadurch Sicherheit. Er war kein Mann, der mich zurückweisen würde, wenn ich ihn am meisten brauchte. Er war nicht so wie Peer.

Als Sir Christopher sich erhob, baute er sich groß vor mir auf. Nachdenklich wanderten seine Augen umher, als würde er überlegen, was er als Nächstes mit mir anstellen wollte. Er räusperte sich und strich sich mit zwei Fingern bedächtig durch den Schnurrbart. Dann beugte er sich vor und befreite zuerst meine linke Brust von der Nippelklammer. Irgendwann hatten meine Brustwarzen aufgehört, zu schmerzen, waren taub. Als er jedoch die Klammer löste, konnte das Blut wieder zirkulieren. Dieser Loslassschmerz fuhr wie ein Kugelblitz durch meine Brust, um sich wie eine brennende Flamme auf meinen Nippeln niederzulassen. Stöhnend und angsterfüllt sah ich ihn an und wusste, was mich gleich erwarten würde.

Die zweite Klammer löste er mit einer Genugtuung in seinen Augen, für die ich ihn innerlich verfluchte. Während der brennende Schmerz meine rechte Brust erfüllte, schloss ich für einen Atemzug meine Lider, als könne ich dadurch die beißenden Flammen ignorieren.

Nun reichte er mir seine Hände und zog mich hoch zu sich. Ein heftiger Kuss mit fordernder Zunge nahm mir den Atem. Kraft und Widerstand verließen meinen Körper. Meine Knie zitterten, doch seine Arme gaben mir den notwendigen Halt. Er senkte seinen Kopf und schnaubte mit der Nase erregt an meinem Hals entlang. Mein ganzer Leib bebte. Sir Christophers Gesicht verzehrte sich vor Begierde. Mit einer rasendschnellen Handbewegung ergriff er die Leine, die schnurgerade entlang meiner Wirbelsäule herunterbaumelte. Dabei spürte ich einen Ruck in meinem Nacken, der mich tief und zitternd nach Luft schnappen ließ. Mit schnellen, großen Schritten folgte ich ihm ins Schlafzimmer, wo er mit mir vor dem Bett stehenblieb. Sein Blick verdunkelte sich auf eine Weise, die ich nicht deuten konnte. Für Sekunden stieg Panik in mir empor, als er mit seinen warmen Händen meine Wangen umfing. Er kam mir so nah, kein Blatt Papier hätte mehr zwischen uns gepasst. Dabei blickte er etwas von oben auf mich herab. Mein Herz pochte bis zum Hals. Sein Blick fiel auf meine Lippen. Etwas Animalisches funkelte aus seinen Augen, als er mir einen schnellen festen Kuss auf meinen Mund presste. Dabei quetschten sich seine Finger noch energischer in meine Wangen. Jetzt setzte er sich auf die

Bettkante und zog mich mit einem Schubs auf seinen Schoß. Eine ganze Weile saßen wir so da, wir knutschten, bis mir die Lippen brannten. Er war ein unglaublich toller, leidenschaftlicher Küsser. So lange hatte ich zuletzt geknutscht, als ich noch zur Schule ging. Nicht ein einziges Mal hatte ich dabei meine Augen geöffnet. Da waren nur er und ich. Seine Hände wanderten über meinen ganzen Körper, kneteten immer wieder meine Brüste, strichen gefährlich über meine Schenkel oder wühlten in meinen Haaren. Doch niemals verließen seine Lippen die meinen. Irgendwann konnte ich oben nicht mehr von unten unterscheiden. Berauscht von unserem Zungenspiel verlor ich jegliche Orientierung. Dennoch war mir nicht entgangen, dass sich seine Stimmung verändert hatte. Er wurde dominierender, fordernder. Auch seine Berührungen wurden nun fest und grob. Seine Finger gruben sich voller Verlangen in mein Fleisch. Plötzlich ergriff er mit beiden Händen meine Hüften. So schnell konnte ich gar nicht aus meiner Trance erwachen, wie er mich sprichwörtlich übers Knie legte. Mit den Zehenspitzen konnte ich etwas Halt finden, dennoch fiel es mir schwer, zu atmen. Meine Atmung war flach und abgehackt, während ich über seinen Oberschenkeln baumelte. Mein Hintern streckte sich ihm perfekt entgegen. Er begann damit, abwechselnd auf meine linke und meine rechte Pobacke zu schlagen. Nicht sehr fest, aber nicht uneffektiv. Meine Haut wurde durch das beständige abwechselnde Klatschen seiner heißen Handflächen auf meinen Hintern schnell empfindlich, bestimmt auch schön gerötet. Auch für meinen Magen war diese Prozedur nach dem Essen eine Herausforderung, ich musste mich also konzentrieren. Doch er trommelte ohne Unterbrechung weiter. Die Hitze breitete sich immer weiter aus. Während mein Arsch bereits glühte und ich an seinem Brummen erkannte, wie sehr ihm das gefiel, entwich mir ein leises Jaulen.

Etwas spöttisch, aber unbeschwert lachte er: »Mein Mädchen wird sich jedes Mal beim Hinsetzen an mich erinnern.«

Die aufgeladene Stimmung um uns herum schien kurz davor zu sein, sich zu entladen. Seine Schläge wurden nicht fester, doch das war nach ein paar Minuten auch nicht mehr nötig. Mittlerweile fühlte es sich an wie ein unerträglich heißer Sonnenbrand. Vor jedem Niederprasseln seiner starken Hände verkrampften sich meine Pobacken aus Angst vor der Nachwirkung. Je mehr Bammel ich vor dem nächsten Schlag verspürte, desto mehr geriet mein Blut in Wallung. Mir war es immer wieder unbegreiflich, wie eine schmerzhafte Berührung mich vor Verlangen derart erbeben lassen konnte. War es der Schmerz, der mich triggerte? Oder war es seine Dominanz? Vielleicht war es auch das Gefühl, dass ich es nicht aufhalten konnte? Obwohl ich tief in mir ja wusste, dass er mir kein Leid antun würde. Mittlerweile wurden die Schläge bei der gleichen Intensität immer unerträglicher. Bei jedem Hautkontakt zog ich zischend die Luft durch meine Zähne.

Urplötzlich fiel mir ein, dass wir kein Safeword vereinbart hatten. Diesen Gedanken hatte ich noch nicht richtig fertig gedacht, als er abrupt aufhörte. Er schnappte mich mühelos und warf mich mit einer Heftigkeit auf das Bett, dass ich mehrmals nachfederte. Mit starken Händen ergriff er meine Knöchel und zog mich an die Bettkante. Seine Fingerabdrücke hinterließen deutliche Spuren an meinen Fesseln.

»Spreiz deine Beine!«, herrschte er mich ungeduldig an.

Danach beugte er sich über mich und ließ sich mit seinem ganzen Gewicht auf mir nieder, sodass mir für einen Augenblick die Luft wegblieb. Jetzt leckte er voller Inbrunst über meinen Hals und meine linke Wange, während er mir ins Ohr flüsterte: »Dein Safeword ist übrigens Schokomousse. Nicke, wenn du das verstanden hast und damit einverstanden bist.« Dabei blickte er mir so tief in die Augen, dass es zugleich erregend wie auch furchteinflößend auf mich wirkte.

Atemlos nickte ich mit kurzen, hastigen Bewegungen. Langsam rutschte Sir Christopher an mir herunter, aber nicht, ohne dabei jeden Zentimeter von mir zu küssen, zu lecken oder zu beißen. Als er mich plötzlich an den Oberschenkelinnenseiten anknabberte, schrie ich laut auf. Diese Mischung aus Schmerz und Kitzel war unerträglich. Genau daran schien er Gefallen zu finden. Mich windend und dabei lachend versuchte ich, ihm zu entkommen. Doch er umklammerte meine Oberschenkel mit seinen starken Armen und vergrub sein Gesicht in meinem weichen, weißen Fleisch. Als sich seine Zunge zwischen meine Schamlippen drängte und fest auf meine Klitoris drückte, bäumte ich mich reflexartig auf. Meine Hüfte presste sich gegen sein Gesicht, als würde sie ihn verschlingen wollen.

Während mein Nervensystem Spasmen durch meinen ganzen Körper jagte, drangen seine langen Finger in meine feuchte Höhle ein. Mit einem schmatzenden Geräusch glitten seine Finger tief in mich hinein. Gleich darauf zog er sie langsam aus mir heraus und nahm einen weiteren Finger hinzu. Er dehnte mich weit, während seine Zunge beständig um meine Perle kreiste. Ein mächtiges Gefühl breitete sich in meinem Unterleib aus, als er einen weiteren Finger dazuschob. Ich konnte seine Fingerknöchel in meiner Vagina spüren. Mit sanften Drehbewegungen versuchte er, mich konstant immer weiter zu dehnen. Allerdings war ich auf die unvorhergesehene, gnadenlose Invasion seiner Faust nicht vorbereitet. Ein tiefer, überraschter Aufschrei verließ meine Kehle, als er mich unendlich weit dehnte, ohne mir Zeit zu lassen, mich darauf einzustellen. Mein ganzer Unterleib zog sich zusammen, während eine mächtige Woge von meiner Mitte über meine Beine schwappte. Ein noch nie empfundener gigantischer Druck bescherte mir zugleich Qual und Erlösung.

»O Gott ... fuck!«, stöhnte ich lauthals, als sich meine ganze innere Beckenbodenmuskulatur um seine Faust krampfte und mir einen kolossalen Orgasmus bescherte. Selbst als dieser Orgasmus langsam abebbte, zuckte und erschauderte mein ganzer Körper bei der geringsten Bewegung. Völlig reglos verweilte Sir Christopher in mir und küsste sanft meine zitternden Schenkel. Am liebsten wäre ich ruhig liegen geblieben. Mein ganzer Leib schien aus einem einzigen Nervenknäuel zu bestehen. Schon die geringste Bewegung konnte den nächsten Tsunami auslösen und sämtliche Dämme brechen lassen. Dieser Ausbruch geschah, als Sir Christophers Hand sich langsam aus meiner nassen Höhle zurückzog und die nächste Welle über mich hereinbrach. Hilfesuchend krallten meine Finger sich in das Laken. Verzweifelt wollte ich Halt finden, bevor mich der nächste Orgasmus weit aus meinem Körper heraustragen würde. Mit der nächsten Welle krampfte sich zuerst wieder alles in mir zusammen, um sich dann explosionsartig zu entladen. Mit einem gewaltigen Schwall orgastischen Saftes flutschte seine Faust aus mir heraus, während der Schwall sich über ihn und das Laken ergoss. Ich keuchte schwer, presste meine Beine aneinander und rollte mich auf dem Bett hin und her, als würde ich einen Brand löschen wollen. Überwältigt von diesem gigantischen Gefühl ließ ich meinen Emotionen freien Lauf. Lachend und weinend bedeckte ich mit beiden Händen ganz sanft meinen Venushügel und spürte dem Erlebten nach. Mein Körper wurde schlaff wie der einer Stoffpuppe, doch mein Po brannte und pochte immer noch. Erschöpft und mit Schweißperlen auf meiner Stirn strahlte ich meinen neuen, unglaublich tollen Dom an. Er hatte eine ganz besondere Wirkung auf mich. Sein Charisma und seine sexuelle Dominanz erfüllten und befreiten mich. Mir war bewusst, dass er mir keine Verschnaufpause gewähren würde. Während ich völlig zufrieden auf dem Bett lag, beobachtete ich Sir Christopher ganz genau. Da waren seine Lippen und sein Kinn, welche noch von meiner Feuchtigkeit glänzten. Mir entging auch nicht die riesige Beule, die in seiner Hose drängte. Er befreite sein hartes Glied, indem er zuerst den Gürtel, dann den Knopf und schließlich den Reißverschluss öffnete. Die Hose fiel durch die Schwere der Gürtelschnalle mit einem Knall zu Boden. So schwer es mir auch fiel, raffte ich mich auf und rutschte an die Bettkante, um ihm die Knöpfe seines Hemdes zu öffnen. Ich wollte ihm ein braves Mädchen sein, wollte ihm zeigen, dass ich ihm dienen wollte und dankbar war. Er hatte sich meine Dankbarkeit jedoch anders vorgestellt, denn er schnappte sich an meinem Hinterkopf ein Büschel Haare und führte meine Lippen zu seinem Schwanz. Ohne Erbarmen fickte er erneut meinen Mund bis tief in die Kehle. Allerdings nur kurz. Nun zog er mich an den Haaren hoch, drehte mich um und befahl mir: »Knie dich aufs Bett!« Erneut packte er mich an den Haaren, drückte meinen Rücken durch und schlug mir mehrfach mit klatschenden Geräuschen auf meinen ohnehin geschundenen Arsch. Keuchend und wimmernd vergrub ich meine Fäuste und mein Gesicht in der Bettdecke. Jeder neue heiße Handabdruck bescherte mir bittersüßen Schmerz. Meine Schreie versuchte ich in der Matratze zu ersticken. Mir war es unangenehm, wie laut ich kreischte und stöhnte. Mit einem Ruck ergriff er mein Becken, zog mich noch näher an die Bettkante und stieß mit voller Härte in mich hinein. Mit ganzer Hingabe öffnete ich mich für ihn, soweit das nur irgend möglich war. Meinen Oberkörper legte ich flach hin, um ihm all meine Öffnungen demütig zu präsentieren. Das Gefühl seines starken Körpers, der gegen meinen klatschte, brachte mich bereits nach wenigen Stößen an meine nächste orgastische Implosion. Er ergriff meine schaukelnden Brüste, richtete mich auf, hörte jedoch keine Sekunde auf, mich zu ficken.

»Mein Mädchen hatte heute bereits das Vergnügen, kommen zu dürfen. Du wirst deinem Herrn jetzt dienen, bis er gekommen ist. Untersteh dich, einen Orgasmus zu haben.« Er biss mir in die Schulter, während er meine Brüste in seinen Händen fast zerquetschte.

»Das ... schaffe ... ich nicht ... Sir«, stammelte ich unter heftigem Stöhnen.

»Dann muss ich dich bestrafen, mein unartiges Mädchen«, keuchte er mir mit feuchtem, heißem Atem in mein Ohr.

Dieses Unterfangen war bereits jetzt zum Scheitern verurteilt. Kein noch so abturnender Gedanke hatte Platz in irgendeiner Ecke meines Gehirns. Stattdessen spürte ich seine prallen Hoden gegen meine Schamlippen klatschen, fühlte seinen heißen Atem in meinem Nacken, roch sein Parfum, das in meine Nase strömte, und dabei musste ich immer wieder an seine Faust in meinem Inneren denken. All diese Komponenten machten es mir unmöglich, Kontrolle auf meinen Körper auszuüben. Mein Körper gehörte Sir Christopher, nur er konnte es stoppen oder eben auch nicht. Meine Lust verwandelte sich in Angst und mein Stöhnen in ein Flehen.

»Bitte ... kann es nicht ... aufhalten. Bitte gib ... mir eine kurze Pause, sonst kann ich es ... nicht aufhalten. Mir ... kommt's gleich.«

»Ich werde jetzt bestimmt nicht aufhören, dich zu ficken!«, lachte er düster.

»Du wirst deine Strafe entgegennehmen, wenn du vor mir kommst, mein Mädchen.«

In seiner Stimme lag etwas Ernstes, Eindringliches, fast schon Bedrohliches, was natürlich wenig hilfreich war, denn auch mein Gehör gehörte ihm. Seine Stimme drang in meinen Gehörgang ein und bahnte sich von dort ohne Umschweife ihren Weg zu meiner Spalte. Mein ganzer Unterleib loderte in Erwartung des nächsten Höhepunkts vor Verlangen. Ich verwandelte mich in ein wollüstiges Stück Eigentum, das Befriedigung dabei empfand, besessen zu werden.

Als er mir »Nein« ins Ohr flüsterte, war es zu spät. Mit seinen Händen auf meinen Rücken drückte er mich so fest auf die Matratze, dass er meine Schreie in der Bettdecke erstickte. Mein Becken zuckte unkontrolliert, mein Inneres verkrampfte sich wie ein großer Muskel und meine Klitoris jagte elektrisierende Impulse quer durch mein kleines Universum. Doch im nächsten Moment wurde mein Kosmos erneut erschüttert, als Sir Christopher mir mit einer solchen Heftigkeit auf meinen geschundenen Po schlug, dass ich mir sogar auf die Lippen biss. Während sich der metallische Geschmack des Blutes in meinem Mund ausbreitete, traf mich ein weiterer

Schlag auf genau derselben wunden Stelle. Ich bäumte mich mit einem Katzenbuckel auf und wäre am liebsten davongerobbt. Doch dazu fehlte mir inzwischen die Kraft. Mit unnachgiebigen Fingern packte er mich fest an der Taille, dazu schnaubte er wie ein wildes Tier. Von Mal zu Mal wurden seine Stöße immer energischer und tiefer. Ein stechender Schmerz flutete meinen Unterleib, als er in mir explodierte. Seinen pochenden Schwanz, ebenso wie seinen warmen Saft in mir zu spüren, erhob mich in ungeahnte Höhen. Er verharrte noch eine Weile in mir, dabei streichelte er sanft über meinen Rücken bis hinab zu meinem Po. Neben seinem schweren, keuchenden Atem glaubte ich, ebenfalls ein Schmunzeln zu vernehmen. Ganz langsam zog er sich aus mir heraus und setzte sich auf die Bettkante, während ich in meiner Position verharrte. Ich genoss das Gefühl des warmen, tropfenden Spermas, welches sich seinen Weg aus meiner klatschnassen Höhle bahnte.

»Mein Mädchen?«, warf er fragend in den Raum.

»Ja, Sir«, antwortete ich erschöpft, aber glücklich.

»Du weißt, dass ich dich jetzt bestrafen werde?«

›Verdammt, da war ja noch was‹, dachte ich bei mir. Eigentlich wollte ich mich in diesem Augenblick suhlen, wollte die unbeschreibliche Freiheit, die ich gerade erfahren hatte, genießen und auskosten.

»Ja, Sir. Bitte verzeih mir. Ich konnte es nicht mehr aufhalten und ...«

»Tja, das ist für mich nicht von Belang. Du wirst dennoch die Konsequenzen tragen, mein hübsches Mädchen«, unterbrach er mich. Sein Tonfall war kühl, während seine sanfte Berührung an meinem Rücken eine andere Sprache sprach.

Behutsam und geduldig zog er mich an der Leine hoch. Mit etwas Mühe kam ich auf meine zittrigen Beine. Die exzessiven Entladungen hatten mich bis tief ins Mark erschüttert. Etwas gedankenlos folgte ich ihm ins Badezimmer. Seine Stirn war in Falten gelegt und seine Schultern etwas angespannt. Doch in seinen Augen funkelte etwas Geheimnisvolles, Spitzbübisches. Nun deutete er mir mit einer Handbewegung und ausgestrecktem Zeigefinger, dass ich in die Badewanne steigen sollte. In diesem Moment dachte ich mir noch, er wollte mir etwas Gutes tun und mir ein Bad einlassen. Tatsächlich tappte ich völlig im Dunkeln. Als Nächstes befahl er mir, mich zu setzen und die Beine anzuwinkeln. Auch in diesem Moment hatte ich noch überhaupt keinen Schimmer, was gleich passieren würde. Mein Hintern brannte und pochte in der kühlen Wanne, die mir aber gleichzeitig etwas Abkühlung auf der heißen Haut verschaffte. Jetzt stieg er ebenfalls herein. Groß und mächtig stand er vor mir, sein halbsteifes Glied in der Hand. In diesem Moment begann es mir langsam zu dämmern. Darüber hatten wir noch nie gesprochen, weshalb ich in diesem Moment etwas überfordert war. War ich tatsächlich bereit, mich auf diese Art bestrafen oder erniedrigen zu lassen? Gemischte Gefühle machten sich in mir breit, mein Verstand konnte gar nicht so schnell reagieren. Ich fühlte mich beleidigt und glücklich zur gleichen Zeit. Sein Blick fixierte mich. Er wartete ab, ob ich insgeheim mein Okay dazu geben würde. Bevor ich es zerdenken oder mir weiter groß Gedanken darüber machen konnte, nahm ich meine Strafe mit einem knappen Nicken entgegen und schloss gefasst meine Augen. Schon prasselte ein warmer Strahl Urin über meine Schultern, meine Brüste und zu guter Letzt über meinen Kopf, ebenso wie über mein Gesicht. Er stöhnte leise und erleichtert.

»Du bist entschlossen und gewillt, deinem Herrn gut zu dienen. Ich bin sehr stolz auf dich, mein Mädchen. Du darfst jetzt mit mir unter die Dusche gehen. Ich werde dich von Kopf bis Fuß waschen. Das hast du dir verdient.«

Sir Christopher schaffte etwas, das Peer leider nicht gekonnt hatte. Er war fordernd, unnachgiebig und manchmal etwas kühl. Aber dennoch fühlte ich mich bei ihm absolut geborgen, sicher und wertgeschätzt. Im Unterschied dazu hatte Peer mich jedes Mal wie eine heiße Kartoffel fallen gelassen, wenn ich seine Nähe gebraucht hätte.

Sir Christopher hingegen war mein Wohlergehen das absolut Wichtigste, das hatte ich verstanden, aber auch gefühlt.

Wir gingen gemeinsam unter die Dusche, wo er mich von oben bis unten einschäumte. Liebevoll, ja zärtlich waren seine Berührungen, fast schon etwas verspielt. Mitunter küssten wir uns unter der Regendusche, streichelten uns und kamen uns nah. Nicht nur körperlich. Wir verbrachten eine wundervolle Nacht miteinander, lachten und hatten nochmals Sex, bis wir schließlich Haut an Haut eingeschlafen waren.

Als ich ein paar Stunden später aufwachte, wusste ich für einen Augenblick nicht, wo ich war. Auf die Unterarme gestützt spähte ich durch kleine müde Schlitze einmal von links nach rechts und wieder retour. Was meine verschlafenen Augen dabei entdeckten, gefiel mir. Er schlief auf dem Bauch, sein sexy Hintern war nur zur Hälfte bedeckt. Meine Erinnerungen an die vergangene Nacht zauberten mir ein zufriedenes Lächeln in mein Gesicht. Ich ließ mich wieder in die luftig weiche Matratze zurückfallen und fühlte mich bei der einen oder anderen Reflexion wie ein unartiges, böses Mädchen. Sir Christopher schlief derweil tief und fest. Mein Versuch, nochmal einzuschlafen, scheiterte an meinem Gedankenkarussell, welches sich unerwünscht in Bewegung gesetzt hatte. Wenn es sich erst einmal drehte, war es schwer wieder zu bremsen. Am meisten hatte mein Verstand mit dem Spielchen in der Badewanne zu kämpfen. In Gedanken hörte ich die unterschiedlichsten Meinungen.
Meine Mutter: »Das ist doch krank! Das hat mit Liebe und Sex doch nichts mehr zu tun.«
Anna: »Soooo eklig! Kann mir nicht vorstellen, dass mir das etwas gibt.«
Robert: »Mit Anna bräuchte ich das nicht probieren. Ich würd's ja geil finden.«
Mein Verstand: »Das ist schon abartig, was du mit dir hast machen lassen. Wie konntest du das zulassen? Und das Schlimmste, du hast es auch noch ge-

nossen und völlig normal gefunden. Die vielen Orgasmen töten wohl deine Gehirnzellen ab? Schäm dich!«

Mein Herz (oder doch meine Vagina?): »Seid endlich leise, ihr konservativen und antiquierten Hirngespinste! Ja, mir hat's gefallen. Ich wusste das bis jetzt auch gar nicht und kann mir das ja selbst nicht erklären. Wer weiß, wozu ich noch im Stande wäre.«

Nun war ich definitiv wach. Solche Diskussionen fand ich immer anstrengend. Mich hätte ja interessiert, ob Gespräche darüber genau so abgelaufen wären. Wahrscheinlich würde ich gerade dieses Erlebnis jedoch vorerst für mich behalten, um nicht noch mehr Stimmen in meinem Kopf zu wecken. Ich schlug die Decke zur Seite und stieg vorsichtig aus dem Bett. Zuerst suchte ich auf Zehenspitzen mein Handy, um die Uhrzeit zu checken. Bestimmt war es Coffee o'clock. Meine Handtasche lag wohl auf dem Sofa im Wohnzimmer. Also tapste ich nackt ins nächste Zimmer, wo ich auf der Anrichte nebenan überraschenderweise eine kleine Kaffeemaschine erblickte.

»Yeah! Die muss mir gestern entgangen sein. Hier muss es irgendwo doch auch die passenden Kapseln sowie Milch und Zucker geben«, flüsterte ich leise vor mich hin, während ich das Türchen unterhalb der Maschine öffnete.

Bingo! Alles da. Tassen, Kapseln, Milch.

Um Sir Christopher nicht zu wecken, huschte ich schnell zur Schlafzimmertüre, um sie zu schließen. Dabei erhaschte ich einen erneuten Blick auf seine nackte Pohälfte und war ebenso angetan von seinem weichen Gesichtsausdruck, als er so friedlich schlief. In seine hübsche Unterlippe hatte ich ihn letzte Nacht gebissen, als er mich kitzelte, während wir uns küssten. An mir selbst gab es wohl kaum eine Stelle, die nicht reizempfindlich war. Da mir kalt geworden war, sauste ich auch noch los, um den Bademantel zu holen. Nun schloss ich vorsichtig die Tür. Die Kaffeemaschine war zum Glück ganz leise und brühte mir im Handumdrehen eine aromatisch perfekte, wohlduftende Tasse Kaffee. Eingehüllt in einen viel zu großen weißen Bademantel, mit einer Tasse schwarzen Glücks in meinen Händen, blickte ich aus der Fensterfront in eine malerische, sonnige Herbstlandschaft. ›Fast schon kitschig‹, dachte ich mir. Mit einer Hand kramte ich in meiner Handtasche nach meinem Handy. Wow, es war bereits halb zwölf. Wie lange hatten wir uns letzte Nacht vergnügt? Irgendwie verging die Zeit hier viel zu schnell. Sir Christopher war nicht nur ein toller Mann, er war auch ein begnadeter Dom. Mein Bauchgefühl sagte mir, dass er für heute noch etwas Extravagantes geplant hatte. Immer wieder hatte er Anspielungen gemacht. Als er mich nach einem Höhepunkt fest in seinen Armen hielt, unser Atem im Gleichklang unsere Brüste hob und senkte, sagte er etwas, das mir zu denken gab. »Ich werde dir eine Welt eröffnen, die faszinierend, aber auch angsteinflößend sein kann, wenn man sie zum ersten Mal betritt. Das Wichtigste ist, dass du mir absolut vertraust und die Führung überlässt. Vertrauen ist die Basis für alles. Und du solltest dein

Safeword nicht vergessen.« Anschließend küsste er mich liebevoll und beschützend auf die Stirn.

Vor ein paar Stunden hatte ich diesen Worten noch nicht sehr viel Beachtung geschenkt. Jetzt gingen sie mir zugegebenermaßen nicht mehr aus dem Kopf. Ich als Neuling in der Welt von Dominanz und Unterwerfung wusste nicht so recht, was mir blühte. Aber ich hatte Blut geleckt, war mutiger geworden. Und mit Sir Christopher an meiner Seite fühlte ich mich sicher und geborgen. Jede Regung, jede Unsicherheit, jede noch so kleine Mimik oder jedes Zögern nahm er mit einem unglaublichen Fingerspitzengefühl wahr. Er war energisch, fordernd und holte mich aus meiner Komfortzone. Zudem waren seine Worte klar, ja unmissverständlich und genau DAS beeindruckte mich.

Der Rest der Welt spielte in diesen vier Wänden keine Rolle. Meine Schuld- und Schamgefühle fanden hier keinen Raum, um sich auszubreiten. Zum ersten Mal war mir tatsächlich egal, dass es ein gesellschaftliches Tabu war, sich zu unterwerfen, sich züchtigen und erniedrigen zu lassen, nur um sich dann in voller Blüte wieder zu erheben. Strahlender, glücklicher und befriedigt bis in die kleinste Zelle.

Mein Magen krampfte sich vor Aufregung zusammen, als ich nebenan die Toilettenspülung hörte. Er war aufgewacht. Schon der Gedanke, ihm gleich wieder gegenüberzustehen, ließ mein Innerstes schmelzen. Wie sollte ich mich benehmen? Wie verhielt sich eine gehorsame Sub am nächsten Morgen? Darüber hatte ich noch nie nachgedacht. Aber plötzlich sausten mir unzählige solcher Fragen durch meine Gehirnwindungen. Sie machten mich nervös, fast schon etwas panisch. Schnell zupfte ich den Bademantel zurecht, dabei öffnete ich ihn im Dekolleté besonders weit. Meine Haare drapierte ich mir sexy über meine linke Schulter. Schon öffnete sich die Schlafzimmertüre. Da stand er. Nackt, mit einem freundlichen Lächeln im Gesicht, holte er tief Luft und streckte sich dem Türstock entgegen. Was für ein herrlicher Anblick! Die Sonne kam gerade hinter einer Wolke hervor und sprenkelte den Raum mit warmen Lichtstrahlen, die auf seinem Körper zu tanzen schienen.

»Guten Morgen, mein schönes Mädchen«, strahlte er mich an.

»Guten Morgen, mein sexy Herr«, funkelte ich zurück.

Als er zu mir kam, wusste ich nicht, wohin ich schauen sollte. Mir war es so oder so unangenehm, auf seine Genitalien zu starren, daher wanderten meine Augen suchend über seinen Körper, um irgendwo Halt zu finden. Als er sich zu mir beugte, um mich zu küssen, traf ihn ein Sonnenstrahl in seinen Augen. Seine Iris leuchtete wie ein wunderschöner himmelblauer Topas. Bereit, wie ich war, in seinen blauen Edelsteinen zu versinken, wandte er seinen Blick keine Sekunde von mir ab. Sanft, jedoch mit der Bereitschaft, sich der unkontrollierten Leidenschaft hinzugeben, berührten seine Lippen meinen Mund. Die sonnengetränkte Luft knisterte, während tausende blitzartige Impulse durch meinen Körper jagten. Seine großen Hände umrahmten mein Gesicht, hielten mich fest, als er seinen Kopf neigte, um mich noch intensiver zu küssen. Seine Zunge umspielte die meine, als würde er sie umwerben und zum Tanz auffordern. Nicht nur die Küsse stahlen mir den Atem, sondern auch seine nackte Haut, ebenso sein steifer werdendes Glied, welches gegen meinen Bauchnabel drückte. Mit unerschütterlicher Disziplin löste er sich von meinen Lippen und keuchte erregt. Die Sonne verschwand hinter einer dunklen Wolkenwand, als würde sie uns ermutigen, unseren dunklen Gelüsten zu frönen. Unsere Körper bebten vor Verlangen, den anderen zu spüren, sich aneinander zu reiben.

»Du darfst jetzt nicht sprechen, außer du schreist meinen Namen«, herrschte er mich mit rollenden Schultern an. Zudem hörte ich den Nachsatz: »Du WIRST meinen Namen schreien!«

Gleich darauf stürzte er sich wie ein Betrunkener auf mich. Seine starken Hände umgriffen meine Hüften, während mich ein süßer, stechender Schmerz aus dem Moment holte. Tief gruben sich seine Finger in meine Taille, als er mich umdrehte und über die Rückenlehne der Couch platzierte. Ich war mir sicher, das würde einen blauen Fleck geben. Nun hob er den Bademantel hoch über meinen Rücken. Mein blanker nackter Arsch streckte sich ihm wie der einer läufigen Hündin entgegen. Ohne langes Vorspiel kam er gleich zur Sache. Seine Eichel platzierte er zwischen meinen Schamlippen, während er mit jedem Hin- und Hergleiten meine Nässe wie ein Gleitgel auf seinem harten Schwanz verteilte. Dann stieß er ohne Vorwarnung zu. Hart und unnachgiebig. Seine Hände wanderten über meinen Hintern, über meine Hüften, seitlich an den Rippen hinauf und fanden schließlich meine Brüste. Mit zügellosem Griff packte und knetete er sie, bis er mich schließlich brutal in meine Nippel zwickte und an ihnen zog, als würde er sie wie Knöpfe ausreißen wollen.

»Ahhh!« Erschrocken von dem brennenden, zerreißenden Schmerz, der mir durch und durch ging, bäumte ich mich auf wie eine Katze. Dieses Mal ging es nicht um meine Lust. Dieses Mal ging es allein um seine Befriedigung. Als mir das bewusst wurde, triefte ich vor Feuchtigkeit. Mit den Hüften kreisend versuchte ich, ihn noch mehr aufzugeilen. Seine Reaktion folgte prompt. Mit einer Hand drückte er mein Kreuz nach unten, während seine Stöße noch härter, fast schon brutal gegen meinen Hintern klatschten. Ich fletschte meine Zähne und wimmerte vor Verzweiflung, als er in meinem Inneren an einen Punkt stieß, der mit jeder Berührung tausende kleine Eruptionen durch meinen ganzen Körper jagte. Bis zu diesem Augenblick hatte ich den G-Punkt für ein Gerücht gehalten. Doch jetzt ließ er jeden Millimeter meiner Existenz erzittern. Dieses Gefühl dominierte sogar meinen Verstand. Unfähig, zu denken, zu sprechen oder auf irgendeine Weise zu reagieren, nahm ich nur noch seine Härte und seine Erschütterungen wahr. Unmöglich, die Körperspannung länger aufrechtzuhalten, kippte mein Kopf nach unten und ließ mich gänzlich auf der Rückenlehne liegen. Eine gewaltige Eruption stand mir bevor. Auch bei ihm bemerkte ich eine immer schnellere Atmung und Anspannung. Er wollte, dass ich seinen Namen schrie. – Das konnte er haben.

»Sir Christopher!!!«, schrie ich mit zittriger Stimme, als sich alles in mir zusammenkrampfte, um gleich anschließend wellenartig über mein ganzes Sein zu schwappen.

Angeheizt von meinem bebenden Leib zog er seinen Schwanz aus mir heraus. Unter tiefem, grölendem Stöhnen spritze sein Sperma wie heiße, pulsierende Lava auf meinen Rücken.

Danach ließ er sich grinsend und breitbeinig auf der Couch neben mir nieder.

»Geh dich schnell duschen, mein Mädchen. Und danach machst du mir bitte einen Espresso, schwarz.«

Im Prinzip wäre das alles kein Problem gewesen, doch meine Beine fühlten sich an wie Gummischläuche, die mir keinen Halt gaben. Er lachte laut, als er meine ersten Gehversuche beobachtete. Ich lachte auch. Wie auf rohen Eiern tapste ich ins Badezimmer, um unter die Dusche zu huschen.

Danach schlüpfte ich in ein Longshirt, um meinem Herrn frisch nach Aloe vera-Duschgel duftend einen Espresso zu servieren. Als ich ihm die Tasse gereicht hatte, setzte ich mich neben ihn auf den Boden. Mein Kopf schmiegte sich an seinen nackten muskulösen Oberschenkel. Er streichelte zufrieden über meinen Kopf, mein Haar und meine Wange. Genau so liebte ich es. Mein Platz war zu seinen Füßen.

Der Nachmittag verlief ganz gemütlich. Wir flanierten Hand in Hand durch die Stadt. In einem urigen Wirtshaus aßen wir Weißwurst und probierten das hausgebraute Bier. Immer wieder hatte ich Momente, in denen ich Sir Christopher genau beobachtete. Momente, in denen ich versuchte, ihn in seiner Ganzheit als Mann zu verstehen. Wie er wohl bei seiner Arbeit war? Oder ich stellte mir vor, wie er mit seiner Frau bei Tisch saß und den Tag Revue passieren ließ. Ich stellte mir auch vor, wie die beiden Sex hatten. Wie war er wohl im Kreise seiner Freunde oder im Urlaub mit seiner Familie? All diese Fragen tauchten wie vorüberziehende Wolken in meinen Gedanken auf. Wie war ich mit diesem Mann hier gelandet? Was machte ich hier, mitten in Regensburg, bei Weißwurst und Bier? Das Kuriose war, es fühlte sich so verdammt vertraut an. Als wäre es das Normalste auf der Welt, hier mit einem älteren, verheirateten Mann zu sitzen, der mir vor drei Stunden noch das Hirn rausgevögelt hatte. Dann sah ich zum Nebentisch. Auch dort saß ein älteres, verliebt wirkendes Pärchen. Hatten die beiden an diesem Morgen auch so geilen, animalischen Sex? Ich konnte nicht mehr damit aufhören, mir bei jedem vorzustellen, wie er Sex hatte. Deshalb war ich sehr dankbar, als Sir Christopher nach einem längeren Telefonat wieder zu mir an den Tisch kam. Er setzte sich ganz nah zu mir, legte seine Hand warnend auf meinen Oberschenkel und flüsterte mir ins Ohr: »Für heute Abend ist alles vorbereitet, mein Mädchen. Du wirst eine Welt betreten, die dir noch völlig fremd ist. Sei gewiss, ich werde dich nicht aus den Augen lassen und auf dich aufpassen. Dennoch wird es eine Herausforderung werden. Eine Herausforderung für deine Sinne und dein Vertrauen in mich.«

Mir stockte der Atem. Gänsehaut überzog meinen Körper, während mein Herz vor Aufregung flimmerte. Mit jedem Wort, das er sprach, wurde sein Atem an meiner Wange heißer und heißer.

»Du hast Angst, nicht wahr?!?«, fragte er überraschend verständnisvoll.

Als ich meinen Mund öffnete, wollte ich es leugnen, mich taff und unaufgeregt zeigen, jedoch die Tatsache war eine andere. Deshalb entschied ich mich, ihm die Wahrheit zu sagen.

»Du hast ja keine Ahnung. Ich hab riesengroßen Schiss vor heute Abend. Aber ich gebe mir wirklich Mühe, dir absolut zu vertrauen. Deshalb werde ich mich dieser Angst stellen.«

»Sehr gut, mein Mädchen. Du wirst an meiner Seite immer sicher sein.«

»Versprichst du mir, nichts zu tun, das mir schadet oder das ich nicht tun will?«

»Versprochen, mein Mädchen!«

»Gut, dann lass uns auf heute Abend anstoßen!«

Tapfer hob ich den Bierkrug zum Prosten und besiegelte damit mein Schicksal.

Am späten Nachmittag gingen wir zurück zum Hotel. Unsere Stimmung war gut, ausgelassen, jedoch war mein mulmiges Gefühl seit seiner Ansage nicht mehr verschwunden. Vielleicht wollte er mit mir in einen Swinger-Club gehen oder in einen BDSM-

Club? In meiner Fantasie spielten sich bereits die wahnwitzigsten Szenen ab. Wir beide in Lack und Leder beim Partnertausch. Oder in irgendeinem Kämmerlein mit Zuschauern. Doch all diese Vorstellungen passten nicht recht zu Sir Christopher. Er war ein Mann mit Klasse, mit einem Hang zum Extravaganten. Ein schlichter Swinger-Club passte nicht zu ihm. Aber was wusste ich schon?! Ich war bis jetzt weder in einem Swinger- noch in einem BDSM-Club gewesen. ›Möglicherweise ändert sich das spätestens heute Abend‹, dachte ich bei mir. Als wir in der Hotellobby standen, klingelte erneut sein Telefon. Ehrlich gesagt war das schon etwas lästig, denn schließlich wollte ich seine volle Aufmerksamkeit. Aber ich konnte ihm auch nicht böse sein. Er gab sich große Mühe, auf meine Wünsche und Bedürfnisse einzugehen. Er blickte nur kurz auf das Display, drückte den Anrufer weg und wandte sich mir zu.

»Ich möchte, dass du jetzt aufs Zimmer gehst. Unser Wagen wird uns um neunzehn Uhr abholen. Mach dich für eine längere Autofahrt bereit. Oben findest du alles, was du für heute Abend benötigst. Deine wundervolle Mähne wirst du heute zu einem hohen Pferdeschwanz binden. Ein Abend-Make-up und ein roter Lippenstift sind heute ein Muss. Wenn du fertig bist, schickst du mir eine Nachricht. Bis dahin werde ich ein Telefonat führen und an der Bar noch einen Drink nehmen. Du wirst umwerfend aussehen, mein Mädchen!« Dabei sprach Stolz aus seinen Augen. Ein Schauder tanzte über meine Haut, während er mein Kinn mit Daumen und Zeigefinger fasste und mir einen zärtlichen Kuss auf meine Lippen presste. Als nun erneut sein Handy läutete, ging er Richtung Hotelbar.

Da stand ich nun wie angewurzelt. In meinem Kopf drehte sich alles. Akustisch hatte ich alles verstanden, was er gerade zu mir gesagt hatte. Doch begriffen hatte ich es nicht. Nachdenklich und gedankenverloren machte ich mich auf den Weg in die Suite. An der Rückwand des Lifts befand sich ein bodentiefer Spiegel. Ich starrte mich an wie eine Fremde. Dabei bemerkte ich, dass ich am ganzen Leib zitterte. Warum fühlte ich mich an Christophers Seite gleichzeitig einzigartig, mächtig und doch verloren? Kopfschüttelnd und stirnrunzelnd warf ich meinem Spiegelbild ein mitfühlendes Lächeln zu.

»Das wird ein spannender und aufregender Abend, freu dich darauf, endlich was zu erleben. Ein bisschen Muffensausen gehört dazu. Außerdem kannst du jederzeit das Safeword sagen«, beruhigte ich mich mit einem Selbstgespräch, bevor ich aus dem Lift stieg.

Ich hatte etwas mehr als eine Stunde Zeit, um mich für ihn hübsch zu machen. Neugierig betrat ich das Zimmer. Er meinte ja, dass ich hier alles vorfinden würde, was ich für den Abend benötigte. Als ich ins Schlafzimmer ging, staunte ich, machte große Augen und schlug meine Hände vor den Mund.

»Wie hat er …? Wann hat er das …? Ohh mein Gott!«, stammelte ich, als ich ein wunderschönes, royalblaues Kleid mit mega High Heels auf dem Bett fand. Darin musste ich mich wie eine Prinzessin fühlen. Jetzt wurde mir klar, warum ich ihm während meiner letzten Aufgabe im Chat meine Maße durchgeben musste. Er hatte das also alles von langer Hand geplant. Meine Augen füllten sich mit Tränen. Manchmal schien er mir etwas unnahbar, kühl, aber ich schien ihm tatsächlich etwas zu bedeuten, sonst hätte er nicht diesen Aufwand betrieben. Sogar an sexy halterlose Strümpfe mit wundervoller breiter Spitze hatte er gedacht. Dann lag dort noch eine schwarze Schmuckschatulle, mit deren Inhalt ich im ersten Augenblick nichts anzufangen wusste. Eine zarte, feingliedrige Edelstahlkette mit weißen, glitzernden Steinen, an der eine Leine aus feinem schwarzen Leder befestigt war. Doch diese Kette war für meinen Hals viel zu kurz. Aufgrund der Nervosität und des Zeitdrucks wollte ich mich nicht zu lange mit dieser Frage aufhalten. Schließlich hatte ich eine Aufgabe, mehr noch, ihm sollte die Luft wegbleiben, wenn er mich zum ersten Mal in diesem Kleid sah. Was auch immer sich heute Abend zutragen würde, Sir Christopher sollte stolz auf sein Mädchen sein. Mission Aschenputtel startete.

Checkliste:

- geduscht und fein säuberlich rasiert – erledigt
- strenger, hoher Pferdeschwanz – erledigt
- Abend-Make-up mit smokey Eyes – erledigt
- Strümpfe ohne Laufmasche anziehen – erledigt
- blaues Abendkleid anziehen und hoffen, dass es passt – erledigt
- die schwarzen Pumps anziehen, ebenfalls hoffen, dass sie passen – erledigt

- roten Lippenstift auftragen (auch daran hatte er
gedacht) – erledigt

Ohne angeben zu wollen, ich sah umwerfend aus!
Mein Spiegelbild bekam nun statt eines mitleidigen
Lächelns ein triumphierendes.
Das plissierte Abendkleid aus strahlendem royal-
blauem Satin mit Keyhole-Dekolleté, war ein Augen-
schmaus, denn es umschmeichelte jede meiner
Kurven. Von vorn sah alles züchtig, glamourös und
elegant aus. Doch der wahre Hingucker befand sich
auf der Rückseite. Dieses Kleid überwältigte dort
mit einem Wasserfall-Ausschnitt, welcher Einblick
bis hinunter zu meiner Pofalte gewährte. Natürlich
trug ich unter dem Kleid kein Höschen, das verstand sich von selbst. Wenn ich mich setzte, dann
hatte ich das Gefühl, mein Hintern sei entblößt.
Nach ein paar Schritten mit den Stiftabsätzen wurde mir eines schlagartig bewusst: Mein nackter Po
war mein geringstes Problem. Ich fühlte mich wie
eine Mischung aus Vamp und Disney-Prinzessin.
Welche der beiden würde sich heute amüsieren?
Mein Herz hämmerte wie wild gegen meine Brust,
als ich Sir Christopher die vereinbarte Nachricht
sendete. Keine zwei Minuten später öffnete sich die
Zimmertür. Zappelig wie eine Braut wartete ich auf
den Augenblick der Begegnung.
»Nur nicht heulen«, nuschelte ich beruhigend auf
mich ein. Mir brummte der Schädel vor aufgestau-
ter Energie. Am liebsten hätte ich nackt und zu allem bereit auf ihn gewartet.

Doch als er plötzlich vor mir stand, erstarrte ich vor Erstaunen. Meine Kinnlade klappte herunter, aber am liebsten wäre ich vor ihm auf die Knie gegangen. Seine Energie strahlte vor Souveränität und Stärke. Dennoch wirkte er kein bisschen arrogant. Noch dazu sah er in dem schwarzen Smoking verdammt sexy aus. Wie hatte er das alles nur organisieren können? Er blieb drei Schritte vor mir stehen, während sein Augenpaar mich von oben bis unten scannte.

»Du siehst atemberaubend aus, mein Mädchen!«

Seine Lippen zuckten und binnen Sekunden war die gesamte Atmosphäre im Raum von lüsternen Gedanken geladen.

Mit geneigtem Kopf und zu Boden gerichtetem Blick versuchte ich, seinen durchdringenden Augen zu entgehen, die mich bereits fickten. Als ich ihm einen Schritt entgegenging, versanken die Pfennigabsätze in den Fasern des Teppichs, weshalb ich das Gleichgewicht verlor. Wie sollte es auch anders sein?

In James-Bond-Manier streckte Sir Christopher seinen Arm nach mir aus und fing mich auf.

»Wirklich umwerfend, im wahrsten Sinne des Wortes«, sagte er mit seinem tiefen, verheißungsvollen Tonfall. Seine Stimme kroch förmlich unter mein Kleid und drang in mich ein. Ich wollte jetzt nirgendwo hinfahren. Ich wollte Sex! Jetzt! Bevor ich noch begann, zu hyperventilieren.

»Woran denkst du?«, fragte er mit tanzenden Augenbrauen neugierig.

»Tja, ähm …, ganz ehrlich, Sir Christopher?«

»Immer ehrlich, mein Mädchen.«

»Ich will jetzt Sex, nicht später, nicht morgen, sondern jetzt. Mein Herr sieht einfach zu sexy aus.« Etwas unsicher kaute ich auf meinen Lippen.

»Danke, mein Mädchen. Wenn ich dir gefalle, ehrt und freut mich das. Aber das Auto wartet bereits. Du wirst es gewiss nicht bereuen. Mein Mädchen wird sich heute noch prächtig amüsieren ... und nicht ich sehe sexy aus. Du bist der Inbegriff von sexy. Sie werden mich alle um dich beneiden.«

Oh, hatte er tatsächlich gerade gesagt, alle? Wer waren alle? Wollte ich das wirklich? Wohin fuhren wir? Mein Herzschlag nahm Fahrt auf. Meine Vagina pulsierte. Mein Verstand drehte Extrarunden und mir wurde schwarz vor Augen. Ich hatte eine veritable Panikattacke.

»Alles ist gut, mein Mädchen. Dir wird nichts passieren. Bitte vertrau mir«, vernahm ich seine beruhigende Stimme. Auch jetzt wusste er sofort, was zu tun war. Mit seinem linken Arm stütze er mich, während seine rechte Hand sich unter mein Kleid wühlte, wo sie zielsicher meinen Panikknopf stimulierte. Zuerst tauchte er zwei Finger in meine Nässe, um dann mit kreisenden Bewegungen auf meiner Klitoris für Ablenkung zu sorgen. Nie zuvor hatte sich eine Panikattacke bei mir so schnell in Wohlgefallen aufgelöst. Sir Christophers Miene blieb unlesbar, während mein Gesicht lustverzerrt meine innere Vibration offenbarte. Seine Bewegungen wurden langsamer und er flüsterte mir zärtlich ins Ohr: »Mein kleines, unersättliches Mädchen, wir müssen jetzt los. Setz dich kurz. Ich habe noch etwas für dich.«

Er entzog mir seine Hand, der Stoff meines Kleides fiel schwer zu Boden und ich setzte mich auf den Stuhl, den er mir gentlemanlike zurechtgerückt hatte. An die Schatulle mit dem Kettchen hatte ich gar nicht mehr gedacht. Erst als er damit aus dem Schlafzimmer zu mir kam, fiel sie mir wieder ein.

»Du wirst dich gewundert haben, was es mit dieser Kette auf sich hat«, betonte er mit erfreuter Miene und wachen Augen.

Bevor ich etwas erwidern konnte, sprach er weiter.

»Gib mir deine linke Hand!«

Also streckte ich ihm meine Hand entgegen. Damit hatte ich nicht gerechnet, außerdem hatte ich davon noch nie gelesen oder gehört. Dieses Kettchen war als Armband für mich gedacht, dennoch fungierte es als Leine. Denn Sir Christopher hielt die Verlängerung aus Leder fest in seiner Hand.

»Dieses Armband oder diese Art Leine kannst du als Ehre betrachten, mein Mädchen. Du wirst heute Abend Sklavinnen und Sklaven sehen, die lange nicht in deiner glücklichen Position sind und nicht so besonders behandelt werden, wie du. Die Leine nicht um den Hals, sondern als Armband zu tragen, symbolisiert, wie wertvoll und besonders du für mich bist. Kein anderer Mann wird es wagen, dich ohne meine Erlaubnis anzusprechen. Dort, wo wir heute verkehren, herrschen Regeln, strenge Regeln. Auf dem Weg dorthin werde ich dich mit einigen davon vertraut machen. Doch die wichtigste Regel für dich lautet, mir zu hundert Prozent zu vertrauen. Stell meine Autorität keinesfalls in Frage. Hast du mich verstanden?«

Um seinen Worten Nachdruck zu verleihen, bohrten seine Finger sich fest in meinen Unterarm. Erneut hatte ich diese widersprüchlichen Gefühle, die in mir aufkeimten, wenn ich Angst und Lust im selben Augenblick empfand. Er gab mir das Gefühl, schön, begehrt, besonders zu sein. Dennoch flößten mir seine direkten Ansagen Unbehagen und Unsicherheit ein. Für mich eine explosive Mischung, wie ich festgestellt hatte.

»Ja, Sir. Ich habe verstanden und ich hoffe, deinen Erwartungen gerecht zu werden.«

»Das wirst du, mein Mädchen! Sieh dich an! Bei deinem Anblick werden heute viele Schwänze hart werden.«

Seiner Kehle entwich ein Stöhnen, als seine unlesbare Fassade für den Bruchteil einer Sekunde bröckelte. Er fasste sich mit gierigem Blick in den Schritt, bevor er die Leine an meinem Handgelenk schnappte. Von seiner plumpen Wortwahl ein wenig irritiert, folgte ich ihm. Als wir den Korridor entlangschritten, fühlte ich Stolz aber auch Unsicherheit.

»Du wirst immer einen Schritt hinter mir gehen. Wenn ich stehenbleibe, dann bleibst du ebenfalls eine Schrittlänge hinter mir stehen«, erwähnte er wie nebenbei und ohne mich dabei anzusehen, als wäre es das Normalste auf der Welt.

»Ja, Sir.«

Mein Fokus lag eher darauf, einen Schritt nach dem anderen zu machen, um mit diesen Monster High

Heels nicht zu stolpern. Wir warteten auf den Lift, aus dem zwei Männer in Anzügen ausstiegen. Hier im Haus fand ein Kongress für Fondsmanager statt. Diese beiden Exemplare wirkten sehr euphorisch und waren in ein Gespräch über Wertpapiere verwickelt. Als sie jedoch Sir Christopher und mich bemerkten, unterbrachen sie ihre angeregte Diskussion. Einer der beiden erhaschte einen Blick auf mein Armband. Anschließend sah er Sir Christopher in die Augen und sagte: »Guten Abend.« Mit dem kurzen Nicken, welches wie eine Verbeugung wirkte, schien er ihm Respekt zu zollen. Sir Christopher tat es ihm gleich. Was war hier gerade passiert? Gab es unter Doms sowas wie einen Ehrenkodex? Auf jeden Fall wusste der Anzugträger genau, was hier gespielt wurde. Ein mulmiges Gefühl machte sich in meiner Magengegend bemerkbar und leider auch in meiner Blase.

»Sir Christopher?!«, piepste ich wie ein Duckmäuschen.

»Ja, mein Mädchen?«

Sein Blick wanderte über seine Schulter, jedoch ohne sich mir zuzuwenden.

»Ich müsste bitte nochmal zur Toilette.« Mir war das etwas peinlich, aber er hatte ja erwähnt, ich solle mich auf eine längere Autofahrt gefasst machen. Maskulines Lachen hallte durch die Liftkabine.

»Natürlich, du darfst noch einmal zur Toilette gehen. Das Armband werde ich jedoch nicht abnehmen. Hier darfst du alleine zur Toilette gehen. An unserem Zielort wird das nicht mehr möglich sein.«

Mein Gesichtsausdruck sprach vermutlich Bände. Eine Mischung aus Fragezeichen und Entsetzen hatte sich in meine Mimik gemeißelt.

»Alles halb so wild, mein Mädchen. So ist es eben. Gibt ja nichts, was ich an dir noch nicht gesehen hätte.«

Na ja, mir fiel da schon etwas ein, das er noch nicht gesehen hatte. Das wollte ich jetzt jedoch nicht näher ausführen. Pinkeln war es jedenfalls nicht.

Unter lautem Klackern stöckelte ich über den glänzenden Steinboden Richtung Toilette. Plötzlich waren mir die gehässigen Blicke der Frauen und die aufgegeilten Fratzen der Männer völlig egal. Mein Verstand war mit anderen Problemen beschäftigt. Während ich mein Geschäft erledigte, schlug ich die Hände vor mein Gesicht.

»Nein, nein, nein! Worauf hast du dich nur wieder eingelassen«, murmelte ich unter heftigem Kopfschütteln.

Die Grenze zwischen Mut und Dummheit schien ein sehr dünnes Blatt zu sein. Kneifen oder mit erhobenem Haupt zu diesem verdammten Wagen und damit ins Ungewisse gehen? ›Vertraue!‹, flüsterte meine innere Stimme. Eigentlich war es Sir Christophers Stimme. Bis zu diesem Tag hatte ich von meinen Entscheidungen immer profitiert. Sie hatten mir ein Tor zu meiner sexuellen Erfüllung geöffnet. Eine Welt aus Leidenschaft, Begierde und Hingabe offenbarte sich dahinter. Verdammt! Entschlossen zupfte ich mein Kleid zurecht, um mich auch diesem Abenteuer zu stellen. Als hätte ich die unsichere kleine Maria auf der Toilette zurückgelassen, schritt ich erhobenen Hauptes, stolz und mit sexy Hüftschwung zu meinem Dom zurück.

»Wow, was ist in diesen fünf Minuten mit meinem Mädchen passiert?«, fragte er rein rhetorisch mit hochgezogener Augenbraue.

Selbstbewusst reichte ich ihm die Lederschlaufe meiner Leine. Jetzt gingen wir zu unserem Wagen, dessen Fondtüren der Chauffeur uns vornehm öffnete. Ein schickes, schwarzes, geräumiges Auto mit luxuriöser Ausstattung und genügend Beinfreiheit. Sogar eine kleine Bar mit gekühlten Getränken fand sich im Mittelraum.

Der Fahrer war ein stattlicher junger Mann, etwa in meinem Alter. Sein Gesichtsausdruck war ungewöhnlich ernst. Vielleicht ließ ihn auch nur der akkurat gestutzte Vollbart so streng wirken.

»Sir! Zur gewünschten Adresse?« Seine Art zu sprechen erinnerte mich ans Militär.

»Ja! Und schließen sie bitte die Trennwand. Keine Störungen bis zur Ankunft. Danke!«

Kurz, knapp, knackig. Wenn er Anweisungen erteilte, fand ich Sir Christopher nochmal so sexy. Die Klangfarbe seiner Stimme war zwar die eines Bosses, allerdings auch immer höflich sowie respektvoll. Während die Trennwand, die sich harmonisch in das Interieur integrierte, uns mit einem leisen Surren Privatsphäre verschaffte, biss ich mir auf die Zunge, um ein Stöhnen zu unterdrücken.

Außerdem wollte ich auf Nummer sicher gehen, dass ich nicht träumte. Seine Souveränität brachte mein Blut in Wallung. Was für ein Mann! Träume nicht dein Leben, sondern lebe deinen Traum! Ein

Spruch, den Anna in ihrer Küche hinter der Sitz-
ecke hängen hatte und an den ich jetzt denken
musste. So lange ersehnte ich diesen Traum noch
gar nicht. Ihn zu leben, war bis jetzt allerdings
Hammer.

»Danke, Sir Christopher!«
Erst nach langem intensiven Augenkontakt antwortete er.

»Bitte, mein Mädchen.«
Schon während der Autofahrt verwöhnten mich
seine Hände. Er hob meine Beine an und legte sie
auf seinem Schoß ab. Genussvoll streifte er im Zeit-
lupentempo meine Pumps von den Füßen. Seine
Fingerspitzen glitten über meine Schenkel, er küsste meine Waden und die Zehenspitzen. Er schnupperte an meinen Nylonfüßen, um mir dann wieder
diesen fordernden Blick nach mehr zuzuwerfen.
Wie ich es liebte, wenn er das tat! Plötzlich ließ er
von mir ab, hob meine Beine behutsam von seinen
Oberschenkeln, sodass ich über das abrupte Ende
ein wenig enttäuscht war. Sein Gesichtsausdruck
wurde nachdenklich. Ich spürte, jetzt würde er
mich auf diesen Abend und diesen geheimen Ort
vorbereiten. Er bat mich, ihm ein prickelndes Mine-
ralwasser mit einer Scheibe Zitrone zuzubereiten.
Natürlich tat ich das gerne für meinen Herrn.

»Sieh mal, hier gibt es auch Whisky, Wodka oder
Rum. Möchtest du auch einen Drink?«, fragte ich
beim Anblick der hochprozentigen Spirituosen
neugierig.

»Danke, mein Mädchen. Aber ich trinke niemals Alkohol, wenn ich für jemanden die Verantwortung

trage. Heute trage ich die Verantwortung für dich und dein Wohlergehen. Leider wissen sich bei solchen Veranstaltungen nicht immer alle Doms zu benehmen. Nur allzu oft vergessen sie unter Alkoholeinfluss ihre guten Manieren«, erklärte er mit amüsierter Stimme. Seine Augen wanderten umher, als würde er Erinnerungen abrufen.

»Nun gut, meine sexy Sklavin. Ich werde dir jetzt ein paar Regeln erläutern, an die du dich strengstens halten wirst. Ein Verstoß gegen diese Regeln könnte ernsthafte Folgen für mich als deinen Besitzer haben. Du genießt mein uneingeschränktes Vertrauen, auch wenn ich weiß, dass es für dich absolutes Neuland ist, in dem du dich heute bewegst. Vergiss nicht, ich führe dich. Du kannst dich immer auf mich verlassen. Zudem werden wir ein Zeichen vereinbaren, damit du mir ohne zu sprechen mitteilen kannst, wenn du etwas sagen möchtest oder dich unwohl fühlst.«

Mir war nur ein kurzes, bestätigendes Nicken möglich. Mein ganzer Körper war angespannt, selbst meinen Atem hatte ich beim Zuhören angehalten. Sein Vertrauen ehrte mich, allerdings spürte ich auch einen enormen Druck, der sich in meiner Brust bemerkbar machte. Ich schielte mit einem Auge zur Minibar. Ein Beruhigungsdrink wäre für meine angespannten Nerven jetzt genau das Richtige gewesen.

»Ich möchte dir empfehlen, ebenfalls keinen Alkohol zu trinken. Nicht, dass du noch Schwierigkeiten bekommst, in deinen High Heels zu gehen«, schmunzelte er halb ernst. Ihm entging wirklich überhaupt nichts. Die verzwickte Situation mit meinen Schuhen hatte ich bereits, aber das wollte ich ihm nicht unbedingt unter die Nase reiben.

»Du musst dir folgende Regeln merken. Also pass gut auf ...

Erstens – Untergrabe niemals meine Autorität.

Zweitens – Du wirst zwar an meiner Seite, aber immer eine Schrittlänge hinter mir sein. Ebenfalls, wenn ich stehenbleibe. Also sei stets aufmerksam.

Drittens – Kein Blickkontakt mit anderen Doms. Generell sollte dein Verhalten Ergebenheit und Gehorsam ausstrahlen. Achte auf deine devote Haltung.

Viertens – Niemals ohne meiner Erlaubnis sprechen. Du wirst angesprochen? Dann antwortest du erst, wenn ich es erlaube. Sonst werde ich für dich sprechen.

Hast du bereits eine Frage, mein Mädchen?«

Mir war das Blut in den Adern gefroren. Aufmerksam hing ich an seinen Lippen, während seine Worte in mein Ohr krochen und in meinem Magen rebellierten.

»Nein, Sir. Keine Fragen. Mir ist gerade nur etwas übel geworden.«

»Das ist die Nervosität. Die vergeht wieder, mein Mädchen. Dann fahre ich jetzt fort.

Fünftens – Essen, ebenso wie Trinken erfordert meine Erlaubnis. Wenn das Essen serviert wird, dann beginne ich zuerst. Ein bestätigendes Nicken meinerseits ist deine Erlaubnis, ebenfalls zu beginnen.

Sechstens – Du darfst dein Armband keinesfalls abnehmen.

Siebentens – Wie bereits erwähnt, ist es dort nicht erlaubt, sich als Sklavin alleine zu bewegen. Das betrifft auch den Gang zur Toilette. Manchmal gibt es eigens dafür Personal, meist ebenfalls Sklaven, die dann beauftragt werden können, die Sklavinnen und Sklaven der anwesenden Gäste zu begleiten. Je nach herrschender Situation werde ich dann entscheiden, ob ich dich begleiten werde oder ob das Personal das übernehmen darf.

Achtens – Womit wir auch schon bei der letzten wichtigen Regel für heute Abend wären. Widersetze dich niemals meinen Wünschen oder Befehlen. Niemals! Verstanden? Falls wir uns in einem der Séparées amüsieren, ist dein einziger Ausweg das Safeword. Wenn du es ausgesprochen hast, dann werde ich dich nur einmal fragen, ob du sicher bist, dass du dein Safeword verwenden möchtest. Bejahst du diese Frage, dann bedeutet das Abbruch, der Abend ist beendet und wir fahren zurück zum Hotel. Wenn du es jedoch zurücknimmst, entscheide ich, wie wir weitermachen.

Das waren die wichtigsten Regeln für heute Abend. Eines noch, wenn du mir etwas kundtun möchtest, fasst du dir mit deiner rechten Hand an dein Ohrläppchen. Dann werde ich dir eine Möglichkeit geben, dich mir mitzuteilen.«

In seinen Worten lag Ruhe, kein bisschen Aufgeregtheit oder Anspannung. Mir hingegen lief ein kalter Schauer nach dem anderen über meinen entblößten Rücken.

»Wir können auch jetzt noch umdrehen, mein Mädchen. Ich hoffe jedoch sehr, dass du dich nicht dafür entscheidest.«

»Nein, nein … niemals Autorität untergraben, immer einen Schritt hinten bleiben, devote Haltung, kein Blickkontakt, nicht sprechen, Essen und Trinken nur nach Erlaubnis, nicht alleine zur Toilette, Safeword und … äähmmm … eins war da noch«, grübelte ich angestrengt, nachdem ich in Gedanken noch einmal alles durchgegangen war.

»Dein Armband, mein Mädchen. Das bleibt dran. Der Rest war perfekt. Unser gemeinsames Abenteuer kann beginnen. Und wie ich sehe, sind wir in wenigen Minuten da«, sagte er voller Vorfreude und rieb sich bestätigend seine Hände.

Die letzten Minuten verbrachten wir schweigend. In Gedanken wiederholte ich ununterbrochen das eben gehörte Regelwerk, damit es mir in Fleisch und Blut überging. Schließlich war ich fest entschlossen, für Sir Christopher die beste Sklavin aller Zeiten zu sein. Obwohl es etwas an mir nagte, dass er dieses Erlebnis bereits mit anderen Sklavinnen geteilt hatte. Woher sonst wusste er so gut Bescheid?

Da mich etwas fröstelte, vermutlich vor Aufregung, drehte ich die Sitzheizung auf Anschlag und kauerte mich im Sitz zusammen. Sir Christopher war derweil mit seinem Handy beschäftigt. Wenn er auf seinem Handy etwas las, dann scrollte er immer mit dem Mittelfinger rauf oder runter. Ich kannte niemanden sonst, der das so handhabte.

Meinem Zeitgefühl zufolge waren wir mindestens schon eine Stunde unterwegs. Die Nacht war klar und hell. Der Mond blinzelte zwischen ein paar silbernen Wolkenschwaden hervor. Mir war aufgefallen, dass wir nun in einem ländlichen Gebiet unterwegs waren. Nur vereinzelt waren ein paar Häuser oder landwirtschaftliche Betriebe zu sehen. Schließlich bog unser Wagen rechts in eine schmale Straße ein. Um uns herum war nur noch Wald. Tiefster, düsterer Nadelwald, der mich zu verschlucken drohte, um mich in die Dunkelheit zu jagen. Mehr brauchte es nicht, um meinen Magen erneut protestieren zu lassen. Er griff nach meiner Hand, drückte sie bestätigend und sagte: »Jetzt sind wir gleich da!«

Während sein Blick wieder zum Seitenfenster wanderte, hielt er meine Hand aber weiterhin fest in der seinen. Plötzlich lichtete der Wald sich. Ich sah einen unendlich weiten gepflegten Rasen, gefolgt von einer beeindruckenden Baumallee, die wir eine gefühlte Ewigkeit entlangfuhren. In der Ferne erkannte ich Umrisse von mehreren Gebäuden, Ställen, aber das war keine Landwirtschaft. Schon die Zufahrt wirkte sehr herrschaftlich.

»Ist das hier ein Schloss?«, fragte ich staunend.

»Ja, das könnte man fast meinen. Allerdings ist es ein Herrenhaus, das einem alten Freund von mir gehört. Du wirst begeistert sein. Vertrau mir.«

Vertrau mir, vertrau mir, vertrau mir. Immer wieder dieses ich solle ihm doch vertrauen. Was tat ich denn die ganze Zeit?! Ohne Vertrauen wäre ich nicht in diesen Wagen gestiegen und hätte spätestens beim Passieren dieses schwarzen Waldes wild gegen die Autotüre gehämmert und geschrien: »Ich will noch nicht sterben!«

Doch nun konnte ich in seiner Stimme endlich so etwas wie Aufregung oder Freude vernehmen. Seine Körperhaltung veränderte sich, als wir dem Anwesen näherkamen. Er richtete sich im Sitz auf, holte tief Luft, während seine Wangenknochen pulsierten, als würde er auf etwas kauen. Auf mich wirkte das immer wie ein testosterongeladenes Männerding. Nach dem Motto, »Komm mir nicht zu nah oder ich mach dich fertig« oder »Meins, wage es ja nicht« oder noch besser »Ich werde dich gleich vögeln, dass dir Hören und Sehen vergeht!« Meine Gedanken schweiften ab, nur um sich von dem ersten Eindruck der heutigen Gesellschaft abzulenken. Was ich zu sehen bekam, jagte mir einen Heidenrespekt ein. Das Gebäude wirkte groß, märchenhaft, herrschaftlich. Jede Menge protzige Autos standen auf dem Anwesen. Mächtige Säulen mit Steinfiguren, die einen Weg in einen prunkvollen Ziergarten zu weisen schienen. Das alles konnte ich erkennen, während ich noch im Wagen saß. Mein Herz trommelte wie wild gegen meine Brust. Hatte Aschenputtel sich auch so gefühlt, als sie zum ersten Mal bei Hofe erschien? Ich schloss meine Augen, atmete mehrmals tief ein und wieder aus. Doch es half nichts, mir wurde übel. Sir Christopher sagte etwas zu mir. Obwohl ich kein Wort verstanden hatte, grinste ich höflich, nickte und lächelte. Er stieg aus. Sollte ich dem Chauffeur klopfen und sagen: »Fahr!! Los, fahr! Hol mich hier raus!«

Wie in einer Art Trance lief alles vor meinem inneren Auge ab. Surreal, aber ich war hier. Die Wagentüre öffnete sich. Sir Christopher stand da wie ein König, der seiner Königin die Hand reichte, um ihr beim Aussteigen zu helfen. Roter Teppich, majestätische Ziergärten, ein eindrucksvolles Herrenhaus mit Mansardenwalmdach, mehrere Nebengebäude, Männer in Smokings, Frauen in bezaubernder Abendgarderobe, halbnackte Sklavinnen und Sklaven in Lack und Leder. Letztere rissen mich aus meiner Lethargie. Jetzt war ich hellwach, als hätte man mir Koffein intravenös verabreicht. Eine breite Steintreppe, die nach oben hin immer schmaler wurde, führte zum Eingang in eine andere Welt. Links und rechts befand sich eine niedrige Balustrade. Auf jeder zweiten Stufe saßen Frauen und Männer, die genausogut gerade vom Lack- und Lederball angereist sein konnten. Ihre Haltung war jedoch unterwürfig, demütig, wirkte verängstigt auf mich. Oder war das nur mein Gemütszustand, der sich in den Gesichtern spiegelte? Sir Christopher ergriff die Leine meines Armbands.

»Bist du so weit, mein wunderschönes Mädchen?«, fragte er ermutigend und mit stolzgeschwellter Brust.

»Ja, Sir«, hauchte ich gelogen.

»Lass dich von mir in eine Welt der Leidenschaft und Hingabe entführen.«

Während wir zur Treppe gingen, sausten alle Regeln noch einmal durch meine Windungen. Mir taten die armen Kreaturen leid, die auf der kalten Steintreppe posieren mussten. Für einen Herbstabend waren die Temperaturen mild, mir wurde jedoch kalt, wenn eine Brise Herbstluft um meinen nackten Rücken und meine Poritze wehte. Ein eigenartiges, befremdliches Gefühl für meinen Hintern. Vor uns ging ein deutlich jüngeres Pärchen. Sie trug ein Halsband, an dem ihr Dom wenig empathisch herumzerrte. Die Blicke, die er ihr zuwarf, waren erniedrigend, abwertend. Wenn Sir Christopher mich so angesehen hätte, wäre ich bestimmt nicht mit ihm hier. Das Pärchen am Eingang hingegen wirkte auf mich harmonischer, ausgeglichener. Sie trug ebenfalls ein Halsband und ein Abendkleid aus transparentem schwarzen Stoff, der wie Feenstaub glitzerte. Sie trug nichts darunter, war bildschön. Eines hatten wir jedoch alle gemeinsam. Alle Frauen, die ich bis jetzt gesehen hatte, trugen einen Pferdeschwanz, außer die mit kurzen Haaren natürlich. Die vielen Eindrücke überrannten mich wie eine Herde wilder Pferde. Ich wollte darüber reden, Fragen stellen, doch das durfte ich nicht. Brav stökkelte ich elegant, aber mit geneigtem Kopf eine Schrittlänge hinter Sir Christopher her. Er führte bereits auf der Treppe Small Talk mit anderen Herrschaften, während wir Subs wie kleine Trophäen still hinter unseren Herren standen und schwiegen. Mir fiel es unglaublich schwer, meine Klappe zu halten. Die Dame im Feenkleid lächelte mir flüchtig zu, wagte jedoch nicht, den Augenkontakt zu halten. Der Einlass ging etwas schleppend vonstatten. Soweit ich mitbekam, hatte sich der Fehlerteufel auf der Gästeliste eingeschlichen. An dieser Security gab es jedoch kein Vorbeikommen, bevor das nicht

geklärt war. Wortgemenge, empörtes Gestikulie-
ren, eifrige Telefonate, um dann völlig außer sich,
mit hochroten Kopf kehrtzumachen.

»Dieser feine Herr hatte sich beim letzten Mal wohl
etwas daneben benommen. Recht geschieht ihm«,
schmunzelte Sir Christopher mit hörbarer Scha-
denfreude in mein Ohr.

Sehr gespannt, was mich drin erwarten würde,
rückten wir auf. Wieder bewunderte ich dieses
prachtvolle Gebäude. Hier war viel Geld für die Re-
novierungsarbeiten in die Hände genommen worden. Der Charme des Hauses versetzte mich zunächst in Staunen und anschließend in längst vergangene Zeiten. Die schwere, braune Doppelflügel-
türe war reich verziert, Ornamente soweit das Auge
reichte. Auch die vielen Holzrahmen der Sprossen-
fenster gaben einem das Gefühl, das Holz könne
alte Geschichten erzählen.

Gleich waren wir an der Reihe. Sir Christopher wurde sofort höflich mit Namen, nämlich mit ›Sir Christopher‹ begrüßt. Auch ich fand Beachtung und
wurde mit ›Guten Abend, die Dame‹ in Empfang genommen. Wir traten ein und ich rieb wie wild an
meinem Ohrläppchen. Darauf ging er mit mir einen
Schritt zur Seite und erteilte mir die Erlaubnis, zu
sprechen.

»Danke, Sir«, flutschte es, um die Etikette zu wahren, aufgeregt aus mir heraus.

»Mir fällt es unglaublich schwer, nicht zu sprechen.
Ich habe tausend Fragen, aber meine erste Frage
lautet, warum wurde ich begrüßt? Die anderen vor
mir fanden am Empfang keinerlei Beachtung?!«

»Nun, der Unterschied liegt darin, dass du ein Armband statt eines Halsbandes trägst. Du wirst auch eine Handvoll Damen sehen, die gar kein Hals- oder Armband tragen. Sie haben sich bei derlei Anlässen bewährt und genießen das absolute Vertrauen Ihrer Herrn. Das tust du auch, mein Mädchen. Doch es wäre den anderen gegenüber etwas zu vermessen, bei deinem ersten Besuch in dieser Gesellschaft ohne Leine aufzutauchen. Auch unter den Sklavinnen gibt es durchaus Unterschiede.« Er wollte noch weiter reden, wurde jedoch von einem anderen Herrn im Smoking erneut in ein Gespräch verwikkelt. Unterdessen konnte ich mich kaum an den üppigen Verzierungen aus Gold, Marmor, Stuck und all den dekorativen Details sattsehen. Die Empfangshalle war großzügig und imponierte mit einer Wandmalerei, welche wie ein Wappen aussah. Der Treppenaufgang war breit, geschwungen, mit Balustraden, die eine Metamorphose mit dem Rest des Interieurs eingingen. Mir war bewusst, dass alles, was ich sah, der Demonstration von Macht und Reichtum diente. Dennoch war ich hellauf begeistert. Die anderen Gäste waren zu diesem Zeitpunkt nebensächlich. Als absoluter Fan von geschichtlichen Romanen wie Anna Karenina von Lew Tolstoi fühlte ich mich wie auf Wolke Sieben. Sofort hätte ich mein Rücken-Popo-freies Kleid gegen ein prunkvolles aus Korsage, zig Lagen Stoff, Spitze und Stickereien getauscht. So viele Welten prallten hier aufeinander. Jede Einzelne hatte ihren Reiz. Heute war ich keine Herrin, Gutsbesitzerin, Fürstin oder Prinzessin. An diesem Abend war ich Sir Christophers Untertanin. Dennoch fühlte ich mich gerade wie eine Königin ... bis mich ein lautes Zischen, gefolgt von einem ohrenbetäubenden Knall aus meinen Träumereien holte. Instinktiv suchte ich Schutz bei meinem Herrn. Mein Herz holperte, als würde es über Kopfsteinpflaster hüpfen. Sämtliche Muskeln hatte ich vor Schreck angespannt und mich bei Sir Christopher eingehakt. Nach dem Bruchteil einer Sekunde wurde mir bewusst, dass das gegen die Regeln verstieß. Nochmals erschrokken, ließ ich seinen Arm sofort wieder los und schämte mich hinter seinem Rücken über mein Verhalten. Ich wusste nicht, wie mir geschah. Und ich hatte keine Ahnung, welche Konsequenzen das haben würde. Doch Sir Christopher verhielt sich wie ein Gentleman. Als er sich an mich wandte, lagen seine Hände besänftigend auf meinen Oberarmen. Sein mildes Lächeln passte jedoch keinesfalls zu seinen Worten.

»Was du gehört hast, war eine Peitsche. Für eine unartige kleine Sklavin hagelte es wohl eine Bestrafung. Möchtest du dich ihr vielleicht anschließen?«

Mir gefror das Blut in den Adern. Der nächste Schock. Mit unglaubwürdigem Gesichtsausdruck starrte ich ihn an.

Plötzlich zwinkerte er mir zu. Erst jetzt hatte ich ihn richtig verstanden. Er musste sein Gesicht wahren und natürlich ein Machtwort sprechen.

Reumütig antwortete ich: »Bitte verzeih mir, Sir Christopher.« Mein Dackelblick zeigte Wirkung. Der andere Mann hatte wohl Mitleid mit mir.

»Für diese Verfehlung gibt es doch maximal einen Klaps auf den Hintern«, mischte er sich wohlwollend in Sir Christophers Tadel ein.

»Sie braucht eine starke Hand. Doch ich will nachsichtig mit ihr sein. Sie ist sehr schreckhaft«, antwortete mein Sir mit einem gekünstelten Lachen.

Nun nahmen sie ihr Gespräch wieder auf, während ich mich erneut den wundervollen Fresken widmete. Doch das Erschrecken saß mir in den Knochen. Mir war zudem aufgefallen, dass immer wieder Pärchen nach oben gingen. Eine junge Sklavin – sie war gerade mal zwanzig – kroch an der Seite ihres Herrn lasziv auf allen vieren die Treppe hinauf. Die aufgeheizte Stimmung zwischen den beiden war nicht zu übersehen. Ihre Körper schrien förmlich nach Verlangen und Leidenschaft. So sehr, dass mich der bloße Anblick nass werden ließ. Wie ein hochansteckender Virus infizierte die von Lust geschwängerte Luft jeden, der auch nur einen Fuß in dieses Haus setzte.

In der Folge flanierte Sir Christopher mit mir von Zimmer zu Zimmer. Die Räume waren symmetrisch angeordnet und jeder dieser Räume hatte einen besonderen Flair und ebenso ein Thema, nach welchem er eingerichtet worden war. Im prunkvollen Spiegelsaal fand das Dinner statt. Im Jagdzimmer mit den gruseligen Geweihen und den ausgestopften Tieren an den Wänden fanden sich die Herren ein, um Zigarren zu rauchen. Die Bibliothek durfte man an diesem Abend nicht betreten, sie war verschlossen.

»Hier am Ende des Ganges befindet sich das asiatische Zimmer. Das wird meinem Mädchen besonders gefallen, das spüre ich«, strahlte Sir Christopher mich an und griff sich dabei in den Schritt. Ihn schien das geil zu machen. Am Ende des langen Flurs wurden die Stimmen, das Gelächter und der Trubel immer leiser. Nicht nur die Lichteffekte, sondern auch die Akustik versprühte in jedem Winkel dieses Herrenhauses einen eigenen Charme. Lediglich das Knarren des dunklen Holzbodens und eine leise, traditionell klingende, japanische Melodie, welche aus dem asiatischen Zimmer strömte, waren nun im Fokus meines Gehörs. Der Anblick, der sich mir bot, versetzte mich in Staunen. Sir Christopher hatte recht. Noch nie zuvor hatte ich etwas so Schönes, Ästhetisches zu sehen bekommen. Passend zum gesamten Interieur faszinierte mich der Anblick von kunstvoll gefesselten Männern und Frauen.

Die wundervollen Schnürungen, Knotenmuster sowie das Spiel aus Stoff und nackter Haut zogen mich in ihren Bann. Wie Kunstwerke waren diese gebundenen Sklaven überall in diesem Raum integriert worden. Auf dem Boden, den Möbeln, aber auch auf stabile Bambusrohre geschnürt und von der Decke hängend. Obwohl ich am ganzen Körper bebte, hörte ich nicht auf, meine Rolle zu spielen. In Gedanken riss ich Sir Christopher bereits die edlen Klamotten vom Leib. Auch wenn die Tatsache der Anwesenheit von Zusehern bei mir immer noch für Unbehagen sorgte, wollte ich nichts sehnlicher, als diesen stattlichen Mann mit dem silbergrauen Haar und dem Smoking endlich zu vögeln. Schließlich gab es in dieser Etage auch ein Vogelzimmer. Erregt und verlegen lächelte ich gegen meine Schulter. Ihm schien es ebenso zu ergehen. Die Beule in seiner Hose war mir nicht entgangen, aber so schwer mir das auch fiel, ich durfte keinesfalls die Initiative ergreifen. Also begann ich damit, in meinem Kopf eine Liste von Dingen anzufertigen, die meinem Herrn gefallen würden, die ihn antörnten. Mit einem kurzen Ruck zog ich für noch mehr Einblick mein Kleid am Rücken noch etwas tiefer. Meine Nippel waren ohnehin hart. Unter dem fließenden Stoff zeichneten sie sich wie kleine Gebirgsketten ab. Bei einer Gelegenheit streifte mein Handrücken seinen knackigen Hintern. Mehr war mir nicht gestattet. Ich wollte ihm gehorchen, sein braves Mädchen sein, doch mehr noch wollte ich seine Härte in mir spüren. Ich wollte herausfinden, was er für uns geplant hatte. Während mein Kopfkino mich eine Etage höher katapultierte, zerrte er plötzlich an meinem Armband. Ruckartig stolperte ich ihm hinterher. Seine Schritte waren eilig und groß, sodass ich laufen musste. Was war passiert? Hatte ich etwas verpasst? In dem langen, dunklen Gang blieb er schlagartig stehen. Plötzlich zog er mich mit einer Heftigkeit an sich, dass ich gegen seine starke Brust prallte. Dabei raunte er etwas auf Französisch in seinen Bart. Seine Worte konnte ich nicht verstehen. Das brauchte ich auch nicht. Das Verlangen in seinem Gesichtsausdruck sprach Bände. Er wirbelte mich gegen die Holzvertäfelung an die Wand und presste mich mit seinem ganzen Gewicht dagegen. Die Kühle des Holzes an meinem Rücken und die gleichzeitige Hitze meines Herrn von vorn nahmen mir den Atem. Mein Keuchen klang seltsam gedämpft, wie in einem Traum.

»Glaubst du wirklich, ich hätte deine Versuche, Aufmerksamkeit zu erhalten, nicht bemerkt?«, hauchte er mit heißem Atem direkt in mein Gesicht.

Seine rechte Hand umfasste bedrohlich meine Kehle und überstreckte meinen Hals. Sir Christopher leckte über meinen Hals. Ein kalter Schauer der Erregung durchhuschte mich vom Kopf bis zu den Zehen. Seine andere Hand bahnte sich währenddessen einen Weg unter mein Kleid. Seine Finger nahmen mich völlig in Besitz. Sein Griff um meine Kehle wurde fester, unnachgiebiger. Er erschütterte mein tiefstes Inneres mit kreisenden Bewegungen. Sir Christopher schnappte nach Luft und brummte, als ich mich ihm hingab, mein Becken nach vorn schob und mich nach mehr sehnte. In den Augenwinkeln konnte ich erkennen, dass andere Gäste unbeeindruckt an uns vorbeimarschierten. Bis auf einen Mann, der am Ende des Flurs lässig an der Wand lehnte und unsere Darbietung aufmerksam verfolgte. Das schummrige Licht sowie meine steigende Ekstase ließen mich kein Gesicht erkennen. ›Nur einer von vielen Doms an diesen Abend‹, dachte ich mir. Dennoch kam mir irgendetwas eigenartig vor. Von meiner Wollust getrieben, versank ich immer mehr in einer Art Tunnelblick. Bald spürte ich nur noch meinen Körper, seine Berührungen, hörte nur seine Stimme und alles um uns herum zerfloss wie Wasserfarben auf nassem Karton. Seine Augen blitzten gefährlich auf, als er seine Finger aus meiner Höhle zog. Im nächsten Moment schob er mir diese drei vor Nässe glänzenden Finger in meinen Mund. Unsanft und ruppig, sodass ich würgen musste.

»Mein Mädchen«, hauchte er mir heißgemacht in mein Ohr.

»Wir werden das Dinner ausfallen lassen und uns stattdessen mit Obst und Champagner in einem der oberen Zimmer vergnügen. Vielleicht organisiere ich dir noch ein Dessert, mein Zuckermäulchen. Ich hingegen werde deinen saftigen Pfirsich verkosten.«

Alles in mir sehnte sich nach einem unvergesslichen Abenteuer, wenn nur nicht immer wieder diese blöden Zweifel ihr Spiel mit mir getrieben hätten. Doch jetzt war ich stärker als jeder Protest meiner Unsicherheit. Mutig genug, um meinen Ängsten keinen Raum zu lassen. Meine Libido, sowie der unbändige Drang, mich fallen zu lassen und jegliche Kontrolle abzugeben, hatten gewonnen.

Sir Christopher stellte mich am Treppenaufgang ab wie eine Hündin und beauftragte einen Diener, auf mich aufzupassen. Er drückte ihm die Leine in die Hand und eilte in den Spiegelsaal. Keine fünf Minuten später kehrte er mit einem zufriedenen Gesichtsausdruck zu mir zurück. Er steckte dem Diener ein Trinkgeld in sein Jackett, bedankte sich bei ihm und wir machten uns auf dem Weg nach oben. Begleitet von einem ehrfurchtgebietenden Gefühl, hatte ich den Eindruck, über den roten Teppich nach oben zu schweben. Meine Augen konnten sich kaum sattsehen an den königlichen Balustraden, goldenen Geländern und ebenso an den majestätischen Deckengemälden. Auch das höfliche Verhalten untereinander erinnerte an ein Zeremoniell bei Hofe. Was mir Sir Christopher hier bot, war einmalig, das war etwas Besonderes, etwas Unvergessliches. Dafür wollte ich ihm meine Dankbarkeit zeigen, mich ihm schenken, ihm seine Wünsche des heutigen Abends erfüllen. Wie auch immer diese Wünsche ausfallen würden. Egal ob mehrere Männer im Spiel sein würden, Peitschen oder sonstige Spielchen, die ich noch nicht kannte. Ich war fest entschlossen, jeden Widerstand aufzugeben, um meinen Herrn glücklich zu machen. Er sollte stolz auf sein Mädchen sein und seine Entscheidung, mich hierher mitzunehmen, nicht bereuen müssen.

Der obere Flur zeigte sich düster und geheimnisvoll. Viele verschlossene weiße Doppelflügeltüren mit goldenen Türgriffen und Verzierungen verbargen, was sich gerade hinter ihnen zutrug. Sie gaben lediglich gedämpftes begehrliches Stöhnen, erstickte Schreie, schnalzende Peitschen und Schläge auf nackte Haut preis. An den Türklinken war entweder ein weißes oder ein rotes Tuch befestigt. Die letzte Tür, auf die wir uns zubewegten, hatte keine dieser beiden Markierungen. Davor jedoch zeigte Sir Christopher auf ein rotes Tuch und erklärte mir dessen Bedeutung.

»Das rote Tuch bedeutet, Zuseher oder Mitspieler sind erwünscht. Ein weißes Tuch bedeutet, hier vergnügt sich eine geschlossene Gesellschaft. Möchtest du zusehen oder den Duft von Schweiß, Körpersäften und Blut einatmen? Das kann so herrlich aphrodisierend sein«, schwärmte er in Erinnerungen schwelgend.

»Blut?«, fragte ich besorgt.

»Ja, Blut, mein Mädchen. Aber keine Sorge, diese Vorliebe ist hier nicht allzu oft vertreten«, zwinkerte er amüsiert.

Mittlerweile kannte ich ihn gut genug, um zu erkennen, wann er mich verunsichern wollte. Er liebte es, mich aus der Reserve zu locken. So konnte er auch herausfinden, wozu ich bereit war oder was ich mir vorstellen konnte. Nadeln und Blut standen definitiv nicht auf meiner Agenda.

Noch nie zuvor hatte ich anderen Menschen live beim Sex zugesehen. Mein Puls beschleunigte bei dieser Vorstellung wie ein Rennwagen auf hundertachtzig. Von der Sensationslust gepackt, bejahte ich. Ich hielt meinen Atem an, als Sir Christopher die Tür öffnete. Unser Eintreten fand bei den Männern indes keinerlei Beachtung. Fünf Männer befanden sich im Raum, welcher mit unzähligen Kerzenleuchtern und einer Stehlampe nur spärlich ausgeleuchtet war. An der Wand fand sich ein schwarzes Holzkreuz, an dem eine Frau um die vierzig mit ausgestreckten Armen und gespreizten Beinen befestigt war. Sie trug langes, schwarzes, glattes Haar, welches vor Schweiß triefend auf ihren Schultern und an ihren Brüsten klebte. Im ersten Moment war ich erschrocken, denn sie wirkte kraftlos. Ihr Kopf war nach vorn geneigt, als wäre sie bewusstlos. Als jedoch ein Peitschenschlag durch den Raum hallte, erhob sie sich und ich erkannte in ihrem Gesicht schemenhaft ein erschöpftes Lächeln. Für sie war das pures Vergnügen. Diese Erkenntnis jagte einen kalten Schauder durch meinen ganzen Leib, der sich dann mit ganzer Energie in meiner Mitte sammelte. Mich erregte die Atmosphäre, die in diesen vier Wänden herrschte. Zwei Männer bespielten diese Frau mit Werkzeugen, die ich noch nie in meinem Leben gesehen hatte. Die anderen drei Männer thronten derweil herrschaftlich in Stühlen, die offenbar für Publikum bereitgestellt waren. Der Körper der Frau war von Striemen und roten Flecken, die wie Handabdrücke aussahen, deutlich gezeichnet. Wie lange war sie wohl schon hier gefesselt? Sollte mir dasselbe widerfahren? War das sein Plan? Mein Kopf wehrte sich gegen sämtliche Eindrücke. Mein sexuelles Verlangen hingegen steigerte sich ins nahezu Unermessliche. Wieder hatte ich so unendlich viele Fragen, die ich nicht stellen durfte. Beim nächsten Peitschenschlag, der auf ihren geschundenen Bauch niederprasselte, schrie sie laut auf. Einer der Männer ging ganz nah zu ihr, küsste sie und im nächsten Augenblick jagte ein Orgasmus durch ihren Körper, der sie heftig schüttelte. Danach sank sie erschöpft wieder nach vorn. Nur die Fesseln gaben ihr noch Halt. Da war keinerlei Körperspannung mehr in ihrem Rumpf. Fasziniert beobachtete ich das Geschehen.

Plötzlich sprach einer der Männer auf den Stühlen: »Das hast du gut gemacht, mein artiges Mädchen. Du darfst dich jetzt fünf Minuten ausruhen.«

Er war wohl ihr Herr. Ohne ein Wort griff Sir Christopher nach meiner Hand und führte mich wieder hinaus in den wenig beleuchteten Gang.

»Bist du nun bereit für dein Abenteuer, mein Mädchen?« Sein angestrengter Tonfall verriet mir sein Begehren. Er küsste mich unglaublich sanft und kniff die Augen zusammen, als wäre die Entscheidung getroffen.

»Darf ich bitte zuvor noch etwas Hochprozentiges haben? Wodka oder Tequila? Hauptsache stark«, kicherte ich verlegen.

»Das lässt sich einrichten. Mein Mädchen muss sich wohl Mut antrinken? Aber nicht zu viel.«

Jetzt schob er mich mit einer Hand im Rücken Richtung Tür. Entschlossen, aber mit zittrigen Knien folgte ich ihm in das freie Zimmer. Zuerst war ich erleichtert, niemand anderen hier vorzufinden. Während Sir Christopher sich an einer antiken Anrichte an den Spirituosen bediente, um mir ein Glas einzuschenken, scannten meine Augen den Raum von oben bis unten, um gewappnet zu sein. Zu meiner Überraschung war der Raum mit hellen Pastellfarben gestaltet. Irgendwie hatte ich etwas in Schwarz oder Rot erwartet. Ornamentale Einlegearbeiten aus andersfarbigem Holz sorgten alleine schon auf dem Fußboden für Staunen. Ein Luster aus hunderten tropfenförmigen Kristallen schenkte ein angenehmes, stimmungsvolles Licht. Stuck, soweit das Auge reichte und ein großes weißes Himmelbett mit goldbestickter Tagesdecke. Selbst der relativ klein wirkende Ofen aus Gusseisen war reich an Schnörkeln, Mustern und Ornamenten.

Das einzige Möbelstück, welches sich nicht in diesen hoheitsvollen Raum einfügte, war so etwas wie ein Springbock, daneben stand ein rundes Plateau aus Holz. Eine schwere Eisenkette baumelte darüber. Dieses Teil erinnerte mich an qualvolle Turnstunden während meiner Schulzeit. Als Teenager war ich pummelig und nicht sehr erfreut, wenn ich mich über irgendwelche Hürden schwingen musste. Aber was hatte es hier mit einem Turngerät auf sich? Ich näherte mich diesem Teil, ging mit fragendem Gesichtsausdruck rundherum und streifte mit den Fingerspitzen über den Korpus. Der war aus schwarzem Leder und gut gepolstert. Die schräg abstehenden Holzbeine waren sogar höhenverstellbar. Sir Christopher kam nun mit einem Whiskeyglas, das er schwenkte, zu mir.

»Na, was denkst du gerade, mein Mädchen? Das hier ist mein Lieblingszimmer. Soll ich dir verraten, warum?« Er reichte mir das Glas, welches ich mit theatralisch zurückgeworfenem Kopf in einem Zug leerte.

»Ja, klar. Ähmm, ja bitte, Sir«, rutschte mir heraus. Sichtlich amüsiert von meinem Trinkverhalten schnappte er mich, als würden wir tanzen. Er stützte mich mit seinen starken Armen und gewährte mir, während ich halb in der Luft schwebte, einen Blick auf die Deckenmalerei.

»Wow, ist das schön ...«, mit offenem Mund starrte ich auf die kunstvoll gestaltete Decke. Drei prachtvolle Pfaue schienen in einem Rosengarten über uns zu flattern. Die Liebe zum Detail war mehr als beeindruckend. Nun richtete er mich auf, dennoch gaben seine Arme mich nicht frei. Meine Brüste quetschten schmerzhaft gegen seinen Oberkörper und erschwerten mir das Atmen. Sein Blick verfinsterte sich, wurde ernst. Jetzt war es so weit. Ich zitterte am ganzen Körper, obwohl ich keine Angst verspürte. Adrenalin pumpte durch meine Venen.

»Ja, Sir Christopher, ich bin dein und ich bin bereit, dir zu dienen. Ich vertraue mich dir an.«

Keine Ahnung, woher diese Worte kamen. Sie waren gesagt und ich fühlte mich berauscht. Etwas, das tief in mir schlummerte, hatte die Kontrolle übernommen. Hier brauchte ich es nicht länger verbergen, wegsperren oder leugnen. Dafür war es zu spät. Es war entfesselt, es war freigelassen, um Ekstase und Leidenschaft zu erfahren.

Er nahm das Glas aus meiner Hand und führte mich zum Bett, auf dem er mich absetzte. Er öffnete die oberste Schublade der Anrichte, der er zwei Ledermanschetten und ebenso einen Karabiner entnahm. Seine Körperhaltung und sein Gesichtsausdruck hatten sich verändert, wirkten jetzt härter. Jetzt war er Herr und Meister. Unsere Rollen waren klar. Die Stimmung im Raum veränderte sich, sie war geladen wie vor einem warmen Sommergewitter.

Etwas Rohes, Wildes blitzte in seinen Augen auf, als er vor mir stand. Seine Hand glitt mahnend über meine Wange, bevor er sie fester dagegen presste. Mit zitterndem Daumen strich er über meine Lippen.

»Sag es!«, befahl er.

»Ich bin dein.«

Jetzt brummte er erfüllt aus tiefster Kehle, während er die ganze Luft aus seinen Lungen zu pressen schien. Ich wusste, was zu tun war, und streckte ihm ohne Aufforderung meine Arme entgegen. Ein triumphierendes Lächeln und funkelnde Augen zeichneten sein Gesicht. Seine Aura, seine Dominanz ergriff von mir Besitz. Dagegen konnte ich mich nicht wehren. Dieses irrsinnige Gefühl, besessen und begehrt zu werden, ließ mich alle gesellschaftlichen Normen vergessen.

Er ging vor mir in die Hocke, legte mir die Ledermanschetten um meine Handgelenke und verschloss sie so fest, dass ich Angst hatte, das Blut könnte aufhören, zu zirkulieren. Als er sich wieder erhob, zog er mich ebenfalls hoch. Mit den Händen um meine Taille schob er mich rückwärts Richtung Podest. Er nahm meine linke Hand und mit einem Wink gab er mir zu verstehen, auf die Plattform zu steigen. Wie befohlen stieg ich auf das Plateau, während er es mir gleichtat. Seine Fingerspitzen glitten von meinen Oberarmen hinunter zu meinen Händen, die er anschließend andächtig nach oben bewegte und weit über meinen Kopf streckte. Als er den Karabiner mit den Fesseln verband, um mich so an der herabhängenden Kette zu befestigen, spannte sein perfekt sitzender Smoking über seiner Brust. Wir sprachen kein Wort. Alles geschah wortlos und zugleich langsam, um jeden Moment der gegenseitigen Begierde bis ins Letzte auszukosten. Meine Atmung war kurz, begehrlich, aufgeregt. Seine hingegen tief, seelenruhig und ausgeglichen. Das liebte ich so an ihm. Deshalb vertraute ich mich ihm an. Er hatte in jeder Situation die Kontrolle, war immer wohlüberlegt und besonnen. Wo sonst konnte ich meine Verantwortung und die Kontrolle für ein paar Stunden abgeben?

Unerwartet schlang er die Arme um mich und presste sein Gesicht mit einem tiefen Lungenzug zwischen meine Brüste. Mit einem herzhaften Stöhnen fiel mein Kopf in den Nacken. Während seine Zunge die Konturen meiner Brüste leckte, betrachtete ich das Gemälde über mir, ohne es wirklich zu sehen. Denn hier gefesselt zu stehen, nicht zu wissen, was noch passieren würde, erzeugte in mir ganz eigene Bilder und Fantasien. Als er von mir abließ, stellte er sich hinter mich. Nun wedelte er demonstrativ mit einem blauen Tuch, das aus demselben Stoff wie mein Kleid zu bestehen schien, wie ich in meinem Augenwinkel sah. Er war detailverliebt, nichts war dem Zufall überlassen.

»Mein Mädchen wird sich heute auf andere Sinne konzentrieren. Deshalb werde ich dir jetzt deine Augen verbinden«, flüsterte er leise, während es um mich herum dunkel wurde. Ich atmete scharf ein, als er den Knoten am Hinterkopf fest zuzog. Nun wurde es leise. Er war vom Podest gestiegen, bewegte sich aber nicht. Er gab sich minutenlang nicht zu erkennen. Meine Versuchung, nach ihm zu rufen, war groß. Dennoch wartete ich geduldig und sperrte meine Lauscher umso mehr auf. Da war mein Atem, der in dieser Stille unerträglich laut zu hören war. Ein Peitschenschlag aus dem Nebenzimmer hallte durch die alten Mauern. Schritte aus dem Gang waren ebenfalls zu vernehmen. Wo war mein Herr? Suchend drehte ich meinen Kopf hin und her, obwohl ich außer Dunkelheit nichts erkennen konnte. Bei jeder Bewegung klirrte die Kette, an der ich befestigt war. Dann, wie aus dem Nichts warme Finger in meinem Nacken, die den Verschluss meines Kleides öffneten. Das Oberteil klappte herunter und entblößte meinen Busen, welcher durch die gestreckten Arme stolz und prall hervorragte. Jetzt zwei Finger, die gegen meine Lippen drängten. Wie hypnotisiert umspielte meine Zunge sie, saugte daran. Ich spürte, wie der Stoff des Kleides langsam herunterglitt und den Blick auf meinen nackten Körper endgültig freigab. Jetzt gab es mich nur noch mit den verführerischen Strümpfen, den High Heels und der Augenbinde. Obwohl ich angekettet war, fühlte ich mich wie eine Königin. Meine Wangen glühten, als er mit seinen Fingerkuppen kaum spürbar meine Konturen zeichnete. Er packte mich fest an der Hüfte, war mir nah. Sein warmer Atem auf meiner nackten, kalten Haut ließ mich erzittern. Eines Sinnes beraubt, arbeiteten die anderen auf Hochtouren.

»Wenn du sehen könntest, was ich gerade sehe, mein schönes Mädchen. Diesen Anblick werde ich gleich mit anderen teilen. Mein Mädchen darf jedoch entscheiden, welcher der Herrn bleiben darf.« Seine tiefe Stimme umschmeichelte mein Gehör, drang ein und nahm gänzlich von mir Besitz.

»Wie soll ich das entscheiden, Sir Christopher? Ich kann sie ja nicht sehen.«

»Mmmhh ... gerade das macht es so spannend, mein Mädchen. Sie dürfen deinen Oberkörper berühren, dir ganz nah kommen, dich sogar küssen, wenn du es möchtest. Lass deine anderen Sinne entscheiden, durch Riechen, Fühlen. Drei von ihnen wirst du gewähren, bleiben zu dürfen.«

»Darf ich sprechen?«

»Nein, niemand wird sprechen. Du wirst ja oder nein nicken. Wenn du es nicht entscheiden kannst, werde ich das für dich tun. Aber ich bin mir sicher, mein Mädchen wird Gefallen daran finden«, hauchte er mir überzeugt in mein Ohr.

»Bist du so weit?«

Ich nahm einen tiefen Atemzug, bevor ich schließlich einwilligte. Seine Schritte entfernten sich. Gleich darauf öffnete sich unter lautem Knarren die Tür. Obwohl ich ohnehin nichts sehen konnte, kniff ich meine Augen fest zusammen und schickte ein Stoßgebet ins Universum. Doch als ich wenig später die ersten Schritte vernahm, war ich hellwach und ungewöhnlich gefasst. Überrascht von mir selbst, wie ruhig ich blieb, kam mir ein Schmunzeln auf meine Lippen. Leider konnte ich überhaupt nicht ausmachen, wie viele Männer das Zimmer betraten. Gespannt pendelte ich an der Kette hin und her. Dann stieg der erste Mann zu mir auf das Podest. Ohne jegliche Berührungsangst umfasste seine Hand meine linke Brust, während seine Nasenspitze die meine berührte. In diesem Moment wusste ich mit Bestimmtheit, das war Sir Christopher. Sein Geruch, seine Art der Berührung und seine Energie hätte ich unter hunderten erkannt. Deshalb suchte mein Mund den seinen, um ihn zu küssen und damit zu zeigen, dass ich ihn erkannt hatte.

»Braves Mädchen«, brummte er während unseres Zungenspiels sanft.

Er ließ von mir ab, um Platz für den nächsten Kandidaten zu machen. Der schlich zuerst eine Weile um mich herum, bevor er mich zaghaft, fast schon etwas schüchtern berührte. Sein Parfum gefiel mir und seine Energie fühlte sich gut an. Küssen wollte ich ihn nicht, daher nickte ich nur ein bestätigendes JA. Der Nächste brauchte mir gar nicht wirklich nah kommen, denn er roch nach kaltem Rauch und Alkohol. Noch bevor er mich berühren konnte, gab es von mir ein eindeutiges NEIN. Einer der Männer im Raum schmunzelte hörbar, was mich kurzfristig verunsicherte. Wenig später hörte ich die Schritte einer weiteren Person auf mich zukommen. Etwas war anders, daher spitzte ich meine Lauscher, fokussierte mich total auf meine Wahrnehmung. Das waren keine schweren Männerschritte. Dann eine Berührung an meinem Rücken. Eine Hand glitt von meinem Nacken über meine ganze Wirbelsäule, dann über meinen Po, auf den sie mir einen lauten Klaps verpasste. Das waren die Hände einer Frau, ich war mir sicher. Allerdings war ich mir nicht sicher, ob ich eine Frau dabei haben wollte. Andererseits dachte ich mir, was soll's. Also nickte ich bestätigend. Die nächsten beiden Kandidaten wimmelte ich ab. Einer konnte nicht küssen, während der andere eine Bauchentscheidung war.

Nun durchbrach Sir Christopher die explosive Stille, indem er sagte:

»So, mein Mädchen, deine Auswahl ist fast getroffen. Einen Gast haben wir noch, wenn er dir nicht zusagen sollte, werde ich noch jemanden auswählen.«

Ich nickte bestätigend. Jetzt fühlte ich die Anwesenheit eines weiteren Mannes, der sich zu mir auf das Plateau gesellt hatte. Ohne eine Erklärung dafür zu haben, wurde ich unruhig, fühlte mich unsicher und rätselte über den Duft, der mir in die Nase stieg. Das Parfum war mir bekannt, doch ich konnte nicht einordnen, woher. Ein Zufall? Dann spürte ich eine Berührung an meiner Taille. Für alle hörbar knisterte ein elektrischer Schlag durch den Raum. Wir waren wohl beide erschrocken. Er war zurückgewichen. Eigenartigerweise sehnte ich mich nach einer weiteren Berührung. Ich wollte mehr von diesem Mann, wollte wissen, wer er war und ich wollte ihn sehen. Doch leider war mir das verwehrt. Ein weiteres Mal kam er näher, allerdings stand er jetzt hinter mir. Meine Atmung wurde schneller, oberflächlicher. Seine bloße Aura brachte mich in Schwingung. Allerdings hatte ich etwas Fracksausen davor, wie mein Herr diese heftige körperliche Reaktion interpretieren würde. Daher versuchte ich, mich zu beherrschen. Obwohl ich keine Ahnung hatte, wie er aussah, verschmolzen unsere Energien miteinander. Eine so massive Anziehung jagte mir einen Heidenrespekt ein. Wahrscheinlich lag das an der Konstellation der sexuellen Anspannung in diesem Raum. Vermutlich hatte es gar nichts mit diesem Mann zu tun, beruhigte ich mich in Gedanken. Ein weiterer Gedanke war: ›*Küss mich, berühre mich, zeig dich mir!*‹ Als könne er meine Gedanken lesen, presste er unerwartet seine Lippen auf meine

Schulter. Ein Schauder jagte den nächsten. Mein Körper bebte, pulsierte, vibrierte, doch ich widerstand dem Drang, meine Beine zu spreizen. Ich hatte Sir Christopher gegenüber ein schlechtes Gewissen bekommen, schließlich war er es, der meine ganze Hingabe und Leidenschaft verdiente. Um diesem Zwiespalt zu entkommen, nickte ich also.

»So meine Herren, die Auswahl ist getroffen. Ich bedanke mich für ihr Kommen und darf Sie bitten, draußen das weiße Tuch anzubringen, wenn Sie den Raum verlassen. Ich wünsche uns allen noch einen außergewöhnlich erregenden Abend. Danke!«, sprach er mit herrschaftlicher Stimme.

Für einen kurzen Moment hörte ich ein Wortgemenge, höfliche Floskeln und Gelächter. Doch ich konnte mich nicht konzentrieren. Mein Köper wollte wieder auf Tuchfühlung mit dem Unbekannten gehen. Minuten verstrichen, ohne dass ich wusste, was um mich herum vorging. Das dauerte, bis Sir Christopher mit ruhiger Hand meine Pobacke umfasste und tätschelte, um mich auf etwas vorzubereiten.

»Mein Mädchen, wir werden uns jetzt an deinem Anblick ergötzen, während du dich vor uns windest, schreist und stöhnst. Bist du bereit, meine geile Dreilochstute?«

Irritiert über seine Wortwahl nickte ich mit kurzen, zaghaften, hastigen Bewegungen. In Gedanken versuchte ich, mir ein Bild von den anderen drei Gästen zu malen. Doch das scheiterte immer an dem einen Unbekannten, der mehr von mir einzunehmen schien, als nur meine Sinne.

Plötzlich standen sie alle um mich herum. Einer gab mir Halt, während jemand anderes mir die Schuhe auszog. Hände überall auf meinem Körper. Frauenhände ölten mich ein und ließen dabei keinen Zentimeter meiner Existenz unberührt.

Ohne Schuhe hatte ich kaum noch Halt, stand auf Zehenspitzen und baumelte hilflos wie ein Fisch am Haken. Dann war da wieder dieser betörende Herrenduft, dem ich verfallen war. Wie konnte ich meinen Körper nur davon abhalten, auf diesen Geruch zu reagieren? Ich spitzte meine Ohren. Wenn ich nur einmal seine Stimme hören könnte. Hätte ich ihn dann möglicherweise erkannt? Wahrscheinlich bildete ich mir das alles nur ein, versuchte ich mich zu beruhigen. Aber was, wenn dieser Unbekannte ein Arbeitskollege war? Oder ein Bekannter? Hoffentlich doch kein ehemaliger Schulkollege?! Alles in meinem Kopf drehte sich wie besessen um dieses Parfum und seinem Träger, und zwar so sehr, dass ich noch nicht mal reagierte, als mir jemand ziemlich unsanft Nippelklammern verpasste. Das hatte zur Folge, dass diese Dinger noch enger geschraubt wurden. Zischend atmete ich die Luft zwischen meinen Zähnen ein. Die vielen Interaktionen, das Streicheln, all die zunehmenden Reize versetzten mich allmählich in einen tranceähnlichen Zustand. Die Entscheidung, eine Frau einzuladen, fand ich nach ein paar Minuten gar nicht mehr so günstig, denn sie war sehr dominant. Zu allem Überfluss waren ihre Berührungen grob, fest und nach meinem Empfinden lieblos. Um ehrlich zu sein, hatte ich eher das Gegenteil davon erwartet, doch jetzt konnte ich nichts mehr revidieren. Mit einem Mal ließen alle auf einmal von mir ab, als hätten sie ein Kommando erhalten. Die Schritte, die ich vernahm, ordnete ich Sir Christopher zu. Ohne Ankündigung schnalzte eine gewaltige Peitsche durch die Luft. Der Knall war so ohrenbetäubend, dass er mir unter die Haut kroch. Zu Tode erschrocken schwang ich an den Fesseln hin und her. Jemand lachte, was mich wütend machte. Ich spannte die Bauchmuskeln an, um mit mehr Körperspannung wieder Halt zu finden. Doch so sehr ich Nylons auch liebte, barfuß wäre das um einiges leichter gewesen. Immer wieder rutschte ich von der glatten Oberfläche ab. Wieder hörte ich Gelächter. Jetzt schnaubte ich tatsächlich wie eine wildgewordene Stute. Der Umstand, nicht sprechen zu dürfen und ebenso nichts sehen zu können, machte mich schier rasend. Mit einem zischenden Geräusch in der Luft kündigte sich der nächste Peitschenhieb an. Die Wucht, mit der dieses Ungetüm mich traf, holte mich aus meinem Aufbegehren und zeigte mir sehr deutlich, wo mein Platz war. Die Peitsche hatte sich schmerzhaft um meine Hüfte geschwungen. Mit Sicherheit hatte dieser Schlag für längere Zeit sichtbare Spuren hinterlassen. Schon hörte ich das nächste fiese Zischen in der Luft, welches den nächsten Hieb ankündigte. Dieses Mal schnalzte sie kompromisslos über meine Pobacken. Vor Schmerz schrie ich laut auf. Alle Peitschenhiebe, die ich bis dahin zu spüren bekommen hatte, waren Kinderkram gegen dieses Monstrum. Der nächste Treffer ließ nicht lange auf sich warten. Obwohl ich mich an meinen Fesseln wand und dabei sogar tänzelte, konnte ich keinem Schlag entgehen. Die Tränen, welche meine Augen füllten, sogen sich unmittelbar in meine Augenbinde. Immer und immer wieder formten meine schmerzverzerrten Lippen das Wort »Bitte«, jedoch ohne etwas zu sagen. Die Sub-Komfortzone für Anfängerinnen hatte ich zu diesem Zeitpunkt längst verlassen.

Während nun zu einer Striemenpeitsche gewechselt wurde, die nicht ganz so unter die Haut ging, allerdings nicht weniger schmerzhaft war, wurden meine Hände eiskalt. Meine Handgelenke waren von den Lederbandagen ganz aufgeschürft und nun fühlte es sich an, als würde das Blut nicht mehr in meine Arme gepumpt. Für einen kurzen Augenblick war ich mir nicht mehr so sicher, ob ich das hier tatsächlich wollte, und ließ entmutigt meinen Kopf hängen. Im selben Moment trat aber mein Herr vor mich, der mit beiden Händen mein Gesicht umschloss. Er neigte seinen Kopf zur Seite, um mich zu küssen und mich wieder aufzurichten. Mit der Gewissheit, mein Herr würde mich beschützen und auf mich achtgeben, kehrten ungeahnte Kräfte in meinen Körper zurück. Für ein Weilchen hatte ich die Verbindung zu ihm tatsächlich verloren, fühlte mich allein und ausgeliefert. Doch jetzt stand er vor mir. Durch seine bloße Anwesenheit hauchte er mir Lebendigkeit ein. Keine Ahnung, wer nun die Lederpeitsche schwang. Sir Christopher jedenfalls wich nicht mehr von meiner Seite. Ich schrie, stöhnte und wand mich bei jedem Schlag in seinen Armen. Etwas jedoch hatte sich verändert. In seiner Nähe war alles purer Lustgewinn für mich.

Dennoch war ich nach den unzähligen Schlägen, die meinen Rücken, meinen Arsch und meine Oberschenkel gezeichnet hatten, irgendwann absolut erschöpft.

Am liebsten wäre ich mit Sir Christopher allein gewesen. Jetzt seine Haut auf meiner spüren, ihm einen blasen und hart von ihm genommen werden, das war es, was ich wollte. Als er schließlich nach oben griff, um den Karabiner von dem Edelstahlseil zu lösen, hatte ich kurz die Hoffnung, dass mein Wunsch in Erfüllung gehen würde. Stille legte sich über uns, nur durchbrochen von meinem keuchenden, schweren Atem. Niemand der anderen hatte bisher ein Wort gesprochen. Schwer wie Blei fielen meine Arme nach unten. Mir fehlte die Kraft und meine Schultern schrien vor Schmerzen. Doch nur ich konnte diese Schreie hören. Mit letzter Kraft führte ich meine Hand zu meinem Ohrläppchen, um es zu rubbeln, damit ich Sir Christopher etwas Wichtiges sagen konnte. Ich hoffte auf seine Erlaubnis.

»Ja, mein Mädchen. Was möchtest du mir sagen?«, flüsterte er mir fürsorglich ins Ohr.

In meiner herrschenden Dunkelheit suchte ich ebenfalls nach seinem Ohr, um ihm meine persönlichen Worte anzuvertrauen. Dabei schmiegte ich mich an sein Gesicht, fühlte seine Bartstoppeln, dann murmelte ich: »Bitte bleib bei mir, nur dann kann ich die Schmerzen in Lust umwandeln. Ohne dich, mein Herr, fühle ich gar nichts, außer Pein.«

»Sei ganz beruhigt, mein tapferes Mädchen. Ich werde nicht von deiner Seite weichen.«

»Danke, Sir!«

Meine Finger tasteten über die Stelle an meiner Hüfte, wo das Ledermonstrum mich gebissen hatte. Die Strieme war heiß, erhaben und rau. In dem Moment, in dem Sir Christopher meine Nippel verdrehte, verpuffte meine innere Resignation wieder zu Sehnsucht und Hingabe. Noch einmal schmiegte ich meine pulsierende Wange an seine Brust, um mich dann wieder voller Tatendrang aufzurichten.

»So gefällt mir mein Mädchen! Das Beste kommt nämlich noch. Mein harter Schwanz sehnt sich nach deiner nassen Möse.«

Da waren Freude und Zuversicht in seiner Stimme, doch auch etwas Derbes, Animalisches. Manchmal konnte ich das Gefühl nicht loswerden, dass seine Ausdrucksweise nicht mit seiner Erscheinung harmonierte. Mir war bewusst, dass ich ihn kaum kannte. Ich wusste nur, was er mir preisgeben wollte, und das war auch in Ordnung. Sein Mädchen hingegen war für ihn wie ein offenes Buch, entblättert, entblößt, verletzlich und hungrig nach seiner Aufmerksamkeit. Gott, wieso war das so? Für ihn hätte ich mich in jedem Schmerz gesuhlt, nur um mich anschließend in seinen Armen zu wiegen.

Schwer und beschützend legte er seine Hände um meine halbtauben Schultern. Noch immer krabbelte eine Armee aus Feuerameisen über meine Schulterblätter bis in die Arme.

»Komm, ich führe dich ein Stück. Du wirst jetzt von unserem Shibari-Meister in ein Rope-Bunny verwandelt. Zum Glück hast du ihn auserwählt, sonst wäre dir dieses Vergnügen verwehrt geblieben«, kicherte er lauthals.

Auch mir huschte ein Lachen übers Gesicht. Rope-Bunny, das hatte ich noch nie gehört, auf jeden Fall klang es lustig. Aber ich wusste, was es bedeutete. Vor meinem inneren Auge tauchten die Bilder aus dem japanischen Zimmer auf. Der Mann, der diese Kunstwerke verschnürt hatte und von der Decke baumeln ließ, sollte auch aus mir ein solches Kunstwerk erschaffen? Inständig hoffte ich, nicht auch als Deckenleuchte zu fungieren. Schließlich war das mit meinem leuchtend roten Hintern gar nicht so abwegig. Bei diesem Gedanken musste ich mir ein Lachen verkneifen. Nach nur drei Schritten war ich bereits am Ziel angekommen. Moment, was stand gleich neben dem Plateau? Der Springbock? Sie werden doch nicht ...?!

Schon wurde ich angewiesen, mich nach vorn zu beugen. Das kalte, schwarze Leder empfing mich mit angenehmer Kühle. Diese Pose schien zumindest bei weitem bequemer und erträglicher zu sein. Allerdings schrie mein Arsch förmlich nach Peitschen, Schlägen und wer weiß, was noch alles. Zudem waren meine Löcher frei zugänglich. Insgeheim sehnte ich mich danach, hart genommen zu werden.

Jemand streichelte mir über den Kopf. Diese verdammte Augenbinde! Am liebsten hätte ich sie heruntergerissen. Doch jetzt ging es auch schon los. Zu meiner Überraschung fühlten sich diese Seile gar nicht so grob an, wie sie optisch wirkten. Schon bei der ersten Berührung hatte es uns beide wieder elektrisiert. Wieder dieser geheimnisvolle Unbekannte! Sir Christopher war es, der vor mir stand, um meinen Kopf zu streicheln. Der andere begann bei meinen Füßen, die er an die Standbeine des Springbocks fesselte. Hoch über meine Waden knüpfte er Knoten für Knoten bis empor zu meinen Knien. Nun glitten seine Hände beruhigend über meinen Rücken, als würde er mich besänftigen wollen. Oder war das doch eher die Berührung eines vertrauten Menschen? Das reinste Durcheinander jagte durch meinen Körper. Deshalb versuchte ich, mich auf Sir Christopher zu fokussieren.

Doch mit jedem Zentimeter Seil, welches dieser Unbekannte um meine Gliedmaßen schlang, wurde ich nervöser. Ich wollte endlich wissen, wer er war, wollte sichergehen, dass er wirklich der Unbekannte war, für den alle ihn hielten.

Wie bei einem Polizeigriff wurden meine beiden Arme auf meinem Rücken positioniert und gefesselt. Sogar um meine Finger wurde das Seil geschnürt. Immer wieder berauschte mich der antörnende Duft dieses Mannes, der in mir auf unerklärliche Weise eine Erinnerung triggerte. Doch welche? Mein Körper reagierte mit pulsierender Erregung, doch mein Verstand wollte mir ums Verrecken kein Bild dazu liefern.

Die Fesslung dauerte ihre Zeit und sorgte währenddessen nicht nur dafür, dass ich nicht einmal mehr den kleinen Finger bewegen konnte. Nein, die Enge der Umschnürung vermittelte mir auch ein Gefühl von Geborgenheit. Das mochte paradox klingen, gleichwohl fühlte ich mich dadurch wie ein Schmetterling in seinem Kokon. Hoffentlich musste ich nicht so schnell zur Toilette, denn das hätte die ganze Stimmung ruiniert. Verflixt, wieso musste ich ausgerechnet jetzt an die Toilette denken? Wurde Zeit, dass Sir Christopher mich aus meinen Gedanken holte, mich wie letzte Nacht endlich vögelte.

Warum war es überhaupt so leise? Wieso sprach keiner ein einziges Wort? Waren sie alle noch hier? War ich fertig verschnürt? Sah ich mit diesen kunstvollen Knoten genau so wundervoll aus, wie die in dem Raum mit den asiatischen Klängen? Und wieso verdammt stellte ich mir die ganze Zeit diese absurden Fragen? Wahrscheinlich führte ich diese Selbstgespräche, weil ich schon so lange meinen Mund halten musste. Keine drei Sätze durfte ich reden. Anna hätte sich totgelacht, wenn sie hiergewesen wäre. Sie meinte immer, mich zum Schweigen zu bringen, wäre ein Ding der Unmöglichkeit. Ich war so in meinen inneren Monolog vertieft, dass ich nicht bemerkt hatte, wie die anderen zur Tür gegangen waren. Erst als die Tür mit ihrem lauten Knarren wieder ins Schloss fiel, riss es mich aus meiner gedanklichen Versenkung. Suchend bewegte ich meinen Kopf umher. Das war der einzige Körperteil, welchen ich bewegen konnte.

»Mein Mädchen«, raunte er mit tiefer Bruststimme. Oh, wie sehr ich seinen Bariton liebte! Ich streckte meinen Kopf in die Richtung, in der ich ihn vermutete.

»Du darfst jetzt sprechen, mein Mädchen. Wir sind nun allein und ich werde dich jetzt nach meinem Belieben benutzen. Den ganzen Abend lang freue ich mich schon so sehr auf mein fest verschnürtes Geschenk.«

»Darf ich dich bitte sehen, mein Herr?«

Auch wenn es eine außergewöhnliche Erfahrung war, mich auf die anderen Sinne zu beschränken, erhoffte ich sehnlichst, diese verflixte Augenbinde loszuwerden.

Langsam kamen seine Schritte näher. Das Gefühl, in dieser Position von ihm betrachtet zu werden, ihm ausgeliefert zu sein, ließ mir die Haare zu Berge steigen. Sein erregtes Raunen löste in mir Glücksgefühle aus, welche sich schnell zur Begierde steigerten. Dann griff er endlich nach der Schlaufe meiner Augenbinde, um den Knoten zu lösen. Obwohl die Beleuchtung sanfte Konturen zeichnete, benötigten meine Augen ein Weilchen, um sich wieder an das Licht zu gewöhnen. Mein Herr strahlte mich übers ganze Gesicht an und ich tat es ihm gleich. Danach versuchte ich, über meine Schultern zu schauen, ob nicht doch noch jemand mit uns in diesem Raum war. Aber nein, jetzt gab es nur noch Sir Christopher und mich. Endlich! Klar hatte es auch seinen Reiz, von all den vielen anderen berührt sowie betrachtet zu werden, doch ich war wohl eine Sub, die sich ausschließlich ihrem Herrn unterwerfen wollte. Mein Fokus lag alleine auf ihm. Erst als ich ihn spüren, riechen und mich an ihn schmiegen konnte, stieg mein Lustempfinden bei jedem Peitschenschlag. Deshalb war ich unendlich froh, jetzt mit ihm allein sein zu dürfen. Er stand seitlich von mir, seine Hand streifte über das Seil, die Knoten und berührte dazwischen meine Haut.

Seine Atmung ging tiefer, abgehackter, während seine Hand immer tiefer wanderte. Quälend bedächtig strich er über meinen Rücken, streichelte hingebungsvoll über meine Striemen. Zentimeter für Zentimeter glitten seine Finger tiefer, bis sie endlich meine feuchte Hitze fanden.

Mein Unterleib zuckte, als er meine Perle langsam umkreiste. Sodann hielt er inne, beugte sich über mich und sagte: »Schmerzen und Lust sind etwas sehr Intimes, mein Mädchen. Deinen Herrn hat es gefreut, dass du dich erst fallen lassen konntest, ja den Schmerz sogar genießen konntest, nachdem ich zu dir auf das Podest gestiegen war. Ich hätte dich heute niemals mit den anderen geteilt. Du warst mutig, hast dich meinen Anweisungen gebeugt und gehorcht. Das will ich jetzt belohnen, meine geile Dreilochstute.«

An das Wort »Dreilochstute« konnte ich mich nicht gewöhnen. Doch seine Zuwendung und sein Lob waren Balsam für meine verwirrte Seele. Ich biss mir auf die Lippen, als er mit seinen Fingern kraftvoll in mich eindrang, sie in mir kreisen ließ. Immer wieder glitt er aus mir heraus, verschmierte die Nässe auf meiner Spalte, spielte, kitzelte und massierte meine Klitoris. In dieser kurzen Zeit, die wir zusammen hatten, war ich süchtig nach ihm geworden. Nichts bedeutete mir mehr als seine ungeteilte Aufmerksamkeit. Manchmal waren seine Worte hart. Des Öfteren war er unnahbar, hielt mich und meine Gefühle auf Abstand. Doch ich wusste, dass ich ihm etwas bedeutete. Meine Gefühle für ihn konnte ich ebenfalls nicht richtig einordnen, aber ich wusste, er war mir wichtig geworden. Er genoss mein vollstes Vertrauen. Elektrisierende Wellen jagten meine Beine hinauf und hinunter, bevor er ohne Vorwarnung seine Finger aus mir herauszog.

»Ich werde jetzt dafür sorgen, dass meinem Mädchen schön warm wird.«

Mit diesen Worten ging er wieder zur Kommode. Ich hörte, wie er ein Feuerzeug benutzte. Als er wieder gefährlich nah hinter meinen gespreizten Beinen stand, wo er seinen Schwanz, der bereits gegen seine Anzugshose pulsierte, gegen meinen Arsch presste, spürte ich etwas Heißes auf meine Haut tropfen.

»Das Kunstwerk wird jetzt vollendet«, seufzte er tief mit erregter Stimme.

Meine wunden Stellen reagierten besonders heftig auf das herabtropfende heiße Wachs. Normalerweise konnte man sich etwas bewegen, den Schmerz durch Drehen und Winden quasi abschütteln, doch meine Fixierung gewährte mir keinerlei Spielraum. Deshalb stöhnte ich ungezügelt bei jedem Tropfen. Tropfen für Tropfen biss ich mir heftig in die Lippen, bis mich der metallische Geschmack meines eigenen Blutes davon abhielt. Mein Schoß spannte sich an, als das Wachs wie glühende Lava meine Pofalte erreichte. Aber nun hatte auch Sir Christopher seinen Siedepunkt erreicht. Er befreite mit einer Hand seine harte Beule, während er mit der anderen Hand das Wachs der Kerze weiterhin gefährlich nah auf mich herabregnen ließ. Wir konnten es beide kaum erwarten, uns zu vereinen. Er fluchte, als er wohl Probleme dabei hatte, mit einer Hand seinen Knopf zu öffnen. Als das Wachs nun auf meine Spalte tropfte, stieß ich einen Schrei aus. In diesem Moment des brennenden Schmerzes hörte ich die Kerze zu Boden fallen, während er mich an den Hüften packte und mit seiner ganzen Härte zustieß. Ohne Widerstand glitt er mit einem Mal in meine nasse Höhle und verharrte in mir. Wir beide spürten die unglaubliche Erleichterung, uns nach den langen Spielereien zu verbinden, eins zu werden. Absolutes Angenommensein und Glücksgefühle durchfluteten mich, als sein brummendes Stöhnen in mir vibrierte. Er fickte mich schnell, hart und erbarmungslos. Mit jedem Stoß fachte er mein inneres Feuer weiter an. Wellen, die einen heftigen Orgasmus ankündigten, fegten durch meinen Körper. Lautes, hemmungsloses Gestöhne hallte in den alten Gemäuern wider, bis mich schließlich ein Tsunami in meinen Nervenbündeln auf den Höhepunkt katapultierte. Doch als dieser Orgasmus verebbte, war ich nicht erschöpft. Nein, dieses eine Feuerwerk genügte mir nicht, denn ich war getrieben von den vielen Eindrücken dieses Abends. Ich ertappte mich bei den Gedanken an diesen einen Unbekannten. Die Erinnerung an seinen Geruch, seine elektrisierenden Berührungen trieben mich weiter an. Sir Christopher umspielte derweil mit seinem Daumen meinen Anus, er massierte und machte ihn bereit für die nächste Runde. Dann setzte er an. Vorsichtig und rücksichtsvoll glitt er Millimeter für Millimeter in mein Poloch. Jetzt glühte ich unter dem Gefühl, zu zerbersten. Mit voller Wucht schlug er mir abwechselnd auf meine Pobacken. Das Ziepen der Stiemen fuhr mir wie ein Geflecht aus Nervenbahnen durch und durch. Jeder Schlag und jeder Stoß beförderte mich immer höher in ungeahnte Galaxien. Seine weichen Eier klatschten gegen meine Spalte, stimulierten dabei immer wieder meine Klitoris. Ich fühlte, wie sein Schwanz noch mehr anschwoll und seine kurze heftige Atmung einen Orgasmus ankündigte.

»Bitte, mein Herr, gib mir alles von dir«, hechelte ich, begierig auf seinen Saft.

In diesem Moment spürte ich, wie er tief in mir abspritzte, sein ganzes Sperma in mich pumpte, bis er völlig leer war.

Nach den letzten Ausläufern des Orgasmus pulsierten unsere Körper im Gleichklang. Wieder tropfte mir etwas auf meinen Po. Dieses Mal waren es die Schweißtropfen, die von Sir Christophers Bart perlten.

Nach ein paar Minuten der Erholung begann er, die Knoten und Seile zu lösen. Natürlich spürte ich die Fasern des Seils auf meiner Haut, doch zu meiner Überraschung war das nicht einen Augenblick unangenehm. Selbst die Pose, in der ich verharren musste, war gut auszuhalten. Leichter, als eine Ewigkeit lang die Arme nach oben gestreckt zu lassen. Mittlerweile musste ich echt dringend zur Toilette, weshalb ich mit jedem Stückchen Freiheit, das ich zurückbekam, nervöser herumzappelte.

»Na, mein Mädchen ist wohl schon etwas ungeduldig?«, schmunzelte er konzentriert, während er die Fesseln weiter entfernte.

»Ja, Sir. Ich muss schon sehr dringend zur Toilette. Wird es noch länger dauern?«

»Nein, wir sind gleich fertig. Hier oben findest du eine Toilette am anderen Ende des Ganges. Wenn du brav bist, darfst du alleine gehen.«

»Ich fürchte, bis ich das Kleid angezogen habe, ist es vermutlich zu spät«, lachte ich verlegen.

»Wieso etwas anziehen? Du wirst nackt und erhobenen Hauptes nach vorn marschieren. Mein Mädchen hat sich heute bewährt, hat mir große Freude bereitet. Ich werde im Bett auf dich warten. Ich habe noch lange nicht genug.«

Das war Musik in meinen Ohren. Wie sollte ich Anna nur von diesem gigantischen aufregenden Wochenende erzählen? Wie sollte ich ihr erklären, dass ich mich auf diesem herrschaftlichen Anwesen wie eine Prinzessin fühlte. Für jemand anderen könnte es so aussehen, als sei ich eine Sklavin gewesen, doch das scherte mich nicht im Geringsten. Endlich von meinem Verbündeten, dem Springbock oder wie auch immer dieses Teil heißen mochte, losgelöst, gab ich Sir Christopher einen Kuss und huschte splitterfasernackt den Flur entlang zur Toilette. Am liebsten hätte ich vor Freude über seine Worte gepfiffen, hätte den ganzen Weg entlang getanzt. Ich wollte dann aber doch kein allzu großes Aufsehen erregen. Ich huschte in die Kabine, erledigte mein Geschäft und fühlte mich unglaublich erleichtert. Ich konnte nicht aufhören, zu grinsen, weil ich mich so frei und unbeschwert fühlte. Als ich mir die Hände waschen wollte, sah ich mich in dem großen Spiegel an der Wand. Erschrocken blickte ich zuerst in mein verschmiertes Gesicht. Das hatte nichts mit Glamour oder Schönheit zu tun. Durch die Tränen, den Schweiß und die Augenbinde war mein ganzes Make-up verschmiert und zerlaufen, während meine Haare eher einem Strohballen ähnelten. Anschließend drehte ich mich um, um meine Rückseite zu betrachten. In diesem kurzen Augenblick war ich stolz und erschrocken, geil und angewidert zugleich. Mir war nicht bewusst, welche Spuren das Auspeitschen hinterlassen hatte. Angesichts des Adrenalins, der vielen Glückshormone, die durch meine Blutbahn gepumpt wurden, hatte ich es als nicht so schlimm empfunden. Klar war es heftig, dennoch hatte es mir gefallen. Nichtsdestotrotz hoffte ich nun, dass keine Spuren oder Narben zurückbleiben würden. Mein Gesicht konnte ich waschen, doch diese tiefen, blutunterlaufenen Furchen brauchten Pflege, um heilen zu können. Nachdem ich mein Gesicht mit kaltem Wasser gewaschen und mich erfrischt hatte, ging ich nachdenklich zurück aufs Zimmer. Was machte mich just in diesem Moment so grüblerisch? Niemand würde die Zeichnungen auf meinem Körper jemals zu sehen bekommen. Dieser Gedanke beruhigte mich etwas. Wieder ertappte ich mich dabei, dass die gesellschaftlichen Normen mich hinunterzogen. Aber hier, mit Sir Christopher, war das gar nicht von Bedeutung. Bei ihm durfte ich frei sein und alle anderen hatte es nicht zu interessieren. Basta!

Er wartete bereits nackt in dem himmlischen Bett auf mich. Als er mit einer Hand auf die freie Bettseite klopfte, nahm ich beschwingt Anlauf. Bei meiner Landung auf der Matratze machten sich meine Blessuren nun doch langsam bemerkbar.

»Ich mag deine Verspieltheit, mein Mädchen«, grinste er mich über beide Ohren an.

Zum Abschluss des Abends hatten wir erneut wahnsinnig geilen Sex in sämtlichen Stellungen. Dabei lag ich nur nie auf dem Rücken. Jedes Mal, wenn er meine geschundene Haut berührte oder ich mich versehentlich doch auf mein Hinterteil drehte, zischte ich und sog schmerzerfüllt die Luft zwischen meinen Zähnen hindurch. Den ganzen Abend sowie die ganze Nacht hindurch hatte er mich mit einer unglaublichen Mischung aus Dominanz und Mitgefühl genommen. Er war tatsächlich immer auf mein Wohlergehen bedacht. Hinter seiner strengen Fassade, die durchaus respekteinflößend war, lernte ich, ihn für sein Einfühlungsvermögen zu lieben. Wir hatten eine ganz besondere Dom-Sub-Beziehung.

Das zeigte er mir auch, als er meine Wunden mit einem speziellen Öl massierte und versorgte, bevor wir uns anzogen. Mein ganzer Körper prickelte innen wie außen.

Gegen drei Uhr nachts machten wir uns auf zu unserem Wagen. Meine Müdigkeit, gepaart mit der kühlen Nachtluft, brachte mich zum Zittern. Allerdings hatte ich einen Gentleman an meiner Seite, der mir fürsorglich sein Sakko über die Schultern legte.

»Sir, aber das Öl auf meinem Rücken?«, zuckte ich zurück, um es nicht zu beschmutzen.

»Mein Mädchen ist mein wertvollster Besitz. Schon vergessen?«, drückte er mich wärmend, bevor wir einstiegen.

Von der Fahrt zum Hotel bekam ich nicht viel mit. Die Rückbank war breit und gemütlich, also nutze ich die Gelegenheit. Ich legte mich seitlich mit meinem Kopf in seinem Schoß zum Schlafen. Keine Ahnung, ob ich das nur geträumt hatte, aber ich fühlte mich geborgen, als er mir einen Kuss auf die Stirn gab.

»Mein Mädchen! Maria! Wir sind im Hotel angekommen. Aufwachen!«, flüsterte er liebevoll in mein Ohr. Schlaftrunken und mit meinen High Heels in den Händen tapste ich barfuß bis zu unserem Zimmer. Vor der Tür kramte er in seinen Taschen nach der Zimmerkarte. Bevor er öffnen konnte, gab es so einen magischen Moment, in dem wir uns gegenüberstanden. Seine Augen leuchteten mich an wie kleine blaue Sterne.

»Danke für diesen außergewöhnlichen Abend, Sir Christopher!«

»Sehr gerne, Maria. Du bist eine außergewöhnliche junge Frau.«

Natürlich hatte dieser winzig kleine Moment zur Folge, dass wir kurz danach wild küssend unter der Dusche landeten. Dieses Mal bekam ich als Draufgabe eine andere Seite von ihm zu sehen und zu spüren. Etwas hatte sich verändert. Wir waren nicht länger Dom und Sub, sondern ein Mann und eine Frau, die sich unter der Regendusche liebten. Anschließend schlief ich auf seiner Brust seelenruhig ein, die mich sanft in den Schlaf wiegte.

Als ich am nächsten Morgen oder besser gesagt gegen Mittag zum ersten Mal wach wurde, war das Bett neben mir leer. Im ersten Moment dachte ich mir nichts weiter. Stattdessen drehte ich mich in aller Seelenruhe zur anderen Seite, kuschelte mich in das weiche Kissen, um weiterzuschlafen. Doch plötzlich schreckte ich hoch, als hätte mich ein Blitz gestreift. Ich setzte mich hoch und blickte mich suchend um.

»Christopher?«

Keine Antwort.

»Christopher?«, rief ich erneut in das leere Zimmer. Im Übrigen bemerkte ich jetzt, dass sein Koffer nicht mehr an seinem Platz stand. Panisch sprang ich aus dem Bett und lief ins Badezimmer. Alles weg. Nun eilte ich ins Wohnzimmer. Nichts. Ein Tablett mit einer silbernen Servierhaube stand auf dem Tisch, daneben lag ein weißes Kuvert mit meinem Namen.

»Mein wunderbares Mädchen! Du hast geschlafen wie ein kleiner ausgepeitschter Engel, deshalb wollte ich dich nicht wecken. Du hast dir deinen Schlaf redlich verdient. Meine Zeit mit dir verging viel zu schnell. Leider musste ich zu Mittag abreisen. Bitte sei mir deswegen nicht böse, auch mir ist es alles andere als leichtgefallen, zu gehen. Auf dich warten ein Schokocroissant und ein starker Kaffee. Genieße dein Frühstück und denk an mich, wenn du deine Striemen spürst, sobald du dich gemütlich zurücklehnst. Die beiden Zimmer sind bezahlt. Du kannst bis siebzehn Uhr bleiben. Bis bald, meine geile Dreilochstute. In fesselnder Verbundenheit Dein Sir Christopher«

Tränen füllten meine Augen. Dennoch musste ich über seine Worte lachen. Klar hatte ich mir unseren Abschied anders vorgestellt, aber wie konnte ich nach diesem Wochenende böse auf ihn sein? Er hatte alles getan, damit es mir gut ging. Mit angezogenen Beinen kauerte ich mich nackt auf den Sessel und hob die Servierhaube. Mein Handy, das ebenfalls auf dem Tisch lag, vibrierte, als ich eine Nachricht erhielt. Seit gestern Nachmittag waren bestimmt einige Mitteilungen eingegangen. Doch zuerst wollte ich mich stärken. Mit dem Handy in der einen und dem Croissant in der anderen Hand saß ich allein in der riesigen Suite.
Mitten bei einem genüsslichen Croissant-Bissen hielt ich inne, als ich eine Nachricht öffnete.
»Hallo meine Kleine! Ich musste letzte Nacht ganz oft an dich denken. Wie geht's dir heute?
Liebe Grüße dein Herr Peer.«

Fortsetzung folgt ...

Über die Autorin

Marie von Amstett ist das
Pseudonym einer Auto-
rin, die mit ihrer Familie
in Österreich lebt.
Seit Jahren ist das Schreiben ihre Leidenschaft.
In ihren Romanen geht
es um mutige Frauen, die
sich trotz aller gesell-
schaftlichen Normen er-
lauben, ihre dunklen Leidenschaften zu leben.
Marie von Amstett geht es nicht um Happy Ends,
sondern um authentische Gefühle, die manchmal
schmerzen, andererseits jedoch ungeahnte Höhen-
flüge auslösen. Ihre Art zu schreiben ist eindringlich, hemmungslos und voller Hingabe.

Eines sind ihre Bücher mit Sicherheit – sie sind
voller Leidenschaft!

Milton Keynes UK
Ingram Content Group UK Ltd.
UKHW031349011224
451755UK00001B/16

9 783769 306545